LA CROISADE
DES ENFANTS

DU MÊME AUTEUR :

Les Enfants du Graal, Jean-Claude Lattès, 1996.
Le Sang des rois, Jean-Claude Lattès, 1997.
La Couronne du monde, Jean-Claude Lattès, 1998.
Le Calice noir, Jean-Claude Lattès, 1999.
La Cathare, Jean-Claude Lattès, 2000.

Peter Berling

LA CROISADE DES ENFANTS

Roman

Traduit de l'allemand par Olivier Mannoni

JC Lattès

17, rue Jacob 75006 Paris

Titre de l'édition originale
DAS KREUZ DER KINDER
publiée par Ullstein Verlag

3 2777 0269 1580 3   *29.95

Aux amies de ma vie
Nec spe nec metu

DRAMATIS PERSONAE

D'Allemagne (1212)

Nikolaus, dit **Niklas** (14 ans), enfant de pauvres gens provenant des environs de Cologne, et qui se hisse au rang de chef d'une croisade allemande (« Le Guérisseur »).

Richard van de Bovenkamp, dit **Rik** (17 ans), soldat venu du Bas-Rhin, un romantique qui voulait en réalité devenir architecte de cathédrales.

Oliver von Arlon (16 ans), son compagnon, soldat venu de la forêt des Ardennes, fils de chevalier ruiné, avec un puissant goût pour la médecine.

Irmgard von Styrum (16 ans), fille noble de la région de l'Eifel, grande et osseuse, franchement virile (dite « Armin »).

Karl Ripke auf Röpkenstein (23 ans), chef des soldats allemands (Capitán), skinhead typique.

Randulf (13 ans), un courageux estropié de Cologne, chassé d'une maison fortunée.

Dörte (15 ans), fille aveugle au grand cœur, sa sœur.

Miriam (14 ans), jeune juive de Speyer.

Jacov (17 ans), son fiancé de Worms.

De France (1212)

Stéphane (12 ans), berger de l'Orléanais, esprit simple, affligé de visions et d'une conscience naïve de sa mission ; se fait appeler « le prophète mineur de Dieu ».

Mélusine de Cailhac (15 ans), noble du Languedoc, orpheline énergique et sûre d'elle, a grandi à Hautpoul, dans l'Orléanais.

Elgaine d'Hautpoul (18 ans), demi-sœur de Mélusine. Dame d'honneur de la reine Constance d'Aragon (épouse de Frédéric II) à Palerme.

Luc de Comminges (17 ans), novice dominicain de lignée occitane. Le futur «*vicarius Mariae*».

Paul de Morency (15 ans), orphelin d'origine paysanne (son père, Mas, est pendu lors de la conquête de Bordàs).

Étienne (14 ans), garçon des rues de Saint-Denis, voleur habile et frivole.

Blanche (13 ans), fille des rues de Saint-Denis, son amie.

Daniel (16 ans), le sérieux demi-frère d'Étienne, enfant de chœur à Saint-Denis, connaissant l'écriture, le futur «*legatus Domini*».

Alékos (19 ans), grec, valet d'auberge à la taverne du port de Marseille, poète méconnu.

Hugues de Fer et **Guillem le Porc** (*Guglielmus Porcus*), deux marchands de Marseille.

EN IFRIQIYA (1221/1222)

Kazar Al-Mansour (29 ans), émir de Mahdia.

Karim (9 ans), son fils, **Karim Ibn Kazar Al-Mansour**.

Moslah, le majordome de l'émir de Mahdia, le ***baouab***.

Samir, conteur aveugle, le ***haqawati***.

Moustafa, écrivain muet de lettres d'amour, le ***shaar***.

Ma'Moa, nourrice soudanaise.

Aicha, fille de Ma'Moa.

Abdal le Hafside, marchand d'esclaves installé à Tunis, possédant une résidence campagnarde à El-Djem.

Marius von Beweyler, franciscain de l'Eifel au service des Hafside, le ***bou kitab*** (père des livres).

Hedi Ben Salem, Haut-chambellan du sultan de Marrakech, l'***ouazir al-khazna***.

Ahmed Nasrallah, grand eunuque de Tunis, le ***kabir attawashi***.

«**Hadj**» **Zahi Ibrahim**, érudit de Tunis, frère cadet du mufti de Tunis.

Personnages historiques et autres (1212)

Pape Innocent III.
Philippe Auguste, roi de France.
Blanche de Castille, son épouse.
Pierre II, roi d'Aragon, suzerain en Occitanie.
Frédéric II (18 ans), roi de Sicile et d'Allemagne (*le Hohenstaufen*).
Constance d'Aragon (28 ans), son épouse.
Mourad, le précepteur du Hohenstaufen à Palerme, le *mou'allim*.
Soufian al-Iskanderi, médecin à la cour de Palerme.
Taufiq Almandini, médecin à la cour de Palerme.
Lotfi, joaillier arabe de la cour à Palerme.
Armand de Treizeguet, âge indéterminé, mystérieux chevalier, plus tard envoyé de Frédéric II auprès du sultan du Caire, *le Chevalier*.
Gilbert de Rochefort (37 ans), inquisiteur; agent des services secrets du pape. Sa famille vient de Champagne (*le Monsignore*).
Marie de Rochefort (27 ans), une dame d'honneur de la reine de France, sœur de Gilbert de Rochefort.
Timdal, page de Marie de Rochefort, *le Maure*.
Fakhr ed-Din, neveu du grand vizir du Caire.
Ezer Melchsedek, marchand et savant juif, confident du grand vizir.

1

La rose de Cailhac

D'un bond, il descend du tabouret. Ils lui ont volé ses chausses, mais sa nudité lui importe peu, il arrache ses poignets à l'enserrement de leurs mains, projette ses gardiens derrière lui – et avant qu'ils n'aient pu sortir leur dague, il s'est précipité par-dessus le bastingage, dans le bleu scintillant de la mer qui claque en projetant force embruns sur la roche abrupte de la côte. Le silence règne dans les profondeurs ensommeillées. Il a longuement inspiré en plongeant, et peut être certain d'atteindre l'une des grottes où la lumière du soleil promet air et liberté. Sous l'eau, il passe soigneusement la main derrière lui, entre ses deux fesses, et en sort le joyau qu'il lui importe de sauver. La créature surgit aussitôt, des sombres abîmes de la mer. Il connaît le visage bien qu'il ne l'ait vu qu'une seule fois dans sa vie. Ses yeux sont tournés vers lui, moqueurs – il ne porte pas de pantalon –, elle tend la main et exige qu'il lui donne l'anneau. Il ne peut le lui refuser ; mais malgré ses efforts, il ne parvient pas à l'atteindre, pas même à effleurer ses doigts – elle redescend vers les profondeurs. Séduisante et prometteuse, elle l'invite à le suivre dans la pénombre, là où aucun rayon de soleil ne pénètre plus. Son corps lourd comme du plomb s'y refuse et le pousse vers le haut comme si un bon djinn l'avait transformé en un bouchon de liège plus léger que l'eau. La pression écrasante se desserre autour de sa tête, la clarté se fait peu à peu devant lui... La bague échappe à ses doigts... à son souvenir.

— Rik, mon cher ami, que dois-je dire à mon fils ? (Le ton chaleureux l'a doucement ramené dans le temps présent, arraché à son rêve.) Chaque jour ses demandes deviennent plus insistantes. Il me pose des questions sur sa mère, reprit la voix inquiète.

Son interlocuteur affichait un sourire tourmenté. Ce n'était pas la première fois qu'on lui tendait à son tour cette coupe d'amertume. En lui aussi, cette demande rouvrait une blessure avec laquelle il s'était habitué à vivre – même si elle ne voulait pas se refermer. Rik van de Bovenkamp ne regardait pas l'homme à côté de lui, mais observait fixement les flammes rouges du coucher du soleil. L'incandescence du disque gigantesque menaçait de l'aveugler. Il laissa son regard glisser dans les bancs de nuages aux couleurs fauves, à sa gauche, puis vers la mer, loin des terres que baignait la lumière du crépuscule. La pénombre veloutée qui se déposait lentement sur l'horizon lui redonna son calme. Mais avec elle remonta ce désir d'un lointain, ce désir qui ne s'immisçait en lui que pendant la nuit et l'emmenait, au-delà des mers et des montagnes, dans les sombres forêts de sa jeunesse. À la lumière du jour, Rik avait déjà orienté son esprit vers La Mecque, quelque part au-delà du désert. Origine, passé, tout était loin derrière lui, et les bancs de brume en lambeaux étaient dans son dos. Son crâne dur avait blanchi avant l'âge, ses cheveux coupés courts avaient, à commencer par les tempes, oublié leur teinte sombre d'autrefois – il n'avait pourtant pas encore trente ans.

Son accompagnateur fit deux pas, comme pour matérialiser ce fossé qui les séparait. Rik n'eut pas besoin de regarder pour voir le reproche muet qu'exprimait le visage bronzé de l'émir, qui avait près de dix ans de plus que lui. Le regard de son aîné semblait se perdre au loin, vers les rochers du cap qui se dissolvaient dans la pénombre au fur et à mesure de la chute rapide de la nuit.

Bientôt, songea Rik, les pierres badigeonnées de blanc, sur le champ de tombes, brilleraient à la lueur du croissant de lune comme des étoiles précipitées au sol, des vers luisants que le froid aurait transformés en barres d'argent. Tous deux savaient qui était couché là-bas, sous l'un des tumulus de pierre, aux pieds du chemin de garde sur lequel ils se trouvaient. Il approcha de l'homme qui vivait son deuil comme un défi, et posa le bras autour de ses épaules.

— N'attendez pas de moi que je l'explique à Karim, cela ferait considérablement vaciller ma position de modèle – et l'ébranlerait même certainement. (Rik reprit son souffle avant de poursuivre d'une voix rauque.) En tant que *murabbi al-amir*, éducateur responsable de l'enfant, je dois...

L'émir l'interrompit d'une voix douce mais ferme :

— Je veux être moi-même celui qui le lui apprendra avec précaution ; mais de vous, Rik, j'attends que vous m'appreniez enfin la vérité. Puisque vous êtes mon ami..., ajouta-t-il avant de laisser sa phrase se perdre dans la brise qui se levait.

En dessous du coteau qui descendait, légèrement bombé, vers le ruban de mur noir, brillait le miroir formé par le bassin portuaire découpé comme à la hache dans les rochers. Le croissant de lune l'avait atteint, le vent soufflait plus fort et faisait onduler la surface de l'eau. Le port était protégé par les murs de Mahdia, l'étroite entrée était gardée par deux tours qui avaient même, jadis, été surmontées d'un arc. Mais il s'était effondré et c'était une lourde chaîne de fer qui remplaçait désormais les barreaux de l'ancien portail. Le cap rocheux qu'ils appelaient volontiers *La corne d'Ifriqiya* saillait comme un poignard dans la mer bleu foncé. Des vagues abruptes se formèrent, on entendit un léger bruissement, les premières rafales passèrent sur les mâchicoulis et sifflèrent dans les meurtrières.

D'un geste ferme, l'émir poussa Rik en direction de l'escalier qui permettait de descendre de la tour. Mais celui-ci tint à préciser son rôle, aimablement, mais tout aussi fermement.

— Pour l'amour de vous, Kazar Al-Mansour, je compte supporter de revivre ce qui s'est passé il y a neuf ans. (Il soupira.) Mais ne vous faites aucune illusion : je ne peux pas vous offrir beaucoup de ce que vous désirez savoir – une maigre pitance alimentée par quelques suppositions, des bribes de nuages de rêves de gamin, des espoirs puérils derrière le voile du presque oublié....

— Avant que votre veine poétique ne vous joue d'autres tours ou que vous ne soyez pris tout d'un coup par les premiers symptômes d'une amnésie sénile, mon cher ami... (L'émir était resté immobile sur les marches et avait pris Rik par les bras, des deux mains. Sur son sombre visage, ses yeux d'une étonnante clarté brillaient du reflet des torches.)... Je veux vous demander de tout étaler devant moi comme un trésor que vous partageriez devant l'ami.

Rik, qui s'était toujours gardé de tout épanchement sentimental, se réfugia dans le sarcasme :

— Dans ce cas, cette fois-ci, adjoignez-nous un scribe. Car ce n'est pas la première fois que vous m'interrogez et que je vous réponds...

— Cette fois, je ne veux pas poser de question, je veux que vous descendiez sans peur et de votre propre chef dans le puits du passé.

— J'ai toujours rêvé de cela ! répliqua Rik, moqueur. Un marchand d'esclaves qui fait des vers ! Un bourreau déguisé en troubadour !

L'émir accepta la remarque en souriant.

— Sur sa propriété campagnarde, près d'El-Djem, Abdal le Hafside emploie un moine chrétien comme jardinier. Celui-là devrait savoir écrire !

— Il faut espérer que quelqu'un puisse le lire, plaisanta Rik. Le plus souvent, les moines sont des copistes maladroits, mais ils sont rarement des chroniqueurs doués c'est-à-dire tout aussi capables de prendre rapidement note que ne le sont des maîtres de la plume !

— Nous le mettrons à l'épreuve et nous le paierons, ou bien nous l'enverrons au diable.

Rik comprit qu'il ne pourrait plus se sortir d'affaire. Ils étaient arrivés à l'extrémité de l'escalier tournant et sortirent dans l'une des cours intérieures du grand palais. Les gardes les rejoignirent en toute hâte et ôtèrent la torche des mains de l'émir, mais reculèrent ensuite avec respect.

Rik entreprit une première tentative.

— Vous m'avez suffisamment donné de bonnes raisons d'agir, noble Kazar, et je ne manque pas de la curiosité qui m'inciterait à plonger pour repêcher les souvenirs de ma lointaine jeunesse… (Il lâcha un nouveau soupir profond destiné à attirer la compassion.) Je manque de vue d'ensemble, je n'ai pas d'interlocuteur dans mon souvenir. Je me sens comme le naufragé sur les lames de la mer. Au moment où je faillis sacrifier ma propre personne, une sensation d'anéantissement me submergea de nouveau, état d'où seuls m'ont sauvé la volonté de survie de mes compagnons de destin, et le combat solitaire aux côtés de mes anciens camarades…

— Contrairement à vous, Rik van de Bovenkamp, interrompit l'émir en souriant, je me suis mis dans votre situation. Je suis donc parvenu à découvrir votre fidèle compagnon, Oliver. (S'il était fier de sa performance, il n'avait aucune peine à le dissimuler.) Il est devenu un bon médecin ; il met son art au profit des nomades ignorants près de Nefta, derrière le Chat el-Djerid, à la lisière du Sahara.

Mais la voix de l'émir finit par prendre la tonalité propre aux orateurs qui, aussi désireux soient-ils de vanter les mérites de celui dont ils parlent, veillent à ce que l'on n'oublie pas leurs propres mérites. Rik, lui, entendit seulement le bruit du piège qui se refermait. Mais après tout, ne se l'était-il pas tendu lui-même ?

— Son excellente réputation est parvenue jusqu'à moi, poursuivit l'émir, j'ai fait des recherches en votre nom et je lui ai demandé de nous faire l'honneur de sa présence ici. Le célèbre Ali el-Hakim devrait déjà être sur le chemin de Mahdia.

Rik donna l'accolade à l'émir et prit congé. Deux gardes expliquèrent au *murabbi al-amir* le chemin qu'il devait suivre, après avoir traversé le parvis, pour rejoindre le *Qasr al-Ibn*, le palais du Fils. En réalité, il faisait preuve d'une profonde ingratitude en ne se réjouissant pas plus de ses retrouvailles imminentes avec Oliver von Arlon. Cette joie, il ne la ressentit qu'au moment de se rendre dans ses quartiers. Elle était certainement plus forte que toutes les objections et tous les scrupules qui lui venaient à l'idée de dévoiler le comportement qui avait été le sien il y a si longtemps. Rik chercha et trouva le sommeil qui lui épargna d'avoir à réfléchir plus avant à la question.

L'émir resta encore longtemps éveillé. Il se faisait de vifs reproches. Non pas parce qu'il avait tellement pressé son ami qu'il n'aurait plus, désormais, d'échappatoire. Il n'avait pas eu le choix. Rik n'était pas un esclave, mais, depuis longtemps, un homme libre, et c'est de son propre chef que l'Allemand était resté. Il n'avait pas eu à abjurer sa foi – et pourtant, c'est à lui, le chrétien, que Kazar Al-Mansour avait confié l'éducation de son fils – et de son fils à elle. Et il la voyait désormais devant lui, il avait invoqué son image : ce qu'il savait, lui, ne suffisait pas : son savoir commençait à l'instant où il avait vu Mélusine pour la première fois, et devait s'achever au moment où il en avait fait sa femme. Elle était vierge, certes, mais elle avait mené jusque-là une vie pleine d'aventures, de tentations et de dangers, livrée à elle-même, une vie inconcevable pour une jeune fille de son âge ! Il s'était juré de ne jamais laisser transparaître la moindre jalousie à l'égard de Rik et de tous ceux qui avaient partagé cette période avec elle, avant qu'il ne la prenne dans ses bras. Mais cette ignorance le rongeait, ce sentiment d'être exclu lui avait inspiré une incertitude dont il souffrait affreusement, même s'il était toujours parvenu à la mettre entre parenthèses.

Il ne pouvait plus interroger Mélusine ; cette étrangère qu'il avait tant désirée était morte en couche, à la naissance de leur fils Karim. Kazar aurait pu vivre avec le souvenir de cette presque indomptée, de ces chauds et froid, de cette passion trépidante de guépard, de sa résistance furieuse, de la braise du désir impérieux de la jeune femme qui ne se transformait en tendresse qu'au moment où le verdict d'Allah était déjà tombé. Il n'eut que peu d'espace et de temps pour savourer cet amour. L'ange de la Mort étrangla, noya le corps aimé dans son sang dès qu'elle eut mis son fils au monde. Mais ensuite, alors qu'elle marchait déjà, douce et contenue, vers son inéluctable fin, Rik était venu auprès d'elle, elle avait encore une fois ouvert les yeux et lui avait lancé un sourire qui ne lui avait jamais été donné à lui, Kazar – et sur ce, elle était morte.

Combien de fois avait-il sursauté au beau milieu de la nuit, trempé de sueur, possédé par une seule question qui se répétait au rythme d'un battement de tambour sourd et sans fin : qu'est-ce qui avait pu lui arracher son sourire, au seuil de la mort ? Eût-elle été une musulmane pratiquante, il aurait pu se consoler en pensant qu'elle entrait au paradis. Mais le peu de temps qu'elle avait passé sur terre n'avait pas laissé à Mélusine le loisir de s'initier aux sagesses du Coran. Les mots du prophète lui étaient restés étrangers. Il était trop tard pour lui faire des reproches ; à l'époque, tout lui avait paru absurde. Il ne pouvait pas interroger Rik ; l'Allemand lui-même, sans doute, n'aurait pas eu de réponse – pour autant qu'il avait même été conscient de la singularité de l'instant. Le mystère devait tenir à l'histoire de ce chemin bref et long que toutes les personnes concernées avaient parcouru, ensemble, séparées et pourtant unies dans la quête – mais de quoi ? L'émir se releva au milieu de la nuit, se jeta au sol et pria pour la paix de son âme.

Rik s'éveilla avec le premier rayon du soleil, mais avant qu'on n'amène Karim chez lui, au matin. Le petit garçon passait la nuit dans le palais de son père. Avec sa *sin ar rushd* solennelle, sa majorité, cela changerait. Karim avait peine à attendre cette date. Malgré son teint de bois de santal, qui était aussi celui de son père, le joli garçon ressemblait par bien des traits à sa mère. Mais sa peau attirante recelait une partie du charme auquel Mélusine s'était laissé prendre. Karim était certainement un enfant de l'amour, Rik n'en démordait pas.

— Monsieur mon père va se coucher lorsque je suis déjà endormi, protesta Karim, il ne prend plus le temps de me raconter une histoire pour m'endormir. (Le prince s'abstint de trépigner pour souligner ses propos.) Je peux donc venir m'installer avec toi, même sans *qissid tisbah alakheir* ! À moins que tu ne voies un motif qui s'y oppose ?

Rik dut déployer tout son talent d'éducateur :

— C'est parce que le grand El-Mahdi en a institué l'usage ! réagit-il un peu sèchement, car ce n'était pas la première fois qu'il entendait ces récriminations. Et puis ton père est heureux de te savoir chez lui. Souvent, la nuit, il se tient debout devant ton lit et veille sur ton sommeil…

— Parce que je n'ai pas de mère !

Le thème que Rik cherchait souvent à éviter n'avait pas tardé à ressurgir.

— Elle, il ne l'a pas protégée, il l'a laissée se vider de son sang, reprit l'enfant.

Cette plainte-là non plus n'était pas nouvelle. Il lui fallait y répondre sur-le-champ.

— Karim! dit-il d'une voix sévère. Qui t'a dit une bêtise pareille?

— Le majordome! répondit le gamin d'un air de défi. Et le *baouab* a raison, car c'est ainsi qu'il en a été!

Rik prit son temps. Il devait faire sortir l'émir de la ligne de tir; mais ne pouvait pas plonger cet enfant sensible dans une confusion excessive: dans le cas contraire, au bout du compte, Karim se serait rendu responsable de la mort de sa mère. Il ne pouvait donc pas dire simplement que Karim lui-même, ce jour-là, avait failli perdre la vie.

— Messire ton père a fait venir les meilleurs médecins, tenta-t-il d'expliquer précautionneusement (et en toute mauvaise foi, car les spécialistes avaient été appelés au moment où il était déjà trop tard). Mais on ne peut pas prendre la nature par la ruse, comme tu le sais déjà, fit-il, en tentant de stimuler la culture de son filleul. Le corps humain a perdu bien des instincts au fil de l'histoire. Pense à tes dents...

Karim n'accepta pas cette explication:

— Libre à Allah de m'envoyer des maux de dents et de les faire cesser, mais il ne peut pas être cruel au point de...

— Si! l'interrompit brutalement Rik. Il le peut! Il le peut s'il le veut! Et nous devons nous plier à sa décision.

— Allah est donc un vulgaire assassin...

— Il l'est aussi. (Rik voulait mettre au plus vite un terme à cette conversation.) Tu devrais t'excuser pour le «vulgaire», Karim – tout comme pour la comparaison avec les fanatiques du Vieux de la Montagne, qui ne reculent pas devant le meurtre. Et puis tu te fais une image trop plaisante et trop confortable de ton Dieu: Allah donne la vie et la reprend – comme il lui plaît à lui, pas à nous.

— *Inch'allah!* conclut à sa place cet enfant précoce, moqueur, rétif, loin d'être résigné, mais qui estimait visiblement qu'il ne pouvait pas non plus parler de cela avec Rik.

— Maintenant, va prier! le rabroua Rik. Ensuite, tu pourras m'accompagner jusqu'au chantier de la tour dans l'eau. On installe aujourd'hui le mécanisme de levier qui ouvrira vers la mer la porte de fer du *Burj fil Bahar* et refermera simultanément le chemin de la fuite.

Il avait ajouté ces derniers mots sur un ton conciliant, sachant avec quel enthousiasme Karim partageait son intérêt pour les machines de guerre. Rik avait gardé ce goût pour le génie militaire depuis qu'il avait fait, enfant, le rêve de devenir un bâtisseur de cathédrale. La technique complexe et imaginative de la défense ne remplaçait certes pas l'architecture sacrée, mais procurait à cet ascète plus qu'une simple satisfaction. C'était la seule passion que Rik fût encore capable d'éprouver.

— Comment vous appelez-vous, d'où venez-vous? demanda Rik à l'homme trapu qui se tenait devant lui, confus, dans la salle des livres. Qu'est-ce qui vous a amené ici?

Ce pauvre homme n'y pouvait rien. Mais, avec son apparition, le fardeau que l'on avait infligé à Rik, la consignation des événements de 1222, cette plongée dans les entrailles de son propre passé, prenait désormais une forme visible. Rik aurait infiniment préféré saisir les instruments de ses propres mains pour faire glisser la herse dans ses rails, vérifier le calage des chaînes réalisées sur mesure dans leur moyeu afin de surveiller la fermeture parfaitement synchronisée du tunnel creusé dans la roche. Il l'avait présenté à l'émir suspicieux comme une installation nécessaire pour évacuer dans la mer les déchets provenant du palais du Fils; en réalité, cette merveille de la technique était destinée à garantir la survie du principal habitant du lieu. Rik ne pouvait qu'en éprouver une fierté secrète. Non pas que le Kazar le lui aurait interdit. Mais l'émir considérait qu'aucun danger ne le menaçait et que toutes les améliorations, et même la maintenance des installations de défense étaient extrêmement superflues: « Quand on remet la paix en question, c'est que l'on a déjà convié la guerre chez soi. » Ce n'était pas l'opinion de Rik. Pour lui, seul le questionnement permanent des intentions et des facultés d'un adversaire potentiel pouvait assurer à peu près la sécurité de la forteresse de Mahdia. Et même cela n'apportait aucune certitude.

Désormais, il devait s'occuper de ce *marvan bou kitab*, le bibliothécaire allemand du Hafside. L'homme avait des mains de jardinier, sa stature basse et son front bas ne promettaient pas une grande finesse dans le maniement du langage ou de l'esprit.

— Marius von Beweyler, à votre service, Monseigneur, lâcha l'inconnu, et constatant qu'il ne déclenchait aucune réaction, il reprit : Venu de l'Eifel, en Germanie, non loin du Rhin…

Il s'arrêta : Rik eut un bref instant l'envie de lui révéler qu'il s'agissait aussi de sa région d'origine. Mais il rejeta vite cette familiarité de vieux compatriotes et s'arracha tout juste quelques mots inquisitoriaux :

— L'archevêché de Cologne, par conséquent ? Quel ordre ?

— *Ordinis fratrum minorum.*

Il fallait arracher les informations une à une à ce « père des livres ».

— Depuis quand les adeptes de François d'Assise ont-ils avancé jusque dans la vallée du Rhin ?

Le moine ne se laissa pas impressionner.

— J'ai marché jusqu'en Ombrie pour suivre François ! C'est un saint !

— Pas encore ! corrigea Rik. Et qu'est-ce qui vous a amené sur le cap d'Ifriqiya ? Les pirates des Hafsides ne sont tout de même pas allés vous enlever sur les marchés allemands ? Surtout qu'avec votre François, on ne peut espérer la moindre rançon !

Le moine supporta patiemment la moquerie.

— Dans le delta du Nil ! Le cardinal espagnol Pelagius… voulut-il répondre, mais Rik lui coupa la parole.

— Oh sainte mère de Dieu ! s'exclama-t-il en levant les deux mains. Vous me parlerez une autre fois de cet oiseau de malheur vêtu de pourpre ! (Il prit de nouveau l'air sérieux.) Maintenant, je vous demande de me dire, sans fioritures et mot pour mot…

— Je comprends : *sine glossa* ! laissa malicieusement échapper Marius.

— Je vous prierai de ne parler que lorsque je vous inter-
rogerai ! En revanche, vous devrez écrire tout ce que je vous
dirai...

Marius avait déjà sorti de son sac en bandoulière du
parchemin et une plume. Il avait aussi repéré le pupitre.

— Je note donc chacun de vos mots, Monseigneur.
Faites-moi seulement savoir lequel doit figurer en premier.

Rik perdit patience.

— Je vais vous dicter...

— Dois-je commencer par cela ?

Il plongea sa plume dans le flacon qu'il avait apporté.

Extrait du manuscrit de Mahdia
Dans la Forêt de Farlot
Récit de Rik van de Bovenkamp

C'était en l'an 609 de l'Hégire, c'est-à-dire, selon notre
décompte, en l'an de grâce 1212, lorsque au sud du
pays des Francs, la guerre contre les hérétiques pencha en
faveur de l'Église. La couronne de France n'avait alors plus
aucune raison de continuer à entretenir les hordes de mercenaires qu'elle avait levées dans l'Occitanie occupée. Nous,
qui avions accouru d'Allemagne sous la bannière du comte
de Montfort, on nous paya notre dernière solde, en nous
invitant sans ménagement à rentrer chez nous.

Comme on n'avait plus besoin de notre service armé,
nos provisions de route étaient elles aussi très chichement
mesurées. Nous avions donc la bourse vide, le ventre creux
en traversant ce pays de la couronne qui nous était si peu
reconnaissant. Nous ne pouvions pas non plus attendre de
compassion de la part de la population : elle fermait ses
portes à notre approche. Nous nous étions déjà traînés
jusque dans l'Orléanais, une région riche et florissante sur
les bords de la Loire, dont les habitants avaient le cœur d'autant plus dur que la faim nous avait fait plier les genoux.
Nous y relevâmes des faits extrêmement étranges que l'on
peut prendre pour des hallucinations mais que je ne compris pas et ne pris pas vraiment au sérieux. Bien plus tard
seulement, il devint clair à mes yeux qu'il s'agissait d'un
enchaînement au terme duquel ma vie allait connaître un

changement de cap décisif, et qui me jeta finalement sur la Corne d'Ifriqiya.

Depuis une colline, un cavalier solitaire, sur sa monture, observe le pays qui s'étend devant lui. Au loin approche lentement une petite troupe de guerriers – ils tiennent à peine sur leurs jambes. Mais ce ne sont pas ces soldats épuisés par le combat qui paraissent étrangers dans cet aimable paysage, parmi les coteaux verts et les sombres forêts du Loiret, non, c'est le cavalier solitaire qui donne cette impression. De haute stature, portant son plus bel équipage de tournoi et sa lance longue, il attend, immobile, la visière de son casque fermée.

Aux pieds de l'inconnu, un jeune berger nommé Stéphane fait paître son troupeau de moutons sur la pente descendante. Lorsqu'il aperçoit les soldats qui s'approchent, il est pris de terreur, s'agenouille, implore le Sauveur de le protéger, lui et son troupeau. Il lui promet de faire tous les pèlerinages possibles, d'aller où le Seigneur Jésus lui demandera, pourvu que les animaux qu'on lui a confiés soient épargnés – et le troupeau de moutons devient vert comme l'herbe qu'il broute dans le pré ! Stéphane ne trouve pas le temps de remercier le Seigneur pour ce miracle, car les guerriers étrangers qui passaient devant lui ont découvert le jeune berger, agenouillé, tout seul, au milieu de la prairie, et lui font signe, impérieux, de venir les rejoindre...

— Rik ! Rik, réveillez-vous, tonna la voix de l'émir, un peu inquiet, mais surtout amusé. Que voulez-vous savoir à ce propos ? demanda Kazar Al-Mansour à son ami, comme on parle à un somnambule. Ce qui m'importe, c'est d'avoir un récit sur la réalité des faits, et pas des supputations !

Rik le dévisageait comme s'il sortait effectivement de son rêve.

— Mais, hasarda-t-il, cela correspond exactement à l'image que j'ai toujours eue devant les yeux et dont j'ai longtemps ignoré qui l'avait implantée dans mon cerveau, reprit-il, songeur, sans regarder l'émir. Maintenant que vous me poussez à me souvenir, je vois soudain devant moi cette troupe de soldats perdus – et juste au bord, je me reconnais moi-même, je suis l'un de ces soldats !

— Quelqu'un vous a-t-il raconté cette histoire plus tard, lorsque le jeune berger était devenu une légende ?

Kazar traitait Rik avec autant d'égards que s'il avait de la fièvre, mais cela ne fit qu'aviver son esprit de contradiction.

— Je vais vous prouver que j'y étais en personne : dans le cas contraire, je ne connaîtrais pas aussi précisément la suite de l'histoire !

— Ceux qui rêvent éveillés sont rarement clairvoyants, admit Kazar en souriant, mais dites-moi donc ce qui se passa ensuite ?

— Moi, Richard van de Bov…, commença-t-il, mais l'émir lui coupa aussitôt la parole.

— Ça n'ira pas comme ça, fit-il, debout près de Rik. Quand vous dites « moi », le lecteur pense que le scribe, là (Il désigna du pouce la tête baissée de Marius), parle de lui. En d'autres termes, ou bien le secrétaire qui prend des notes est capable de transposer à la troisième personne le flot de votre récit, ou bien, cher ami, vous vous donnez la peine de parler de vous comme si vous n'étiez qu'un chroniqueur impartial.

Rik rentra lentement la tête dans les épaules.

— Je n'y connais certes rien, mais cela me permettrait aussi de me voir avancer comme un scarabée bizarre sur le sable.

— Prenez pour modèle un animal plus éminent, peut-être le lion. (L'émir ne cachait pas sa moquerie.) La poitrine gonflée, le roi du désert traverse l'aimable pays des chrétiens, franchit à la nage leurs rivières torrentielles…

— … Se gèle les pattes dans les hauteurs glacées de montagnes que vous ne connaissez pas, poursuivit Rik sur le même ton allègre, se brûle sur des feux qui m'étaient, lui étaient, étaient inconnus au petit Rik, ça y est, je le tiens : c'est à un bœuf qu'il faut comparer ce jeune Rik !

— C'est vous qui avez choisi cette image, je n'avais pas l'intention de me moquer de l'origine de votre nom de famille !

— Je m'amusais plus de la bêtise que j'ai commise en me précipitant vers l'avant, jusqu'à ce que je me retrouve tout d'un coup devant des eaux qui faisaient des vagues et avaient un goût de sel. Le bœuf n'avait encore jamais vu autant d'eau à la fois – et il ne savait pas non plus nager...

— À cette vitesse-là, je ne peux pas suivre ! intervint le franciscain en sueur.

Ils éclatèrent de rire tous les deux : ils avaient totalement oublié leur scribe.

— Je vous laisse seuls, à présent.

L'émir tenait à ce que ces scènes finissent un jour par lui être remises consignées sur du parchemin : depuis des années déjà, il déployait toute son imagination pour tenter de les reconstituer. Mais contrairement à ce qu'il avait annoncé, il resta debout dans l'embrasure de la porte.

Extrait du manuscrit de Mahdia
Dans la Forêt de Farlot
Récit de Rik van de Bovenkamp

Stéphane, le jeune pâtre effaré, dévala la colline et se retrouva juste devant les sabots de nos chevaux fatigués. Notre guide était Karl Ripke, un grand gaillard mal dégrossi au crâne rasé. Ses bras nus, décorés de têtes de morts et de gueules de dragon aux couleurs vives, plongèrent certainement le chétif Stéphane dans une angoisse et une terreur plus effroyables encore, car lorsque le capitán demanda au gamin le chemin qui menait à la ville voisine, celle de Bordàs, il se retourna, anxieux, vers son troupeau. Mais on ne le voyait pas – il n'y en avait vraisemblablement pas du tout, il n'y avait là que le coteau verdoyant de la prairie, plein de fleurs printanières bigarrées. Pris de gratitude, il nous décrivit de bon cœur et en détail le chemin qui serpentait dans la vallée, avec toutes les ramifications, les sentes et les ponts qu'il nous fallait respecter ou éviter. Il y avait certes, nous dit-il, un chemin beaucoup plus court qui traversait la forêt de Farlot et se dressait devant nous, mais il était dangereux car, nous dit-il, « dans la sombre for... ». Ripke, d'un rire grossier, coupa la parole au berger effarouché, et nous l'imitâmes tous. Stéphane ne parvint donc pas à parler de la lueur étrange qui vivait là-haut, dans les fourrés, et nous reprîmes notre chemin sans un mot de remerciement.

Agenouillé au bord du chemin, Stéphane rend grâce au Seigneur et demande au bienveillant Sauveur où il doit accomplir son pèlerinage pour exaucer son vœu. Ce n'est cependant pas Jésus qui lui répond, mais une voix au-dessus de lui:

— C'est vers Jérusalem qu'il faut te diriger!

Effrayé, Stéphane se retourne et voit le chevalier qu'il prend pour saint Georges; derrière lui, son troupeau de moutons dessine de nouveau un échiquier blanc, brun et noir sur le sol de la prairie. Il ose objecter, en bredouillant:

— Et comment franchirons-nous la mer profonde?

Saint Georges, trépidant, plante sa lance:

— Tu n'as qu'à suivre mon ordre!

Atterré, le jeune berger regarde le point où la tige de la lance s'est enfoncée dans le sol: une petite source y jaillit.

— La mer se séparera pour toi, si bien que toi et tous ceux qui te suivront atteindrez l'objectif sans vous mouiller les pieds. (Le chevalier ramène la lance vers lui, la source se tarit.) Sois comme elle, solide dans ta tenue et dans ta conduite! ajouta-t-il avant de disparaître aussitôt.

— Vous auriez dû vous faire missionnaire, Rik, plaisanta l'émir, le dernier à s'être égaré dans la grande mosquée de Kairouan y a lui aussi raconté toutes sortes de miracles. Ensuite, quand on l'a mis dans la marmite, il s'est mis à crier avant même que l'huile ne commence à bouillir...

— Vous ne me ferez pas faire une chose pareille, répliqua Rik, l'air sévère. Ne serait-ce que par principe, je n'abjurerai jamais mon histoire merveilleuse!

L'émir fit aussitôt un signe pour le rassurer, mais il n'était pas suffisamment clair pour «l'éducateur du prince».

— Si vous ne prêtez aucune foi à mes propos...

Rik paraissait vexé. Kazar fit signe à Marius de reprendre sa plume et baissa la tête, l'air coupable, pour apaiser son ami.

Extrait du manuscrit de Mahdia
Dans la Forêt de Farlot
Récit de Rik van de Bovenkamp

Nous, horde de soldats allemands épuisés par la guerre, nous avions entre-temps poursuivi notre chemin depuis très longtemps, en nous dirigeant droit vers la forêt de Farlot. À l'orée du bois, nous rencontrâmes un paysan tirant une charrette à foin surchargée. Tout en haut du tas trônait son fils, qui, à mon goût, ne nous regardait pas très aimablement. Comme notre capitán n'accordait pas beaucoup de crédit à la description confuse que le jeune berger avait faite de notre trajet, il demanda une nouvelle fois quel était le chemin pour Bordàs. Le vieux hésitait, mais son fils, depuis sa hauteur, nous renseigna aussitôt :

— Le plus court traverse tout droit le Forlat !

Cela conforta Karl Ripke dans son intention de ne pas faire de longs détours. Énergiques et insouciants, nous empruntâmes le sentier qui s'ouvrait entre les troncs élevés de la sombre forêt. De tous les soldats de Ripke, mon compagnon Oliver von Arlon et moi-même, Rik von Bovenkamp, étions de loin les plus jeunes. Nous, les deux courageux fils de chevaliers venus des provinces allemandes situées entre la Meuse et la Moselle, nous chevauchions à leur tête.

L'émir toussota discrètement :

— Si vous voulez à présent remplacer les légendes pieuses des saints tueurs de dragon par des chansons de geste, nous nous sommes vraiment mal compris. (L'émir se releva.) Mis à part le fait que je n'ai pas vu de princesse à sauver, n'importe quel *haqawati* racontant ses histoires sur le marché serait meilleur que vous dans ce genre-là !

Kazar posa aimablement la main sur l'épaule de Rik :

— Je préférerais savoir qui vous êtes, ce qui vous a fait venir, vous et votre ami, au pays des Francs, où vous avez ensuite rencontré la jeune femme…

— J'en étais justement là! protesta Rik. Si vous ne m'aviez pas interrompu, je serais déjà...

— *Muhdithan daja!* (Kazar Al-Mansour leva les mains.) Vous allez trop vite, je veux savoir précisément à quoi ressemble le pays d'où elle vient, et pourquoi vous l'avez pris d'assaut!

Rik fit un signe au moine qui attendait : il pouvait marquer une pause. Sur ce, l'émir fit sortir Marius de la pièce, non sans avoir regretté le refus de Rik.

— J'aurais aimé avoir tout cela par écrit... grommela-t-il.

— Je vous ai relaté depuis longtemps tout ce qui me concerne. (C'est Rik, désormais, qui manifestait une mauvaise humeur contenue.) Ma jeunesse dans un château qui n'était pas bien somptueux mais disposait de riches propriétés à la campagne, la mort prématurée de mes parents et l'avidité sans frein de l'évêque et de quelques monastères. Mes frères se sont laissé corrompre par l'idée d'une carrière prometteuse dans l'Église ; moi, le dernier né, je ne tenais pas à vénérer des brigands en portant par-dessus le marché la robe noire du prêtre. J'ai loué mes services à un comte qui partait pour le sud au profit du roi de France, pour combattre l'Occitanie insurgée.

— N'était-ce pas le chef suprême de l'Église chrétienne qui avait appelé à cette « croisade » contre un pays chrétien ? demanda l'émir, corrosif. Ne portez-vous pas à présent sur la poitrine cette croix que vous avez si résolument refusé de tenir dans vos mains, comme vos prêtres ?

Ce reproche, qu'il se faisait aussi lui-même, était comme un pieu enfoncé dans son cœur, et Rik ne chercha pas d'excuse.

— Je n'avais aucune idée de la brutalité avec laquelle on mènerait cette guerre, pas plus que je ne savais ce qu'est être soldat, et soldat payé par-dessus le marché. Personne n'a fait attention à mon rang de chevalier, au bout de trois ans je ne valais pas mieux que ces vulgaires mercenaires, et j'acceptais d'être commandé par un Ripke... Karl Ripke, von Röpkenstein! (Il laissa se dissiper sur sa langue le mauvais goût que lui laissait d'ordinaire ce nom méprisant, et poursuivit:) ... auquel, jadis, je n'aurais même pas jeté mon gant!

Rik en fulminait encore. Ce passé si lointain et refoulé depuis longtemps menaçait de nouveau de le rattraper : toute cette déraison, ces errements, ces oublis…

L'émir lui donna sur l'épaule une bourrade tranquillisante :

— Si cela vous est trop pénible de parler de vous à la première personne, vous n'avez qu'à garder votre rôle de narrateur impartial…

— Il s'agit d'un règlement de compte impitoyable ! répliqua Rik d'un air de défi.

Il voulut ajouter : « après une vie gâchée », mais il se rendit compte à temps que cela pouvait être considéré comme discourtois, voire comme une marque d'ingratitude, et il se tut, l'air touché.

Kazar Al-Mansour se reprocha d'avoir ainsi placé son ami au pied du mur. Mais d'un autre côté, il brûlait d'apprendre tout ce qui avait un quelconque rapport avec Mélusine.

— Revenons donc dans la sombre forêt où vous venez d'entrer, proposa-t-il, conciliant. Dois-je vous laisser enfin seuls – avec ce jardinier qui écrit avec une si effroyable lenteur ?

Il avait formulé sa proposition sur un ton interrogatif, mais Rik se contenta de hocher la tête d'un air grognon. L'émir se dirigea vers la porte et fit rappeler le moine. Puis il se tourna encore une fois vers Rik.

— J'espère que ce Marius, ajouta-t-il, moqueur, n'est pas aussi ennuyeux dans le choix de ses mots que dans son maniement de l'encre et du parchemin !

— Je préfère qu'il prenne son temps, fit Rik, en toute mauvaise foi, pour défendre le moine. Ce n'est pas la main qui écrit qui doit déterminer la forme du récit, mais le narrateur et lui seul.

Kazar Al-Mansour n'était pas disposé à se laisser ainsi remettre à sa place.

— Et quand le narrateur et créateur, fit-il, la mine sombre, utilisera-t-il enfin sa noble langue pour servir son véritable but, le mien, au nom duquel je dois endurer toutes ces histoires de chevaliers tueurs de dragon, de forages miraculeux, de moutons verts et de mer qui s'ouvre, comme jadis devant Abraham ?

— Devant Moïse, corrigea Rik sur un ton de maître d'école. Si vous ne m'aviez pas interrompu à ce moment précis, Mélusine se tiendrait déjà devant vous telle qu'elle m'apparut à l'époque – et telle que vous l'avez connue !

L'émir préféra ne pas claquer la porte et serrer son ami dans ses bras, d'autant plus que le moine venait de faire son apparition et que Moslah, le majordome, avançait en se dandinant derrière lui.

— Nous ne sommes pas en mesure de trouver votre ami, le docteur. Ali el-Hakim est parti… Dans le désert.

Moslah ne jugea pas utile d'exprimer ses regrets.

L'émir avait vu passer une ombre de déception sur le visage de Rik.

— Notre Moslah va essayer de le remplacer par Timdal… (Kazar désigna sans se retourner le garçon à l'air curieux qui venait de surgir derrière lui.)… Timdal, le Maure du grand eunuque de Tunis, qui doit le mettre à notre disposition avec le plus grand plaisir !

Moslah, le *baouab*, ne dissimula pas le déplaisir que lui inspirait cette mission :

— Ce petit Maure insolent…, protesta-t-il.

— … nous sera d'un grand secours, compléta Rik avant de jeter, soulagé, un coup d'œil sur Marius, qui le perçut aussitôt et avec reconnaissance.

— C'est bien la raison pour laquelle je ne le laisse pas s'installer à Mahdia ! fit l'émir, atténuant d'abord les espoirs pour les ranimer aussitôt : le Maure a plus d'imagination dans le cœur que de cheveux crépus sur la tête ! (L'éloge de l'émir, qui était aussi un blâme dissimulé de Rik, ne connaissait plus de limites.) La richesse de ses idées présente aussi un avantage : il sait le saisir en paroles. Son humour vous donnera des ailes ! (Kazar Al-Mansour avait certes prononcé ces mots à l'attention du moine Marius, mais Rik avait compris.) Son art de formuler les choses d'une manière tellement imagée qu'on les prendrait à pleines mains animera les vôtres (Le moine, consterné, observait ses grosses pattes) fera filer votre plume comme sur un tapis volant !

Rik, piqué au vif, baissa la tête ; en réalité, il était agacé que l'émir l'ait ainsi ridiculisé, surtout devant Moslah.

— Je souhaite, conclut Kazar Al-Mansour, qu'un jour, lorsqu'une belle *houri* lira de sa voix harmonieuse des passages de ce texte, Karim voie apparaître devant lui la silhouette de sa splendide mère – mais aussi, ajouta-t-il rapidement, les traits de caractère marquants des compagnons qui l'entouraient, d'une manière aussi concrète que si elle prenait elle-même son fils bien-aimé dans ses bras !

Un silence respectueux se répandit dans la salle des livres, la *sala al-koutoub*.

— Avec votre permission, je connaîtrais bien quelqu'un d'autre, osa dire le frère mineur : Daniel, le secrétaire de ma maîtresse, l'épouse du Hafside...

Rik se contenta d'un bref geste d'agacement :

— Comment ai-je pu ne pas penser à cet enfant de chœur ! songea-t-il à voix haute, avec un enthousiasme suffisant pour exprimer son assentiment à l'émir, ce qui permit au moine d'ajouter :

— Lui aussi arriverait de Tunis...

— Dans ce cas, qu'ils fassent tous deux le voyage jusqu'ici ! ordonna l'émir à son majordome, qui le regarda d'un œil assombri. Jusque-là, vous devrez vous contenter des forces et de l'habileté qui sont rassemblées ici.

Extrait du manuscrit de Mahdia
La tour en flammes
Récit de Rik van de Bovenkamp

Notre petite troupe de soldats allemands parcourt la forêt de Farlot – une sombre futaie, en vérité ! Depuis longtemps, nous avons dû mettre pied à terre, car le chemin est étroit qui mène à travers le sous-bois dense, tellement étroit, parfois, que les chevaux renâclent et que nous ne pouvons avancer qu'à la file. Au-dessus d'une clairière qui s'ouvre subitement devant nous, Oliver et Rik découvrent entre la cime des arbres, sur une hauteur, les tours d'un château. Ils ne les auraient certainement pas remarquées si d'épaisses colonnes de fumée n'étaient pas montées derrière les murs et si des flammes n'avaient pas dardé par les fenêtres. Le capitán Ripke décide que les deux amis doivent remonter à cheval et passer au peigne fin le château en flammes pour en faire sortir la racaille pouilleuse qui s'y dissimule. Ils ont trop souvent vu des incendies attirer les étrangers dans un piège. À lui seul, le coûteux équipement des chevaliers rentrant chez eux mérite une attaque. Karl Ripke est certes un chef de mercenaires, mais il tient à l'ordre, et ne reconnaît pas à une quelconque bande de brigands le droit au pillage. Il aime à engager les deux jeunes nobles dans des missions dangereuses. Oliver, en particulier, le jeune seigneur d'Arlon, lui fait constamment sentir qu'il est d'une lignée plus noble que la sienne, Ripke, ce bâtard sans moyens, fils d'un chevalier-brigand de la vallée rhénane. Mais pour nous, les deux amis, n'importe quelle aventure est bonne à prendre : c'est pour les vivre que nous sommes partis, pas pour massacrer de braves défenseurs après leur capitulation ni pour pousser des femmes et des enfants dans le feu des bûchers.

La troupe dirigée par le capitán reprend son chemin en toute hâte : la forêt sombre et paisible l'inquiète, d'autant plus que le château en flammes prouve que des êtres malveillants hantent les parages.

On ne voit pas âme qui vive lorsque Rik et Oliver s'approchent des murs. Mais à peine ont-ils pénétré dans la cour du château qu'une grêle de flèches s'abat sur eux depuis le donjon enveloppé de fumée. Sous le portail étroit du donjon, ils aperçoivent le visage couvert de suie d'une jeune fille qui décoche ses flèches à la file sur les intrus, sans se soucier des flammes qui s'élèvent derrière elle, dans l'escalier.

Mélusine de Cailhac compte se défendre contre ces ennemis en qui elle a aussitôt reconnu des mercenaires, des créatures de la même trempe que ceux qui, sur leur chemin, ont mis le feu à son château.

Mélusine est orpheline de père et de mère, ses parents ont trouvé la mort sur leurs terres occitanes, dès le début de la « croisade des Albigeois ». La jeune fille, âgée à ce jour de quinze ans, a été recueillie par les d'Hautpoul, des parents de sa mère dans l'Orléanais, et ce contre sa volonté. Ses cousins étaient en effet des partisans convaincus de la Couronne, et comptaient donc au nombre de ceux que la cupidité avait poussés à déplacer cette guerre piteuse vers le sud, au seul motif que Paris voulait s'ouvrir un accès à la Méditerranée, et parce que le pape, à Rome, ne s'accommodait pas du fait que les habitants du Languedoc désirent chercher leur propre chemin vers Dieu – sans l'intermédiaire des prêtres catholiques et des moines de ce Dominicus. Mais « l'hérésie » se propagea, on disait qu'elle avait déjà touché la petite ville toute proche de Bordàs. Les d'Hautpoul se sentirent donc appelés à la défendre, puisqu'elle faisait partie de leurs biens. Ils se battirent avec virulence contre les troupes qui refluaient désormais d'Occitanie, le plus souvent des bandes de mercenaires venus d'Allemagne, aiguillonnés ou achetés par l'Église, qui les incitaient à attaquer les « hérétiques » à chaque fois qu'ils en rencontraient. Tout le butin serait pour eux.

Chacun combat donc désormais contre tous, le château d'Hautpoul est en flammes, et Mélusine est livrée à elle-même.

— Et elle vous a raconté cela tout de suite, à vous, l'ennemi ? objecta l'émir. Vous n'avez tout de même pas torturé Mélusine ?

— Dieu nous en garde ! s'exclama Rik, épouvanté. Comment pouvez-vous imaginer… Non, je l'admets, la belle serrait les dents et ne prononça pas un mot. Tout ce que je sais aujourd'hui sur ce qu'elle était alors, je le tiens de Timdal, le Maure qui fut plus tard son garde du corps.

— Dans ce cas, nous devrions l'entendre, lui aussi… songea l'émir à voix haute. Mais racontez-nous enfin ce qui s'est effectivement passé !

— Je ne puis séparer des événements les sentiments qui furent alors les miens, répliqua Rik. Tout aussi peu que des idées qui me vinrent alors – ou ne me vinrent que par la suite.

— Ne vous forcez en rien, Rik ! conseilla l'émir avec impatience. Mais dans ce cas, exprimez-vous comme si cela se déroulait en ce moment même sous mes propres yeux.

Extrait du manuscrit de Mahdia
La tour en flammes
Récit de Rik van de Bovenkamp

Mélusine de Cailhac s'était refusée à partir avec les autres lorsque tous les hommes en armes d'Hautpoul avaient lancé leurs chevaux dans une fuite totalement irréfléchie pour tendre une embuscade aux troupes « ennemies » dans la forêt de Farlot afin qu'elles n'atteignent pas Bordàs. « L'ennemi » – mais qui était-il ? C'était nous, sans doute, soldats allemands qui avions combattu dans le sud au profit de la France et qui, désormais, sur le chemin du retour, incendiions et pillions les villes françaises parce qu'il n'y avait plus de butin à prendre en Occitanie ou parce que la solde n'avait toujours pas été versée. Et l'*ecclesia catholica*, par-dessus le marché, nous incitait à commettre ce genre d'exactions. Les d'Hautpoul avaient donc laissé leur château sans la moindre protection, et les domestiques avaient fui dès la première attaque. Mélusine avait pu se cacher pour échapper aux pillards.

La voici désormais désireuse de contre-attaquer. Elle se dissimule dans le donjon en flammes, prête à vendre sa peau aussi cher que possible. D'ailleurs cette fois, ils ne sont que deux à s'être montrés devant la tour.

Nous, Rik et Oliver, nous nous précipitons, en dépit de ses tirs défensifs, sur une échelle donnant accès à la porte du donjon, et nous maîtrisons ce chat sauvage qui se débat. Le dernier coup qu'elle inflige à Rik est un coup de foudre. Un éclair, une vague de chaleur infernale, comme il n'en a encore jamais ressenti, traverse l'Allemand qui ne connaît rien aux choses de l'amour ; une flèche incandescente décochée par des yeux brun-gris où se lit la rage d'être ainsi enlacée de force. Rik est atteint en plein cœur. Pourtant, Mélusine ne témoigne ni de reconnaissance, ni de sympathie pour son sauveur – elle devrait pourtant bien avoir compris que seule l'intervention courageuse des deux Allemands l'a sauvée d'une mort atroce, la fumée et le feu les forcent tous les trois, à présent, à quitter le donjon au plus vite. Rik n'a pas laissé à Oliver le soin de prendre sur son épaule le mince corps de la jeune fille et de descendre l'échelle, un échelon après l'autre, sans l'aide de son ami, en serrant gauchement les jambes nues de Mélusine.

C'est sans doute aussi la raison pour laquelle Mélusine, dès que Rik sent la terre ferme sous ses pieds, se met à lui marteler le dos de toute la force de ses poings et à le tirer par les cheveux. Avant qu'elle ne puisse lui écorcher le visage ou lui mordre le cou, Oliver, qui les suit, lui ôte cette chatte sauvage de l'épaule et tord le bras de la récalcitrante si habilement qu'elle n'est même plus en mesure de lui donner un coup de pied avant qu'ils n'aient atteint les chevaux dans la cour du château. Rik fait sortir les animaux, Oliver la prisonnière.

Au pied du château, ils rencontrent Stéphane, le jeune berger, qui a laissé son troupeau en plan pour mener à bien la mission supérieure qui lui a été confiée. Il donne aux deux Allemands l'impression d'être complètement fou : il loue Jésus-Christ avec exaltation, prétend qu'il lui est apparu et lui a ordonné de sauver Jérusalem. Plutôt que de garder ses moutons, le Sauveur l'a chargé de guider les enfants en Terre Sainte pour qu'ils libèrent son précieux tombeau des païens, ce que tous les chevaliers se sont jusqu'ici montrés incapables de faire. « Ton Seigneur Jésus ferait mieux de se préoccuper de sauver le pays du fléau que constitue ce tas de mercenaires ! » répond-elle, furieuse. Elle échappe à l'emprise d'Oliver, qui vient de soulever la rebelle et l'a déposée devant Rik, déjà à cheval. Pour un instant, il semble que la demoiselle de Cailhac a l'intention de cracher au visage excité de son sauveur, lequel est aussi troublé par la proximité soudaine de la jeune femme que celle-ci est en rage. Mais elle se contente de lui jeter au visage sa chevelure d'un blond cendré et ne lui accorde pas un regard supplémentaire. « Misérables mercenaires allemands, au service de la couronne autant que de l'Église ! » siffle-t-elle lorsqu'elle s'est détournée de Rik, mais ses mots se perdent dans la chevelure du cheval qu'Oliver prend par la longe afin que son ami puisse s'occuper de la prisonnière.

Stéphane, ravi, n'a de toute façon pas entendu cette injure. Bien qu'il soit beaucoup plus jeune qu'eux, le berger traite les deux chevaliers et la damoiselle comme s'ils étaient sa première escorte sur le chemin de la Terre Sainte.

Ils partent tous les quatre, Oliver secouant la tête en entendant le discours confus du jeune berger, tandis que Rik n'a d'yeux que pour Mélusine, en selle devant lui. La belle continue à ne lui prêter aucune attention – du moins pas aux moments où lui l'observe. Rik, timide, entame la conversation : il aimerait partir pour Reims afin de devenir architecte de cathédrales, la guerre lui répugne profondément. Mélusine se tait, intraitable. Son ami Oliver, poursuit-il, aimerait au contraire étudier la médecine et soigner les gens plutôt que de les blesser. Mélusine lance à Rik un regard qui le laisse désemparé, il se sent nu comme un nouveau-né ; mais la fière jeune femme s'est déjà reprise.

— Je ne veux pas savoir quels rêves puérils vous ont animés à l'époque, vous et votre ami Oliver, grogna l'émir en arrière-plan. Un homme né chevalier devrait toujours garder son rang et ne pas se piquer de rivaliser avec les artisans et les lettrés ! lança-t-il avec un regard en biais. Racontez-moi plutôt quel effet vous a fait Mélusine, alors qu'elle avait déjà été impunément livrée à vos regards et qu'elle avait même eu à subir le contact de vos mains : était-elle sans aucune pudeur ?

Rik entendit la question avec étonnement et une pointe d'amusement. Il oubliait toujours qu'un musulman s'efforçait de couvrir sa femme de voiles – sans s'arrêter à son visage ou à sa silhouette, non, c'est son âme même qui devait rester dissimulée derrière un rideau lourd et épais ! Et cela ne manquait pas d'agacer Rik.

— Pourquoi devrait-elle avoir eu honte ? répliqua-t-il en s'efforçant de prendre un ton respectueux. Si ce n'est de s'être vue privée de liberté…

L'émir dut pour l'instant mettre ces réflexions de côté. Avait-il posé la question à la jeune femme, à l'époque, lorsque ce butin lui était tombé entre les mains ? Elle était encore vierge ! Ni Rik, ni aucun autre n'avait à le lui jurer ; et pourtant, il ne pouvait pas s'empêcher de retourner le couteau dans cette vieille plaie.

— N'avez-vous rien ressenti, en tant qu'homme, de la voir là… entre vos cuisses… ?

— Oh si, laissa échapper Rik sans réfréner sa gaieté. Je ne sais pas comment vous êtes assis à cheval, Kazar Al-Mansour, fit Rik en lui éclatant de rire au visage, mais entre mes cuisses, je sentais le cheval que je montais, et pour ce qui concernait Mélusine, j'étais heureux qu'elle ne me force pas à la serrer trop fort. Elle s'était sans doute résignée à son sort…

— Que comptiez-vous en faire ?

Rik grimaça à peine.

— Nous n'avons pas eu le temps d'y réfléchir, fit-il en secouant la tête. Laissez-moi donc simplement raconter ce qui s'est passé, et non ce qui aurait pu se produire !

L'émir comprit qu'il n'arriverait pas au but ainsi, au moins pas pour le moment, et donna son accord en hochant la tête, l'air déçu.

Extrait du manuscrit de Mahdia
La tour en flammes
Récit de Rik van de Bovenkamp

Stéphane, qui marche en avant, désigne soudain une hauteur en gesticulant, affirme y apercevoir saint Georges à cheval, et prétend que celui-ci lui a montré le chemin avec sa lance. Ses trois compagnons ne voient rien, mais Stéphane affirme que sa vision était bien réelle. Oliver, craignant qu'il ne s'agisse d'un guetteur ennemi, met pied à terre et, bientôt suivi par Rik, monte la colline pour vérifier ce qui s'y passe. C'est précisément ce qu'attendait Mélusine : en un éclair, elle déploie les jambes, quitte la position d'amazone qu'elle occupait sur la selle pour s'y installer comme un homme, force Stéphane à monter sur le cheval d'Oliver, qu'elle entraîne derrière elle par les rênes, et part au galop avec lui. Rik et Oliver restent seuls dans la forêt, sans chevaux.

L'émir et Rik rentraient, lourdement chargés, du souk al-Barbari, le marché berbère qui se tenait tous les mois sur la place, devant le Bab Zawila, la grande et unique porte de Mahdia.

Rik ignorait si l'émir avait déjà lu la dernière partie du récit, qui aurait tout de même dû l'emplir de fierté et de satisfaction, puisqu'il décrivait « sa » Mélusine telle qu'elle était, en tout cas d'aussi près que lui, Rik, l'avait vue et touchée. Il n'insista donc pas et attendit que Kazar Al-Mansour amène la conversation sur ce point ; mais celui-ci n'avait manifestement aucune intention de lui tresser des lauriers. Rik en fut profondément déçu, même s'il pouvait s'expliquer le silence de l'émir par le fait qu'il n'avait pas encore compulsé son manuscrit. En réalité, cette hypothèse-là était elle aussi invraisemblable, tant Kazar attendait justement avec impatience la représentation de cette scène. L'Allemand haussa les épaules et prit l'air indifférent en s'interdisant ne fût-ce que l'ombre d'un regard interrogateur.

— Une fête pour les sens et un réconfort pour l'esprit ! fit au contraire Kazar Al-Mansour, résumant les impressions que lui avait laissées cette fête populaire placée sous son parrainage. Un spectacle magnifique !

Son accompagnateur ne put afficher pareil enthousiasme.

— Une dure épreuve pour les nez sensibles, ajouta-t-il pour calmer l'enthousiasme du prince, et pour notre bourse !

Kazar sembla touché par la critique, et Rik se crut obligé de rectifier son attitude à l'égard de son hôte.

— Ce sont ces nuages de parfums qui se déchargent dans mon nez comme un bienfaisant orage d'été, parcourus des éclairs odorants du *filfil ahmar*, le piment rouge vif, de *ziut athira*, les huiles esthétiques et l'essence de pâte d'œillets – des explosions qui jaillissent de sacs d'épices pleins de safran jaune et de curcuma pilé, de montagnes de massala, du cardamome de Samarkand et de kirfa en gerbe ou des précieuses tiges de cannelle. De ces nuages tombaient comme de douces averses les parfums suaves et capiteux du jasmin et la fraîcheur âpre de la *nana*, la menthe sauvage qui ne déploie véritablement son arôme qu'au moment où on l'arrose de thé brûlant, du citron amer et de l'aimable *ma'warid*, la précieuse eau de rose.

L'émir adressa un sourire à son accompagnateur.

— Pas si mal, pour un homme de l'Occident que son esprit lucide domine toujours comme un djinn en cage.

Rik sentit qu'on ne le prenait pas au sérieux, et surtout qu'on le comprenait de travers.

— La raison ne joue pas un bien grand rôle chez nous, l'*ecclesia catholica* y veille, avec ses miracles et ses fumées d'encens, grogna-t-il, et nos marchés empestent !

L'émir ne voulait pas le savoir, et fit comme s'il n'avait pas entendu cet aveu peu flatteur de son ami chrétien. Kazar n'avait pas de faiblesse pour les gens du Nord et leur mode de vie, mais il les accueillait dans un esprit ouvert et curieux.

Rik utilisa cet instant de silence pour faire repasser les images du marché, qui lui offraient à chaque fois une distraction bienvenue. Ce n'étaient pas tant les *bale'ai an-nar* cracheurs de feu, les avaleurs de sabre et les briseurs de chaîne, pas plus que les *haiat atha'abin*, dont les flûtes captivantes faisaient sortir les cobras de leurs corbeilles rondes pour que leurs têtes se balancent au rythme de la danse, ou les *bahalin* acrobatiques dont les mouvements valaient largement ceux des serpents. Ce n'étaient pas non plus les chiromanciens et les magiciens, étranges et presque euphorisants, qui lui étaient restés en mémoire, mais les efforts que déployait son ami pour visiter le marché *incognito*. Il aurait pu réussir, avec son déguisement soigneusement composé et son visage voilé pour ne pas être reconnu de tous, s'il n'y avait pas eu ses gardes du corps qui suivaient leur seigneur pas à pas, comme un mur mobile, faisant tout pour signaler leur propre importance. Même si Kazar avait eu le don de se rendre invisible, sa cage thoracique enflée et exigeant le respect, ses regards investigateurs qui se voulaient discrets auraient suffi à dévoiler à tous ceux qui assistaient à la scène l'identité de celui qui se promenait parmi eux. Rik avait même estimé que l'affaire tournait au grotesque au moment où Kazar avait voulu se mêler à la foule suspendue aux lèvres du conteur : tous s'étaient retournés pour voir ce visiteur de haut rang.

On aurait cru que l'émir avait deviné les pensées de son ami :

— Comment avez-vous trouvé le *haqawati*, aujour-d'hui ? fit-il pour mettre un terme à son silence. Je me dis parfois que c'est précisément sa cécité qui lui permet de peindre avec ses mots des tableaux qui, à chaque fois, cap-tivent ses auditeurs !

Rik surmonta l'embarras où le plongeait cette ques-tion soudaine – peut-être n'importe quel bon souverain devait-il avoir le don de lire dans les pensées de son entou-rage ?

— Samir n'est vraisemblablement pas seulement un remarquable narrateur, mais aussi un auditeur attentif, ce qui lui vaut cette étonnante abondance d'histoires toujours nouvelles, répondit Rik, songeur. Après tout, le gros Mus-tapha, son frère de sang, muet de naissance, est considéré comme le plus stupéfiant des rédacteurs de lettres d'amour. Il les écrit pour les jeunes messieurs autant que pour les jeunes demoiselles qui n'osent pas déclarer leur flamme – ou ne savent pas écrire.

— Vous avez peut-être raison sur ce point, Rik, peut-être forment-ils tous deux, le *haqawati* et le *sha'ar*, le meilleur couple possible pour résumer cette histoire austère et confuse, pour la transposer en mots qui captivent l'ouïe et le cœur, et la coucher si bien sur le papier qu'elle réjouit l'œil et la raison !

— À quoi pensez-vous donc ? demanda Rik avec un brin de suspicion.

L'émir le lui fit aussitôt savoir :

— À la situation qui règne dans notre salle aux par-chemins !

Rik déglutit, l'émir s'efforça de prendre un ton joyeux.

— Nous – vous – n'y écrivons pas pour l'Occident, mais pour les lecteurs de l'Orient !

— Vous commencez par me reprocher la trop grande ornementation de mes récits… répondit Rik avec indigna-tion.

— Mieux vaut que vous vous considériez comme un chroniqueur, répondit Kazar en riant. Rapportez des faits, éclairez les coulisses, ne pensez ni au style, ni à l'effet !

— Devrais-je, par hasard, laisser cela à Marvan Bou Kitab ?!

— Laissez-moi m'en soucier ! proposa l'émir, apaisant.

Rik s'abstint d'ajouter le moindre mot supplémentaire.

— Avez-vous encore vu Mélusine par la suite ? ajouta l'émir.

Cette question lui pesait depuis longtemps sur le cœur. Rik secoua la tête :

— Moi pas, mais…

L'émir fit un signe de la main. Ils étaient arrivés au palais.

Timdal était arrivé de Tunis. Rik ne l'aurait pas reconnu – il est vrai qu'il ne l'avait vu qu'une ou deux fois, et les cheveux crépus du Maure avaient entre-temps grisonné. Si l'Allemand se rappelait Timdal, cela tenait aussi au fait qu'avant lui, il n'avait jamais eu un Noir en face de lui.

— Vous tombez à pic, mon cher Timdal, lança Rik pour saluer son nouveau partenaire. Nous allons parler à présent d'un pays sur lequel je n'ai pas grand-chose à raconter.

— Je déposerai avec joie au pied du bienveillant seigneur Kazal Al-Mansour ce que je puis extraire des galeries de mon souvenir pour combler les lacunes du vôtre !

Le Maure ne montrait aucune espèce de gêne, ni à l'égard de Rik, ni envers le frère mineur, qu'il déçut pourtant vivement en lui avouant qu'il ne savait pas écrire.

— L'émir se préoccupe surtout de Mélusine, ajouta Rik.

Une lueur parcourut alors le visage du Maure.

— Faites-moi confiance : je vous assisterais si vous deviez perdre des yeux l'étoile la plus lumineuse de mon ciel spirituel noir comme la nuit !

Timdal rayonnait de séduction, on ne pouvait que l'aimer dès le premier regard. Mais à la grande déception et à l'étonnement de Rik, le Maure ne se déclara disposé à apporter la collaboration attendue que si on lui permettait de raconter l'histoire de la belle Mélusine dans l'ordre et avec l'abondance de détails dont il avait l'habitude, même s'il n'avait pas été en permanence à ses côtés. Tout cela convenait à Rik : ses connaissances personnelles ne lui permettraient pas de faire avancer le récit. Il sembla en revanche que cette solution ne mettait pas particulièrement le majordome à son aise. Le *baouab* avait presque poussé le Maure dans la salle où l'on écrivait « la chronique », il était resté campé à la porte, jambes écartées, comme un gardien, les bras croisés devant la poitrine, provocateur. Timdal ne s'était pas laissé intimider, et il était encore moins effarouché maintenant, en la présence apaisante de Rik.

— Le *kabir at-tawashi*, Monsieur le chef des eunuques, fit-il savoir, a jeté les hauts cris lorsque les lanciers de l'émir sont venus me chercher – à la demande de mon meilleur ami, le vénérable *baouab* Moslah, qui n'avait qu'une hâte, me revoir enfin dans son...

Le fracas de la porte que l'on venait de claquer recouvrit la voix joyeuse du Maure.

— Madame Blanche, l'épouse du Hafside, ne veut pas envoyer Daniel ici, dans la caverne du lion Moslah, sans sa protection. Elle accompagnera personnellement son secrétaire à Mahdia. Celui-ci aura la plume un peu plus grinçante, fit-il en s'inclinant devant Marius. Salut, ô frère mineur de la tache d'encre !

> Extrait du manuscrit de Mahdia
> L'arbre-potence
> Récit du Maure

La petite ville de Bordàs, à la limite de l'Orléanais, est assiégée par une troupe de guerriers étrangers. On dit qu'un haut dignitaire de l'Église, ayant rang d'inquisiteur, a ordonné à cette bande de mercenaires de faire mouvement dans cette direction. La population anxieuse se cache derrière les murs et espère l'aide des seigneurs du voisinage, auxquels elle paie ses taxes. Les habitants, accusés d'hérésie, protestent de leur innocence : ce n'est pas eux qui ont chassé leurs prêtres, ceux-ci ont pris la fuite, effrayés, dès que les premiers soldats étrangers sont apparus devant les portes. Mais on dit maintenant que Messire le grand inquisiteur Gilbert de Rochefort est en route pour tenir son tribunal dans la ville. Beaucoup sont partisans de se soumettre à lui avant que ce malheur ne s'abatte sur la cité. Qu'il cherche des hérétiques, il n'en trouvera pas parmi eux ! Mais les autres n'acceptent pas cet arbitraire : Rochefort ferait mieux de contenir les bandes incontrôlées qui affluent depuis le Sud, les renvoyer d'où elles viennent et épargner à Bordàs les conséquences de son goût effréné pour la chasse ! Mais l'inquisiteur s'est déjà fait en Occitanie une réputation d'inflexible traqueur d'hérétiques, et cette fois non plus, rien ne le détourne de son objectif : avec deux catapultes, les ennemis pilonnent les murs extérieurs des maisons serrées les unes contre les autres, et qui forment aussi les remparts de la ville.

Les assiégeants sont tellement occupés à y percer une brèche que de l'autre côté, là où le rempart saillant ouvre sur un lit de rivière asséché – les ennemis ont détourné l'eau – un accès habilement dissimulé, un courageux paysan et son fils parviennent à entrer dans la ville avec leur charrette à cheval. Ce sont ceux-là même qui, à l'orée de la forêt de Farlot, ont déjà indiqué aux soldats allemands dirigés par Karl Ripke le chemin le plus court pour Bordàs : le père et le fils de Morency. On les accueille en sauveurs. La charrette dissimule sous son foin les armes dont les habitants de la cité ont le plus grand besoin pour se défendre contre les assaillants. Mas de Morency interdit cependant à son fils de s'opposer à l'ennemi armes à la main et l'enferme dans un réduit souterrain. Lui-même passe l'armure du seigneur défunt du château de Bordàs, ce que les défenseurs acharnés accordent bien volontiers au héros, et se joint à la poignée des nobles combattants.

La troupe des soldats allemands dirigés par le capitán Karl Ripke parcourt la sombre forêt de Farlot ; elle aussi est attaquée par surprise ; les silhouettes masquées commencent par faire tomber sur les Allemands qui avancent en file indienne une grêle de flèches, avant de massacrer les survivants. Karl Ripke est le seul à en sortir la vie sauve, mais il est grièvement blessé. Il serait certainement mort s'il n'avait vu surgir un personnage qu'il est forcé de prendre pour saint Georges. Un chevalier protégé par une somptueuse armure et porteur d'une lance accourt au trot dès que les agresseurs se sont éloignés, et lui apporte les premiers secours.

Rik et Oliver, les deux mercenaires auxquels on a ravi leurs chevaux, errent dans la forêt, mais ils semblent avoir un ange gardien : la racaille masquée ne les découvre pas.

Pendant ce temps-là, dans la ville de Bordàs, les assiégeants sont parvenus à provoquer l'effondrement d'un mur de maison, et ils s'engouffrent dans la brèche, fous de rage. Contre toute attente et toutes les coutumes, ils regroupent tous les défenseurs, y compris les chevaliers, sous les amples branches de l'orme centenaire qui occupe un coin de la place du marché. Mas de Morency, persuadé d'être protégé aussi bien par son armure que par la noblesse locale et de ne pas passer au fil de l'épée comme la piétaille, mais d'en sortir avec une rançon, se retrouve la corde au cou, comme tous les autres. Depuis sa cave minuscule, son fils Paul n'a qu'une vue réduite sur l'extérieur. Depuis le bas, par le puits grillagé de son soupirail, il ne voit que les pieds et les mollets des prisonniers rassemblés, il croit reconnaître les bottes de son père – mais soudain, le pantalon et les bottes s'élèvent vers le haut. Des plaintes de douleur s'élèvent dans le silence qui régnait jusqu'ici. Paul ne comprend rien à l'image qu'il voit et aux sons qu'il entend, mais il entend distinctement un homme invoquer en braillant la colère de Dieu sur les rebelles et les hérétiques. C'est celle de Luc de Comminges, un novice dominicain qui se fait remarquer par sa frénésie et parle au nom du maître dont il attend la venue, l'inquisiteur Gilbert de Rochefort.

Il avait fallu interrompre pendant quelques jours le récit et la consignation des événements survenus pendant les « guerres des hérétiques » dans le lointain pays des Francs, car dans la bibliothèque, des artisans, des ébénistes, des forgerons d'art et un maître sellier construisaient à la demande de l'émir, dans un coin de la *sala al-koutoub*, une gigantesque armoire qui montait jusqu'au plafond. Kazar Al-Mansour avait juste fait savoir qu'il s'agissait d'un monte-charge par lequel il ferait acheminer jusqu'à lui les feuilles de parchemin, une fois qu'elles seraient noircies par l'encre du récit. Les salles de travail de l'émir étaient certes situées juste au-dessus de la bibliothèque, mais Rik estimait que de telles dépenses étaient franchement disproportionnées par rapport à l'objectif, pour ne pas dire tout simplement incroyables.

Quelque chose ne collait pas dans cette caisse dont la façade était recouverte d'un étroit grillage de bois, tel qu'on en installait sur les fenêtres des harems. Kazar Al-Mansour ne possédait pas de harem, ou bien celui-ci s'était rapidement dépeuplé depuis la mort de Mélusine. Seule la puissante Soudanaise, noire comme du charbon, qui avait jadis rempli la fonction de nourrice allaitante, y dormait encore. Ma'Moa était toujours, pour Karim, qu'elle avait nourri et balancé sur ses genoux, l'unique et forte figure féminine, la grande mère noire auprès de laquelle il se réfugiait lorsqu'il se sentait seul, lorsque Rik ne le comprenait pas ou que son père le traitait mal. Ma'Moa avait l'haleine fétide, mais elle fredonnait et chantonnait de petits airs du matin au soir, ce qui l'excitait beaucoup. Elle avait une petite fille nommée Aicha, qu'elle avait mise au monde peu après l'accouchement de Mélusine et qui devenait peu à peu une ravissante enfant.

Ces deux femmes étaient les seules habitantes de ce vaste harem et le seul motif que l'on ait eu d'y garder encore un gardien châtré. Rik supposait plutôt que son existence justifiait la réputation de l'émir : cela permettait de laisser courir le bruit que ce lieu inaccessible était peuplé des plus belles *houris*, et promettait à son fier propriétaire toutes les joies du paradis.

À peine les artisans partis, Rik s'était remis à l'ouvrage avec l'aide de Timdal et avait repris le récit. Afin de répondre aux désirs de l'émir, il se donnait toutes les peines du monde pour trouver des formules de « chroniqueurs », mais Timdal se contentait de sourire ; car le Maure avait tenté de regarder par-dessus l'épaule de Marius, le scribe en sueur, pendant qu'il étalait son encre sur la feuille, avec force éclaboussures. Le moine avait aussitôt serré la feuille contre sa poitrine et s'était refusé à continuer à écrire. Timdal tentait d'apaiser le secrétaire, qui écumait et tremblait de rage.

— De toute façon, personne ne peut lire ces gribouillis ! fit-il pour le consoler. À moins qu'il ne s'agisse d'un texte secret, intégrant les empreintes de vos doigts replets ?

Le Maure ne s'acharna pas longtemps sur le moine, qui s'était mis à pleurer : de grosses larmes lui dégoulinaient sur les joues et se mêlaient aux taches d'encre.

L'attention de Rik fut attirée vers le monte-charge. Il avait eu l'impression de voir une lumière descendre derrière le grillage, elle s'était même arrêtée à hauteur d'yeux, elle vacillait et l'on percevait distinctement un chuchotement dans le réduit.

— Ce sont les esprits vengeurs, ceux qui punissent l'abus de la plume et de l'encre ! lança Timdal au moine qui sanglotait, ils se préparent à emmener votre âme de scribe et de pécheur...

Marius poussa un hurlement de désespoir.

Rik était furieux, mais il lui était impossible d'envoyer au diable ce Maure insolent : il venait de dicter le passage où il errait avec son compagnon, Oliver, dans la forêt obscure, en contrebas de la ville de Bordàs. Il avait besoin de Timdal, mais aussi d'un porteur de plume pour consigner tout cela.

— Prenez une nouvelle feuille, mon cher Marius, séchez vos larmes, non pas avec le sable, mais avec votre mouchoir, fit-il en voyant que le moine se servait de son morceau de tissu pour essuyer le parchemin, ce qui, à coup sûr, aggraverait encore l'état du manuscrit.

Timdal s'abstint désormais de tout ce qui aurait pu déstabiliser encore Marius, et dicta, avec pondération et beaucoup d'égards, la suite de son récit sur les funestes événements survenus dans la ville conquise. Rik n'écoutait que d'une oreille ; il était préoccupé par la mystérieuse vie intérieure du monte-charge en bois. Une voix qui chuchotait semblait répéter, comme un écho, les mots que prononçait le Maure dans la *sala al-koutoub*. Des ombres se déplaçaient devant la source lumineuse, à l'intérieur de l'armoire. On y apercevait bien une fente dans laquelle Rik, responsable de tout ce qui se produisait dans la salle des livres, devait glisser les parchemins une fois qu'il avait accompli son pensum quotidien. Mais il y avait forcément par derrière un tout autre mécanisme, peut-être un phénomène diabolique pour lequel l'émir avait vendu son âme. Timdal arrêta enfin. Rik s'apprêtait à ôter au moine exténué le produit de sa calligraphie lorsque Kazar Al-Mansour apparut à la porte, comme si on lui en avait donné l'ordre. Impatient, il chassa le Maure et Marius de la pièce. À peine la fente avait-elle avalé les feuilles, Rik vit le monte-charge se mettre en marche derrière la paroi, la petite lumière s'élever puis disparaître.

— Je ne veux pas avoir de secrets envers vous, mon ami, débuta l'émir sur un ton de comploteur. Je ne veux plus me fier aux faibles capacités du moine, et il était trop important pour moi de fixer sans le moindre doute les textes des deux narrateurs... (Il adressa un sourire rusé à son ami.) J'ai donc prié notre talentueux ami, Moustafa, de consigner lui aussi chacun de vos mots.

— Quoi?! laissa échapper Rik. Cette grosse panse est assise dans la cage, à la lumière de la bougie, et...?!

L'émir hocha la tête, heureux de sa plaisanterie. Ce qu'il ne révéla pas à Rik, c'est que le corpulent rédacteur de lettres d'amour n'était pas seul, mais accompagné de son maigre frère Samir, auquel revenait le soin de formuler ce qu'il entendait en mots bien choisis, en phrases fluides et avec le rythme dramatique qui convenait, car telle n'était pas la spécialité du moine. Sans le *haqavati*, on aurait entendu des gémissements de désir en pleine scène de pendaison, et les bourreaux se seraient consumés en serments passionnés. À cette pensée, Kazar Al-Mansour ne put réprimer un sourire.

— Vous êtes le seul à connaître cette mesure prise pour notre sécurité... (Il posa familièrement la main sur l'épaule de son ami)... et mieux vaut sans doute que vous oubliez aussitôt ce double fond et que nous continuions comme nous l'avons fait jusqu'ici.

Rik hocha la tête, résigné.

— De toute façon, ce qui suit à présent concerne plus Timdal que moi-même!

— Le Maure, lui non plus, n'a pas à entendre parler de cela; il en sait déjà plus que nous tous réunis.

Extrait du manuscrit de Mahdia
La sœur de l'inquisiteur
Récit du Maure

Dans la forêt toute proche de Farlot, Rik et Oliver avancent tant bien que mal à travers le sous-bois. Une forêt de l'horreur ! Ils ne cessent de buter sur des mercenaires allemands à la gorge tranchée et sur les prêtres qui les accompagnaient, la tonsure ornée d'une croix inscrite sur le cuir chevelu. Les deux hommes manquent ainsi passer sans reconnaître leur capitán, Karl Ripke, dont la peau a visiblement connu le même destin ; mais son crâne dur a supporté ce traitement brutal. À leur grand étonnement, lui aussi se met à bredouiller une histoire de saint Georges qui lui aurait sauvé la vie. En parlant ainsi, Ripke ne désigne pas sa jambe brisée et pourvue d'une attelle de fortune, mais, avec une grande fierté, les bandes de tissu autrefois blanc, désormais imbibé de sang, qui ornent son crâne chauve d'un bandage fait dans l'urgence. Tous deux tentent de le traîner sur une civière composée de troncs grossièrement assemblés, mais Ripke hurle comme un empalé et les injurie avec une telle rage que les amis craignent de voir toutes les lumières qui errent encore dans la forêt converger vers eux. Ils hissent donc leur capitán sur une branche puissante du premier arbre venu et partent chercher de l'aide.

Juste après avoir abandonné la forêt, ils se retrouvent sur un chemin carrossable ; deux chariots viennent à leur rencontre. Dans le premier se trouve Gilbert de Rochefort, l'inquisiteur, entouré de sa garde à cheval et de ses bourreaux. Ils poussent brutalement les deux Allemands de côté et ne s'arrêtent pas. Le deuxième carrosse transporte Marie de Rochefort, une ravissante rouquine, dame d'honneur de la reine de France et sœur de Gilbert. Derrière, sur le porte-bagages, au-dessus des bahuts, trône Timdal, le Maure qui lui sert de garde du corps. La dame écoute, amusée, l'appel à l'aide des deux hommes, leur garantit qu'elle accomplira toute démarche permettant le sauvetage du capitán allemand, et propose même de prendre les jeunes garçons dans sa voiture jusqu'à Bordàs. Mais Rik et Oliver refusent poliment. Ils n'ont plus qu'une idée en tête : quitter ces lieux, rentrer chez eux ! Même sur des bourriques ! Ils se contentent donc de demander à Marie la route de Reims, comme si la ville se trouvait derrière le prochain virage. C'est Timdal qui s'amuse à leur décrire le chemin :

— À gauche à la prochaine bifurcation, puis toujours tout droit. Devant le pont, complètement à droite, remontez le fleuve jusqu'au gué, une fois de l'autre côté, remontez encore à droite, ne quittez le chemin d'arête qu'au moment où vous verrez une tour en ruines à votre gauche, ne prenez pas la première, mais la deuxième trouée pour descendre vers la vallée – à mi-hauteur, vous vous retrouverez sur la route, gardez votre droite, non, votre gauche, et continuez toujours tout droit jusqu'à rencontrer le panneau « Vers Reims » !

— Merci beaucoup ! bredouille Rik, en français.

— Qu'est-ce que ça veut dire, « merci ! » lui réplique le lutin noir. Répétez ! Répétez, je vous prie, mes précieuses instructions !

Le cocher met sa calèche en route et emporte la belle Marie, qui en rit encore.

À cet instant précis, Mélusine de Cailhac entre, avec dans sa suite le jeune berger Stéphane, dans la ville conquise. Elle craint à juste titre que ses amis ne se trouvent parmi les pendus et veut se frayer un chemin jusqu'à l'arbre du coin de la place, ce qu'on lui interdit brutalement. Mélusine, hors d'elle, injurie l'Église des papes et les conquérants pillards, de telle sorte que le petit inquisiteur Luc de Comminges décide d'aller accrocher la jeune femme et son accompagnateur à la même branche. Mais la soldatesque, devenue incontrôlable, intervient immédiatement et annonce en braillant qu'on pourrait utiliser de tout autres méthodes avec cette jeune femme récalcitrante. Seule l'arrivée impérieuse de Marie de Rochefort permet à Mélusine de se dégager avec rage de leurs grosses pattes. La jeune femme ne lui en est guère reconnaissante : elle se libère en criant : « Dieu punisse Rome ! » Avant que les gardes furieux ne puissent s'emparer d'elle, elle a de nouveau disparu. Elle échappe à ses poursuivants en plongeant audacieusement dans un boyau qu'elle a pris pour un puits. Mais au lieu de se retrouver dans l'eau froide, Mélusine atterrit devant la grille qui barre le chemin à Paul, dans le souterrain où on l'a mis à croupire. Les soldats enivrés croient fermement que Dieu a exercé sa justice et que l'hérétique s'est noyée. Ils s'apprêtent donc à passer leur humeur sur Stéphane, mais la dame énergique le tire dans sa voiture et l'inquisiteur Gilbert de Rochefort interdit tout meurtre supplémentaire.

— Pendant que tout cela se déroulait dans la ville, reprit Rik, nous errions, mon compagnon Oliver et moi-même...

Il se tut : le Maure joignait les mains, visible de tous, l'air implorant, comme s'il voulait le supplier humblement de ne pas raconter la suite et d'avoir la miséricorde de l'oublier.

Rik lui lança un regard irrité, si bien que Timdal, pour ne pas le blesser, proposa avec d'extrêmes précautions que l'on suive aussi la trace des deux braves mercenaires.

Si Messire van de Bovenkamp était offensé, il n'en laissa rien paraître, au contraire :

— Je suis ravi, fit-il savoir au Maure, lorsque votre diction bénie de Dieu soulève mon destin vers les hauteurs lumineuses et les honneurs célestes.

Timdal le remercia d'une révérence exagérée ; la moquerie semblait briller dans ses yeux baissés.

Extrait du manuscrit de Mahdia
La sœur de l'inquisiteur
Récit du Maure

Le chevalier Armand de Treizeguet, qui n'est jusqu'alors apparu, sous les traits de saint Georges, qu'à des bergers imaginatifs et à des Allemands idiots, fait sortir les deux amis, Rik et Oliver, de la forêt de Farlot, après qu'ils lui ont timidement demandé combien de temps il leur fallait encore pour atteindre Reims. Il offre aux deux pauvres garçons l'un de ses mulets – qu'ils pourraient utiliser alternativement, ou bien à deux, sans quoi ils n'atteindront pas leur objectif avant la fin de l'année –, et promet aussi d'apporter une aide au capitán blessé : il sait, dit-il, où se trouve le chauve désormais perché sur une branche, comme une araignée à la peau gravée d'une croix. Cela étonne beaucoup les braves soldats – manifestement, même les nobles de l'Orléanais ont un don de visionnaire – à moins que ce ne soit bel et bien saint Georges ? Le chevalier leur recommande de s'orienter en fonction des étoiles, ainsi – en prolongeant depuis Orion l'axe du Chariot, en sorte que Capella brille à leur gauche, et Persée à leur droite –, ils ne manqueront pas la direction de Reims : on reconnaît la ville de loin, aux gigantesques échafaudages des compagnons qui y construisent la cathédrale.

Dans la ville de Bordàs assombrie par la nuit, et que ni Rik, ni ses compagnons n'ont jamais vue, les maisons brûlent, les pendus se balancent aux ormes, la population s'est cachée ou a pris la fuite. Les soldats victorieux s'en sont allés avec leur butin. Dans la cave à vin des seigneurs de Bordàs, l'unique lieu dont l'inquisiteur ait pu empêcher le pillage, Marie et Gilbert de Rochefort discutent des illuminations du jeune berger, Stéphane. Après son interrogatoire, on l'a envoyé attendre dans la cuisine dévastée. Il est sous la surveillance de Luc de Comminges, le jeune assistant de l'inquisiteur. Les délires de Stéphane sur l'apparition de Jésus et de saint Georges ne l'intéressent guère ; ce qui attire son attention, en revanche, c'est l'idée d'un départ en masse des jeunes en Terre Sainte – qui lui paraît fort souhaitable, face aux hordes qui parcourent le pays sans répit et, dans le sillage des troupes de mercenaires, mettent le pays à feu et à sang.

— Des orphelins, voilà la conséquence de vos guerres contre les hérétiques ! lance Marie à l'inquisiteur. Un incendiaire qui veut se faire célébrer comme le grand extincteur !

L'inquisiteur, qui se considère déjà comme le légat d'une croisade à venir, est habitué à entendre sa sœur dénoncer son activité au service de l'Église. Il répond sèchement à la belle dame d'honneur qu'elle n'a d'autre projet, avec son esprit limité, que de recueillir les petites filles pour en remplir le couvent qu'elle veut créer à Rochefort afin d'y finir ses jours – elle-même tenant le rôle de vénérable abbesse ! Marie réagit froidement. Certains cercles de la curie, qu'il représente, sont, dit-elle, en train de décimer les bandes d'enfants de plus en plus nombreuses qui errent dans le pays à la suite des guerres permanentes et de la misère qu'elles sèment. De les exterminer comme des rats ! L'inquisiteur lui rit au nez : ce qui importe à l'Église, ce n'est pas de détruire ces rongeurs désœuvrés qui sèment le désordre, mais de leur donner un objectif utile – pourquoi pas « Jérusalem » ? Ces hordes errantes ne sont après tout que les couveuses des futurs pilleurs d'église, de l'hérésie athée, et pire encore ! Dans le rôle d'instigateur d'un tel cortège – il parle de « charmeur de rats » –, Stéphane jouerait un bien plus grand rôle que s'il rejoignait les rangs des orphelins, à Rochefort ou ailleurs ! Mais Marie ne cède pas.

— Laissez venir à moi les petits enfants ! fait-elle, moqueuse. C'est sans doute le Tentateur qui a prononcé ces mots – ou un homme qui rêve de la mitre de cardinal. Pareille chimère irresponsable est inexplicable autrement !

Pendant ce temps, dans l'antichambre, Luc et Stéphane ont eux aussi commencé à parler, difficilement. Le petit dominicain est assis en haut de l'échelle, là où l'on peut atteindre les délicieux jambons à la main, dans le fumoir. Stéphane tient l'échelle de bon cœur, mais Luc ne parvient pas même à toucher l'une des cuisses de porc brillant de graisse. Le jeune berger est le seul à ne manifester aucun trouble dans ce tourbillon des esprits ; il ne se laisse atteindre ni par les jambons qui se balancent au bout des poutres, ni par les pendus qui font de même au bout de leurs cordes. Stéphane n'a qu'un seul sujet d'indignation : aucun des moines, aucun des chevaliers qui sont intervenus sous le signe de la croix ne prend conscience de l'impérieux commandement du moment, aucun de ces seigneurs ne pense au Sauveur qui a souffert et qui est mort pour eux, et moins encore au lieu où tout cela s'est produit : Jérusalem ! Luc lui fait un signe : il doit rapprocher l'échelle du trou. Le berger prend cela pour une marque d'approbation.

— *Lahem al-haram !* (L'émir écumait.) Vous pouvez peut-être à présent oublier l'échelle et la viande impure !

lança-t-il à Rik, bien que ce fût Timdal qui s'exprimât avec jouissance sur ce sujet. Mélusine semble ne pas avoir représenté grand-chose à vos yeux, si vous tolérez qu'elle ait sauté dans un puits envasé et qu'elle ne soit pas reparue !

Rik se vit contraint non pas de défendre Timdal, mais de renvoyer l'émir dans ses cordes :

— Si je prenais en main les rayons de la roue du destin aussi souvent que vous tentez de le faire, la charrette de notre récit serait restée depuis longtemps dans la boue du souvenir incertain !

Ses mots étaient tellement ronflants que cette simple image suffit à dissiper la colère de son ami.

— Eh bien, faites-la-moi sortir de là ! implora l'émir, ce que Rik fit aussitôt en souriant.

Il lança un regard impérieux à Timdal pour qu'il reprenne son récit au moment précis où la mention des jambons avait fait perdre son calme à Kazar Al-Mansour. Le Maure eut un sourire d'approbation.

Extrait du manuscrit de Mahdia
La sœur de l'inquisiteur
Récit du Maure

D'un seul coup, Stéphane joint les deux mains avec ardeur, tombe de son échelle, et demande au novice de lui rédiger une lettre au Tout-Puissant qui lui recommande très chaleureusement le porteur et lui donne plein pouvoir pour prêcher un grand pèlerinage de tous les enfants qui sauvera la sainte Jérusalem. Luc, sur l'échelle branlante, est plus ennuyé qu'honoré et descend, savourant encore le délicieux spectacle qui s'est offert à lui, pour rejoindre cet esprit tourmenté. Même s'il prend le petit berger pour un fou complet, il accepte patiemment de rédiger la lettre, et supposant à juste titre que Stéphane ne sait pas lire, il ajoute quelques ornementations et enveloppe ses prétentions de fleurs de rhétorique outrancières.

— Veuillez m'épargner cela ! lança alors l'émir au Maure, quelle qu'en soit l'importance pour la suite de l'histoire !
Timdal sourit, reconnaissant.

Extrait du manuscrit de Mahdia
La sœur de l'inquisiteur
Récit du Maure

Tout en bas du puits, derrière la barrière de fer, Mélusine de Cailhac a rencontré en la personne de Paul un compagnon de destin inattendu, si ce n'est que Paul veut sortir pour chercher son père, tandis que Mélusine préférerait ne plus se montrer en haut. Quoi qu'il en soit, il leur faut desceller les barreaux du mur, car les parois du puits où est tombée Mélusine sont trop lisses pour que l'on puisse en ressortir sans aide. Avec deux fers peu maniables que Paul a dénichés dans son cachot, ils grattent et creusent laborieusement des deux côtés du point d'accroche de la grille, ils secouent et tirent les barreaux jusqu'à ce que la maçonnerie commence à s'effriter.

Mais tous ces efforts ne peuvent distraire Paul du soupçon qui le torture : quelque chose d'effroyable a dû arriver à son père. Il ne cesse de demander à Mélusine à quoi ressemblaient les pendus – alors qu'elle-même n'a jeté qu'un bref regard aux victimes, tout juste suffisant pour être certaine qu'aucun de ses cousins idiots ne se trouvait parmi eux : l'instant d'après, elle sautait déjà dans ce trou qui lui avait sauvé la vie. Comme ni l'un ni l'autre ne savent que le père de Paul, Mas, a été capturé dans l'armure du seigneur du château, ils tissent tous deux, en se confortant mutuellement, un grossier drap d'espérance qui tient au moins jusqu'à ce qu'ils aient écarté la grille. Hisser leur tête hors du puits leur semble constituer un péril inutile. Ils s'arc-boutent donc ensemble contre la lourde porte de la cave que Mas avait verrouillée de sa main pour que son garçon ne soit pas tenté de commettre un acte irréfléchi.

La pénombre descend déjà sur Bordàs écorchée lorsqu'ils sortent enfin en rampant des ruines carbonisées de la maison. Paul reconnaît aussitôt son père – c'était bien ses bottes qu'il avait vues, même si on les a depuis longtemps ôtées des pieds du cadavre. Il ne peut plus pleurer pour lui, à présent, et encore moins prier, mais il veut absolument décrocher et enterrer le corps. Mélusine l'approuve. Mais ils entendent alors les pas de soldats qui approchent, et tous deux se tapissent dans la calèche noire de Marie de Rochefort, immobilisée sur la place.

La dame d'honneur impénétrable et son frère sans scrupules, l'inquisiteur, n'ont pu parvenir à un accord. Furieuse, Marie de Rochefort, suivie par son page, le Maure Timdal, se précipite hors de la cour du château et rejoint sa calèche en attente. Elle s'apprête à en ouvrir la portière lorsque le chevalier de Treizeguet surgit de la pénombre.

— Toujours pas de petites filles pour Rochefort ?

— Épargnez-moi vos moqueries, Armand, lance la jeune femme. Rendez-vous plutôt auprès du roi, à Paris, et faites en sorte que Mgr Gilbert ne mette pas en œuvre son idée démentielle de croisade des enfants !

Le chevalier sourit.

— Depuis quand, Marie, vous défendez-vous contre les évidences de notre époque ? L'insurrection des enfants contre un monde auquel nous appartenons… (Il s'inclina dans un geste galant.) Voilà qui est dans le vent ! Mieux vaut le grand départ qu'une rébellion écrasée dans le sang…

— Je ne vous reconnais pas, Armand de Treizeguet ! (La dame d'honneur aux cheveux roux ne peut dissimuler sa déception.) Vous, un ami confirmé des hérétiques, un dévoreur de prêtres, vous appréciez donc ce petit fumet si désagréable que le pape, depuis Rome, nous envoie dans les narines ?

Et elle lance un clin d'œil provocateur au chevalier, dont le sourire se transforme en rictus sarcastique.

— Je pète à la face de la *sancta ecclesia* chaque fois que je le peux, et j'ai de nouveau des ballonnements – je viens de permettre à un lascar rustaud, qui ne le mérite guère, de revoir le Rhin allemand, et j'ai remis au trot vers Paris, en leur laissant généreusement l'un de mes chevaux, deux guerriers courageux, assez jeunes et naïfs pour se mettre en marche vers Jérusalem sur ordre supérieur : deux gouttes d'eau sur la pierre brûlante du désappointement général – le mien compris !

Marie se met à rire.

— Je les ai rencontrés, moi aussi, ces deux héros. (Elle attrape la poignée.) S'il m'avait été donné plus de temps, j'aurais volontiers vérifié ce qu'ils avaient dans leur pantalon rebondi..., fit-elle en regardant sans pudeur les parties intimes du chevalier, avant d'ajouter : ... puisque vos chausses pendent désormais mollement sous vos reins !

Elle ouvre lentement la portière, avec un air de délice – et voit, accroupis dans le coin, Paul et Mélusine, qui ont certainement tout entendu. Mais la dame d'honneur ne perd nullement contenance.

— Voulez-vous m'accompagner à Paris ? demande-t-elle à la jeune fille.

— Oui, je le veux, répond-elle.

Paul saute alors de son trou, indigné par sa trahison :

— Tu n'as qu'une seule chose en tête, retrouver ton chevalier blond ! l'accuse-t-il. Tu te moques bien du destin de notre pays !

Il part en courant et disparaît dans la nuit.

— Vous n'avez peut-être pas aujourd'hui les faveurs de Vénus, se moque le chevalier, mais vous pouvez au moins vous targuer d'avoir celles de Fortuna !

Et après une brève révérence, il se dirige vers son cheval.

Timdal referme la portière derrière sa maîtresse, et la calèche se met en route.

L'agitation s'empara de la respectable bibliothèque du palais de l'émirat de Mahdia. Des serviteurs annoncèrent à Rik, le *mourabbi al-amir*, que la *sajidda* blanche était arrivée : la première épouse du puissant Hafside. Rik se posta à la fenêtre en même temps que le spirituel Timdal et eut tout juste le temps de voir une dame vêtue de mousseline blanche et fluide descendre de sa chaise à porteurs, entourée de gardes du corps venus du Soudan, des géants qu'on distinguait à leurs immenses sabres recourbés, et par une légion de serviteurs qui apportaient à présent les cadeaux de l'hôte à l'émir Kazar Al-Mansour. Madame Blanche paraissait tout à fait à son aise dans tout ce tohu-bohu.

— C'est une personnalité hors du commun, cette *sajidda aloula*, lança Rik à Timdal, auquel il commençait à faire confiance.

— Vous pouvez vous fier à cela, *ya sidi*! répondit le Maure avec plaisir. Si comme le gros Abdal, le plus riche et le plus mauvais des marchands d'esclaves du Maghreb, laisse à une femme une liberté totalement inhabituelle, puisqu'elle peut partir toute seule en voyage, c'est que les pouvoirs de la dame dépassent encore ceux du marchand!

Madame Blanche entra dans le palais, suivie par Daniel, son secrétaire. Rik se souvenait encore de lui, de cette nuit qu'ils avaient passée à Rochefort avant de partir ensemble pour Styrum. Puis cet enfant de chœur insignifiant avait disparu de son champ de vision. Même sous le nom de *moussa'ad*, Daniel n'avait guère changé : c'était une silhouette chétive qui paraissait volontiers introvertie et coupée du monde. Rik n'en avait pas gardé un souvenir particulièrement sympathique.

Blanche entra dans la bibliothèque en même temps que le maître des lieux, Kazar Al-Mansour. Ses cheveux blonds, presque blancs, étaient sagement dissimulés derrière le *hijab*. Ses yeux clairs eurent tôt fait d'avoir parcouru la pièce.

Rik s'inclina. Marius, qui était au service de la dame, lui manifesta un tel respect qu'il se replia presque devant son pupitre. Timdal fut le seul à croasser, en guise de bienvenue :

— Bienvenue, puissante reine de tous les naufragés! Allah a fait passer sans laisser de trace sur votre pure beauté les neuf années que nous avons dû passer loin de votre présence, depuis le miracle de Bejaia! déclama le Maure.

Rik ne comprit pas l'allusion – Bejaia était le nom du plus tristement fameux marché aux esclaves, sur la côte Berbère, mais Madame souriait, amusée.

— Vous non plus, Timdal, vous n'avez pas perdu une once de votre insolence!

L'émir lui présenta Rik, le *mourabbi al-amir*, le précepteur du prince, la remercia pour les cadeaux et murmura :

— Considérez mon modeste palais comme le vôtre.

Cette offre d'hospitalité incita aussitôt Daniel, le secrétaire, à rappeler à sa maîtresse qu'elle comptait passer la nuit dans sa propriété toute proche d'El-Djem, à l'ombre du Colisée romain. Cela amusa encore plus Madame Blanche.

— Tu comptes sans doute me servir de duègne ? lança-t-elle à son *moussa'ad* en parfaite langue des faubourgs de Paris, avant de demander à Marius, effrayé, où l'on en était arrivé dans la consignation de l'histoire.

L'émir intervint :

— Ils se promènent toujours dans une forêt qui s'étend à l'infini, dans laquelle des dames de cour insurgées, des prêtres perfides, des chevaliers nobles et moins nobles s'ébattent et perdent leur temps, invitent généreusement des ennemis dans leurs calèches et envoient leurs amis au diable vauvert.

— Nous sommes juste avant Paris ! l'interrompit Rik, agacé.

— Voilà qui est merveilleux ! s'exclama la dame. Dans ce cas, ma délicieuse intervention en putain juvénile est encore à venir !

Daniel leva les mains comme pour se défendre, Timdal ricana et le scribe Marius se retrouva dans un tel embarras qu'il ne savait plus ou regarder. Madame Blanche enfonça allègrement le coin.

— Je devais avoir l'esprit faible, je n'ai pas noté le visage de l'homme qui, plus tard, par ruse et par violence, nous a... (Elle eut un rire amer et ne termina pas sa phrase.) Tout cela parce que j'avais bon cœur et que j'ai vendu ma petite fourrure bien trop bon marché !

Cette scène était extrêmement pénible à l'émir, qui intervint sur un ton presque implorant :

— Vous plaisantez... certainement !

À la mine consternée du secrétaire et au visage cramoisi du frère mineur, il fut bien obligé de conclure que tel n'était pas le cas.

— Un bon cœur... (Il chercha et finit par trouver une perche à lui tendre.) Un bon cœur reçoit son juste prix au paradis !

Mais elle ne la saisit pas, et s'adressa à Rik, qui la regardait sans doute comme si elle n'avait aucune honte à avoir.

— Allons-y, noble éducateur du prince ! Fais entendre aux oreilles brûlantes du moine ce que...

— Madame, je vous en supplie, bredouilla Daniel, à l'époque je n'étais pas dans les rues, je servais la messe dans la cathédrale.

— Mon Seigneur *moussa'ad*, puisque c'est ainsi que l'on vous connaît aujourd'hui, si vous cherchez de nouvelles échappatoires, je vais moi-même... à moins... (Elle se rappela les dignités et l'honneur de son époux.)... à moins que nous ne devions tous deux... (Elle s'adressa à l'émir.)... que nous ne devions sortir tous les deux afin que ces messieurs puissent, sans la moindre gêne...

L'émir hocha la tête, la privant ainsi du plaisir de vivre ces événements en écoutant le récit.

Le moine émit un soupir de soulagement, leva son nez de l'encrier et y plongea la plume. Mais derrière son dos, le Maure indiquait d'un signe à Daniel, un habile maître de l'écriture, qu'il lui faudrait remplacer le malheureux sur-le-champ. Le *moussa'ad* n'en comprit certes ni la cause, ni l'urgence, mais sa bonne éducation l'incita à proposer à Marius une petite pause. Aucune des personnes présentes ne s'était attendue à ce que le moine refuse cette bienveillante proposition : Marius, tout d'un coup, réclama avec virulence qu'on le laisse remplir sa fonction de scribe. Rik dut lui jurer par tous les saints que cette remise de la plume à Daniel était toute provisoire. Les yeux de Rik, qui regardait le plafond voûté pour se donner une contenance, balayèrent le monte-charge de bois. Avec un soupir d'impatience où l'on percevait une légère menace, il désigna à Daniel, le *mousa'ad* affligé, le chemin du pupitre, que le moine délaissa, presque offensé.

2

Le vent du départ

Depuis les hautes fenêtres de ce palais aux allures de forteresse, Rik vit son émir conduire Madame Blanche à la bibliothèque. Cette femme remarquable, épouse d'un marchand d'esclaves qui avait accédé à une fortune considérable et exerçait son pouvoir avec habileté, n'avait pas l'intention de quitter Mahdia sans prendre d'abord congé de ceux qui l'avaient accompagnée et avaient partagé ses souffrances au cours des derniers jours. Elle tapota gentiment la tête du prince, qui avait été autorisé à accompagner son père. D'ordinaire, pour le protéger, on tenait Karim à l'écart des entretiens dans la bibliothèque. Rik, son précepteur, ne voulait en aucun cas – en accord avec Kazar Al-Mansour – que le petit garçon entende sur sa mère des fragments de récits incohérents. Son père s'était promis, après avoir lu et, le cas échéant, « nettoyé » les notes, de faire découvrir lui-même à Karim la personnalité de cette femme tant aimée que l'enfant n'avait pas eu la chance de connaître.

Rik jeta un coup d'œil sur la mer qui brillait au soleil et dont le ressac monotone et paisible claquait contre les murs du piton rocheux. Mahdia dépassait dans la mer comme la proue d'un navire à la silhouette tranchante, si proche de l'île de Sicile que l'on pouvait atteindre le royaume des Hohenstaufen en une journée de navigation – et pourtant aussi éloignée de l'Occident qu'une étoile au firmament.

On demandait sa présence à la bibliothèque. Rik soupira et pressa le pas, pour arriver au moins en même temps que les visiteurs dans cette salle voûtée et en sous-sol.

Kazar Al-Mansour présenta à son fils les « savants », ses hôtes, ceux qui apportaient de la « lumière dans le passé » : le moine Marius, de son état « administrateur de la précieuse collection de pièces puniques romaines du Hafside de El-Djem », « l'explorateur polyglotte de l'histoire religieuse antique d'Ifriqiya », maître Daniel, et le « grand voyageur découvreur de mondes étrangers, au-delà de la mer et du désert », Timdal, dit « el Moro ».

Rik ne put s'empêcher de sourire de le voir ainsi hardiment élevé dans la caste des savants, et des titres que l'on avait aimablement donnés à l'ancien jardinier, à un bedeau, et à un esclave maure – même s'il fallait admettre que celui-ci ne manquait pas d'esprit.

Karim sembla lui aussi impressionné par le niveau exceptionnel de ces scientifiques, mais il avait du mal à le concilier avec l'aspect physique de ce frère mineur à l'air idiot de secrétaire coincé et du lutin noir. Il adressa un sourire à Rik qui le pria, d'un haussement de sourcils, de rester « digne ». Madame Blanche lui passa une fois encore la main sur sa chevelure bouclée, puis on le confia aux serviteurs, qui l'emmenèrent dans les « appartements du prince ».

Madame Blanche s'adressa à son hôte :

— Votre fils peut être fier de sa mère ; Mélusine a été une jeune fille magnifique, une jeune femme extrêmement courageuse qui s'est vaillamment battue, j'en suis certaine, même si je n'ai pas vécu tous ces épisodes à ses côtés.

L'émir était profondément ému :

— C'est pour moi beaucoup que de vous entendre prononcer ces mots qui lui rendent hommage, car vous êtes une femme hors du commun et m'imposez un grand respect.

Rik se vit contraint d'exprimer sa gratitude à la dame, mais aussi son regret de la voir partir pour un inéluctable voyage.

— Votre témoignage nous manquera, madame, pour tout ce qui attend à présent les enfants de France.

Blanche le dévisagea avec un mince sourire.

— Mais vous avez Timdal, qui manie si bien les mots, et je vous laisse mon Daniel, qui les écrit avec tant d'habileté. En échange, j'emmènerai votre frère avec moi pour ce voyage d'hiver que je ne peux repousser. Il tiendra le rôle de *moussa'ad*, il a déjà pu s'y exercer avec vous. (Elle ne s'arrêta pas à la mine du moine, qui aurait préféré rester à Mahdia.) Car je me suis décidée à utiliser la liberté de mouvement qui m'est garantie et mes modestes moyens pour retrouver d'autres témoins indispensables, comme votre ami Ali el-Hakim, peut-être aussi Alékos, le serveur de la taverne du port. Car vous approchez désormais à pas de géant de la ville où se joua notre destin. (Madame s'adressa à l'émir en souriant.) Je ne puis toujours pas comprendre comment nous autres, telles des poules aveugles, nous nous sommes dirigées vers le port que nous avions choisi en caquetant et en battant des ailes, comme si une main invisible avait semé des grains de blé...

Cette image ne donna pas envie de rire à Kazar Al-Mansour.

— Celui auquel le plaisir ferme les yeux ne voit pas l'autour qui tourne au-dessus de lui, répondit-il, songeur. Mais par Allah, qu'est-ce qui avait donc provoqué pareille mêlée ?

— Répondre à cette question, répondit Blanche, qui avait elle aussi pris l'air grave, pourrait être le résultat du travail que vous avez lancé.

Elle avait déjà trop tardé et se dirigeait vers la sortie lorsqu'un détail qu'elle avait presque oublié sembla lui revenir. Respectueusement, elle fit signe à Rik de s'approcher d'elle et fouilla dans le petit sac qu'elle portait. Au grand étonnement de l'assistance, elle sortit alors une lourde bague à sceller en or, qui n'avait manifestement pas été forgée pour une main de femme.

— Mon mari, Abdal le Hafside, me prie de vous saluer et de vous remettre cette pièce précieuse.

Intimidé, Rik fit tourner l'anneau dans sa main, avant de se le passer au doigt, perplexe.

— Je dois vous dire qu'il a été navré d'avoir humilié un homme aussi bon que vous !

Elle adressa un dernier signe à l'assemblée et fila vers l'extérieur. L'émir l'accompagna, tandis que Marius, chagriné, remettait la plume à Daniel et se faufilait à leur suite, tête courbée.

Saint-Denis est une petite bourgade située au nord-est de la cathédrale, célèbre pour sa basilique, où se trouve la crypte des rois de France. Dans les rues, devant le bâtiment, se presse une foule où les visiteurs croisent toute sorte de racaille qui vit sur le dos de ces pèlerins. Mais ce sont surtout des jeunes, presque des enfants encore, qui traînent ici, comme Étienne, le petit voleur, et Blanche, avec ses allures de gamine, qui gagne sa vie comme fille des rues. Il la protège, elle le materne. Étienne n'a pas de chance aujourd'hui : à l'instant où sa main se pose sur la bourse d'un homme à la stature de bûcheron, celui-ci referme sur son poignet une main d'acier. Le frêle garçon ne peut pas savoir qu'il est tombé sur Hugo de fer, un marchand de Marseille à la mauvaise réputation. Il ne lâche pas Étienne, mais le force à aller voler une précieuse monstrance dans la cathédrale – pour plus de sécurité, il a pris Blanche en otage : la toute jeune fille des rues, inquiète, s'est approchée de son ami en le voyant pris au piège, et même une brute insensible comme Hugo a compris quelle relation intime ils entretenaient. Comme un chien battu, Étienne se faufile dans l'église, tandis que Hugo entraîne Blanche dans un coin sombre, lui soulève sa jupe et se soulage sur elle *a tergo*. Dans la cathédrale, le frère aîné d'Étienne, Daniel, un novice, sert la messe. Cela ne facilite en rien le travail du voleur : il sait que Daniel exècre le pillage dans les églises et qu'il méprise de tout son cœur de chrétien son frère dégénéré. Daniel ferme pourtant les deux yeux lorsqu'il voit apparaître son frère. Lorsque Étienne réapparaît enfin, portant sous son tablier le joyau demandé et le lui remet hâtivement, Hugo refuse de payer quoi que ce soit pour ce service accompli en vitesse. Il part avec son larcin, et les deux jeunes se retrouvent aussi misérables qu'avant.

Le roi Philippe Auguste de France aime à tenir cour au-dessus du tombeau de ses ancêtres, dans la crypte, sur les marches de la basilique. C'est là que se présentent l'inquisiteur Gilbert de Rochefort et son *adlatus* Luc de Comminges, suivis par Stéphane, le berger. Gilbert a entrepris de parler au roi en conscience et de le convaincre de financer une croisade des enfants dont lui, représentant de l'Église, assurerait l'organisation. Ils se frayent un chemin jusqu'au trône, où Stéphane, au grand embarras de Gilbert, brandit soudain une lettre dont il affirme que Jésus-Christ la lui a confiée en lui ordonnant de prêcher une croisade qui ne devrait pas, cette fois-ci, ravager des pays chrétiens, mais libérer le Saint-Sépulcre. Tout cela, ajoute-t-il, ne coûtera strictement rien au roi : lui, Stéphane, chef de la croisade, rassemblera les enfants qui le suivront le cœur brûlant, avec l'amour de Dieu pour seul salaire. C'est Luc qui lui a rédigé la lettre, sans deviner à quoi elle servirait.

Philippe n'est nullement impressionné par ce message divin, qui l'agace plutôt. Il ordonne au jeune berger de rentrer chez lui. Mais Stéphane ne se laisse pas imposer le silence, il a atteint un tel degré dans sa folie qu'on ne peut plus le retenir. Devant le portail de l'abbaye s'assemblent rapidement les premiers jeunes auditeurs, venus écouter ce gamin possédé par sa mission, qui leur promet que la mer s'ouvrira devant eux, comme jadis devant Moïse, s'ils le suivent en Terre Sainte, pour sauver la chrétienté.

Dans la calèche de Marie de Rochefort, dame d'honneur de la reine, Mélusine de Cailhac, la jeune demoiselle de l'Orléanais, une profonde province, arrive à Paris, la capitale de la France. Elle a bêtement laissé son hôtesse lui arracher son secret pendant ce long voyage : elle cherche un chevalier allemand blond dont elle ignore jusqu'au nom, sachant seulement qu'il voulait se diriger vers Reims pour y devenir constructeur de cathédrales. Cet aveu du jeune homme a serré le cœur de la séduisante dame d'honneur. Elle devine immédiatement de qui il s'agit : ne s'est-elle pas fait désagréablement remarquer auprès de Rik et Oliver ? Et puis ce genre de chimères amoureuses ne s'accorde pas du tout aux projets que Marie nourrit pour la jeune fille.

Au lieu de la faire entrer à la cour de la reine, comme prévu, Marie doit commencer par l'installer au palais des Rochefort, où elle garde la jeune fille prisonnière et la traite comme une servante. Lorsque Mélusine se rebelle, Marie l'enferme sans autre forme de procès. L'unique consolation de la jeune Cailhac, qui supporte vaillamment son destin de promise, est la certitude qu'elle reverra son chevalier blond, et l'amicale affection que lui témoigne le petit Tim-dal, le Maure au service personnel de la dame d'honneur, qui lui promet son aide pour s'enfuir. Parfois, elle regrette aussi de ne pas avoir le soutien de Paul de Morency, ce jeune paysan simple venu de la même région qu'elle et dont elle avait repoussé l'amitié avec beaucoup de légèreté en le plan-tant sur place dès que la possibilité de suivre son Allemand blond s'était présentée. Mais une Cailhac est habituée à obte-nir ce qu'elle demande !

Sur les marches de la cathédrale, Stéphane, le jeune ber-ger, sermonne la foule en décrivant sa vision. Il ne crie pas, il n'ordonne pas : il utilise l'image de la mer qui se fend en deux pour captiver ses jeunes auditeurs. S'ils suivent celui qu'a touché le souffle de Dieu, ils compteront eux aussi parmi les élus que Jésus-Christ en personne conduira à Jérusalem. Certains se mettent à chanter, beaucoup prient avec ferveur.

Parmi les premiers à entourer le jeune prédicateur, que certains considèrent comme une réincarnation de Pierre l'Ermite, ce chef charismatique, mais chaotique, de la pre-mière croisade, on trouve Étienne et Blanche, tous deux à peine plus âgés que Stéphane. Étienne, un enfant des rues à l'esprit vif, ne connaît pas les scrupules, et encore moins les accès subits de fièvre religieuse. Il entrevoit, en écou-tant la prédication, une possibilité de s'échapper dans un monde lointain et féerique. Il a déjà senti, à plusieurs reprises, le regard du bourreau sur sa nuque. Quant à Blanche, la putain naïve et puérile, elle s'entiche aussitôt de Stéphane et se promet de ne plus le lâcher d'un pas : elle sera sa Marie-Madeleine.

Même Daniel, l'enfant de chœur sceptique, a abandonné son poste devant l'autel de Saint-Denis et écoute, impres-sionné, la mystérieuse promesse du jeune berger.

Derrière, Gilbert de Rochefort, l'inquisiteur, observe avec satisfaction la foule immense qui afflue.

C'est alors que Rik et son ami Oliver, à deux sur le che-val qu'on leur a offert, entrent dans Paris. De toutes les rues de la capitale, les enfants affluent en direction de Saint-Denis – car la nouvelle de l'arrivée du jeune berger se pro-page comme une traînée de poudre dans les ruelles des vieux quartiers. Emportés par le tourbillon, Rik et Oliver se laissent prendre à leur tour par la curiosité et le goût de l'aventure. Il ne leur serait jamais venu à l'idée que ce « Stéphane » qui suscite un tel engouement pourrait être ce gamin qu'ils ont rencontré avec son troupeau dans la lointaine forêt de Farlot, surtout qu'ils ne se souviennent que d'un seul détail de cet épisode : la manière dont Mélusine est parvenue à les rouler en profitant de la vision du prétendu saint Georges. C'est à cette occasion que la damoiselle leur a volé leur cheval sous leurs fesses !

Ils sont aussi à cent lieues d'imaginer que quelques rues plus loin à peine, peut-être, cette même Mélusine, après être parvenue grâce à l'aide de Timdal à échapper à la surveillance de Marie de Rochefort, se dirige vers la place située devant l'abbaye de Saint-Denis, prise, tout comme eux, dans les masses de plus en plus denses d'enfants qui avancent : petits journaliers et filles bien gardées, blêmes novices et petites putains aux couleurs vives, coupe-bourses précoces et jeunes vendeuses du marché, pauvres et riches, tous affluent dans la même direction, s'encouragent, laissent croître et fleurir la rumeur de la Jérusalem dorée, non plus comme une promesse, mais comme une certitude inébranlable ! Une nouvelle vie les attend, ou du moins une vie meilleure.

Mélusine est cependant moins poussée par ce genre de rêves que par le vague espoir de retrouver dans toute cette foule son chevalier blond : oui, il peut y être, il y est forcément !

À Saint-Denis, le roi Philippe veut faire mettre un terme au spectacle qui se déroule devant ses fenêtres, mais les enfants sont déjà si nombreux à prier à voix haute et à chanter des hymnes à Marie que les gardes rechignent à intervenir – d'autant plus que la reine intervient en faveur du jeune prédicateur. Marie de Rochefort, sa dame d'honneur, toujours attentive, profite du tumulte pour faire monter dans sa calèche le jeune Rik. Une petite revanche sur cette Mélusine indocile qui lui a échappé ! Mais Rik n'a qu'une seule idée : se rendre à Reims, où l'on a commencé la construction de la cathédrale la plus haute et la plus audacieuse qu'on ait jamais érigée. C'est elle, et elle seule qui suscite l'enthousiasme de ce joli gaillard venu d'Allemagne et qui rêve de devenir architecte. Marie promet de le mener à son objectif – elle-même en a un autre – et accepte même, à la demande de Rik, de prendre pour ce voyage son ami Oliver. Mais cet accord a un témoin: Luc de Comminges, l'adjoint zélé de l'inquisiteur, frère de la dame aux cheveux roux. Marie charge Luc d'informer son frère de son départ, et la calèche se fraie un chemin à contre-courant du flot des enfants.

À cet instant précis, Mélusine a dû atteindre la place surpeuplée qui se trouve devant l'abbaye. Le chant des enfants a entre-temps enflé pour se transformer en un puissant choral – Daniel, l'enfant de chœur silencieux, y prend sa part. Il lui plaît de faire chanter de concert ces masses déchaînées. Mélusine découvre la calèche de la dame d'honneur, et ne tient pas du tout à ce que celle-ci la voie. Indécise, elle se met à couvert entre les enfants que les sergents royaux tentent d'éloigner du portail de l'église. Mélusine croit alors apercevoir dans la calèche qui s'éloigne son chevalier blond, dont l'attentif Timdal lui a révélé le nom. Elle appelle, « Rik! Rik », elle veut se frayer un passage, mais la foule avance en sens inverse et la bloque. Rik a entendu le cri:

— Quelqu'un a crié mon nom?

— C'était certainement Jésus! répond Oliver.

Rik se tait, honteux: il était persuadé d'avoir entendu la voix de Mélusine. Il a l'impression d'avoir trahi son amour – même s'il est forcé de donner raison à son ami, Oliver: il est temps de regagner leurs contrées natales. Il est tout simplement incapable d'oublier l'audacieuse jeune fille qu'il a sauvée dans son donjon en flammes. Marie de Rochefort s'est tue pendant l'incident, elle a fait semblant de ne rien remarquer: elle n'avait aucune intention de faire arrêter sa voiture pour cette idiote de Cailhac. Sur son siège de cocher, au-dessus d'elle, Timdal préfère lui aussi ne pas voir Mélusine.

Celle-ci reste bloquée dans la foule, déçue et passablement désespérée: le rêve qu'elle poursuivait a éclaté comme une bulle de savon. Rik ne l'a pas entendue! Ne l'a-t-il pas pu, ou pas voulu? Soudain, pourtant, cette question ne joue plus aucun rôle: comme un ange envoyé par le ciel apparaît Luc de Comminges, l'affreux sbire de l'inquisiteur. Elle ne le reconnaît pas tout de suite. Son maître l'a chargé d'observer tous les mouvements des enfants et d'examiner

tous les moyens pour les faire sortir de la ville. Il est toutefois profondément choqué que Gilbert de Rochefort ne l'ait
pas choisi, lui, mais un vulgaire bedeau de Saint-Denis, pour
porter le message en Allemagne. Dieu sait que Luc aurait
préféré voyager dans les froideurs nordiques que « d'accompagner activement » la marche qu'entreprennent désormais les enfants vers le sud, sous la canicule. Il épanche sa
mauvaise humeur sur Mélusine, en qui il reconnaît un rejeton de cette noblesse occitane à laquelle appartient aussi sa
famille. Pour lui, bien entendu, les Cailhac sont tous des « fai-
dits » et des hérétiques méritant la mort ; les Comminges, eux,
ont toujours été fidèles à l'*ecclesia catholica* et au Saint-Père.
Il était fier d'avoir été l'un des premiers accueillis dans son
ordre par Dominique, le fameux chasseur d'hérétiques. Leurs
victimes les appellent avec mépris les *canes domini*, les chiens
du Seigneur, et eux-mêmes ont repris ce titre avec dégoût.
Luc, ce fanatique, convainc perfidement la jeune « hérétique »
de se rallier au cortège des enfants. Au moment précis où
le petit dominicain jure par tous les saints à Mélusine que
le chevalier allemand qu'elle cherche se trouve déjà, avec son
ami, dans la calèche de Marie de Rochefort, en route pour
Marseille, Daniel, cet encenseur détesté par le dominicain,
les rejoint et informe Luc que Mgr l'inquisiteur souhaite lui
parler. Luc prend congé de Mélusine en formant des vœux
si sincères pour sa louable entreprise qu'elle éprouve une irré-
pressible envie de le serrer dans ses bras. Elle ne se doute
pas encore que la frénésie meurtrière de Luc a joué un rôle
dans la mort atroce d'hommes comme le père du pauvre Paul
de Bordàs. À l'époque, elle n'avait pas remarqué Luc. Au
moment où celle-ci comprend qu'elle-même a manqué être
victime de cette voix glapissante, la foule a déjà englouti le
lieutenant de l'inquisiteur. Mélusine se donnerait des gifles.
Mais au moins, ses yeux ne l'ont pas trompée : Rik se trouvait bien dans cette calèche en route vers le sud ! Mélusine
retrouve du courage ; reconnaissante, elle se laisse tomber
dans le lit chaud formé par cette foule, parmi tous ces enfants
réunis dans la simple confiance en Dieu, animés d'une bienveillance réciproque envers tous ceux qui sont prêts, comme
elle, à suivre leur voix intérieure ! Tous ont un désir commun :
celui de connaître une vie nouvelle et meilleure.

Plus encore que l'éloquence de Stéphane, c'est cette ambiance fervente et animée de départ qui captive les enfants. Luc, *Vicarius Mariae* autoproclamé, annonce qu'il faudra se rassembler d'ici un mois à Marseille pour entamer, de là, le voyage commun vers Jérusalem.

Au nord de Paris, la calèche de Marie de Rochefort remonte le flot des milliers d'enfants et d'adolescents de toutes les catégories sociales qui accourent en masse, abandonnant les villages voisins.

Des chuchotements et des craquements se firent entendre dans le placard qui se trouvait dans le coin de la *sala al-koutoub* et qui dissimulait le monte-charge menant aux appartements de l'émir. Les grincements et le vacarme étaient parfois si puissants que nul ne pouvait envisager qu'il s'agissait d'une souris. Rik s'attendait à chaque instant à ce que ses comparses, dans la bibliothèque, l'interrogent sur cette machine monstrueuse et son utilisation, mais ils faisaient tous comme s'ils étaient déjà au courant. Personne n'en parlait, et Rik, se rappelant la mise en garde de l'émir, évita lui aussi de mentionner cette caisse dont la présence semblait en bonne partie responsable de la tension qui se régnait dans la salle.

— Votre amour pour Mélusine n'a pas pu aller bien loin, lança Timdal à Rik, si vous avez considéré qu'un échafaudage branlant et des pierres à tailler étaient bien plus précieux que la quête de la prétendue « dame de votre cœur ».

L'Allemand se défendit, piqué au vif:

— Je ne savais même pas qu'elle était à Paris!

Mais Timdal retourna le couteau dans la plaie:

— Mais elle, elle vous cherchait, même si elle n'avait aucune certitude de vous trouver!

Daniel intervint:

— Je pense que des choses plus importantes se sont déroulées à Paris, comme le rôle de plus en plus sombre de l'inquisiteur et de Luc, son auxiliaire!

Le Maure renchérit:

— L'un prend des initiatives qui ne reviennent qu'au

pape. Et l'autre, son adjoint zélé, tente de duper son maître et de s'installer à sa place !

— Vous n'étiez pas si malin et si riche en sagesse et en connaissances à cette époque, Timdal !

— On s'améliore ! répondit-il en souriant.

— Surtout quand on est venu au monde avec la peau d'un Maure !

— Ce dont la *sajidda* blanche apporte la meilleure preuve ! fit Daniel, élogieux, soucieux autant de faire entrer sa maîtresse dans le jeu que d'apaiser la querelle qui s'annonçait.

Rik pressentait le danger : l'apparition dans le récit de cette dame résolue allait aussi les pousser à parler de l'anneau. Pour éviter des questions qui lui auraient été désagréables – il devrait de toute façon donner encore une explication détaillée –, il fit porter l'entretien sur le frère mineur.

— Marius s'en est très bien sorti ! constata-t-il, reconnaissant.

Daniel l'approuva, la mine songeuse.

— Le fait qu'il n'ait appris à lire et à écrire qu'il y a deux ans...

— Ce n'était pas le plus rapide... protesta Timdal.

Rik tenta de mettre un terme joyeux à cette discussion :

— Chez saint François d'Assise, le frère mineur n'avait que les oiseaux à écouter, et les quignons de pain à compter sur ses cinq doigts.

Mais Daniel constata sèchement :

— Jusqu'à ce que le malheureux ne soit autorisé à accompagner son drôle de saint sur le Nil et, surpris par la crue, se retrouve en prison en Égypte !

— Pour la plus stupide de toutes les croisades, la nôtre comprise ! eut encore le temps d'affirmer Rik.

Mais dans le placard, on entendit distinctement une injure, puis un cri rauque et furieux, auxquels répondirent des sons à mi-chemin entre le gémissement et l'aboiement, comme si une créature se rebellait, impuissante, comme un animal dressé qui attaquerait son dresseur. Le rayon de lumière qui perçait vers l'extérieur vacilla fortement. Rik crut même voir de la fumée sortir par le treillage. Puis, après quelques coups secs, le calme revint.

— Nous devrions peut-être… proposa Timdal, qui parvint, mieux que Daniel ou même Rik, à glisser sur l'incident comme s'il n'avait jamais eu lieu, Nous devrions peut-être tenter de faire intervenir « Armin », je veux dire : Irmgard. (Rik secoua la tête, de mauvaise humeur, mais le Maure s'obstina.) Car vous autres, les Allemands, vous avez à l'époque suivi des chemins fort différents.

— Tous menaient à Rome ! objecta Daniel.

Mais Timdal n'en démordait pas :

— Ni vous, Rik, ni toi, Daniel, ne pouvez avoir été partout !

Rik voulait paraître plus informé.

— Je sais que la Styrum vit également à Tunis.

— Mais extrêmement retirée, objecta Daniel.

— Ne serait-ce que pour complaire à son compagnon, le sage mufti Zahi Ibrahim, ajouta le petit Maure avant de laisser libre cours à sa curiosité. Peut-on demander, précieux *mourabbi al-amir*, ce qu'il en est de cette belle bague ? Un travail remarquable…

— Cela ne vous regarde en rien !

La réaction brutale de Rik promettait un incident, mais il n'éclata pas : la porte donnant sur la salle des livres s'ouvrit brutalement, et, avec une virulence insoupçonnée, Moslah entra dans la pièce comme une boule de feu, tambourina de ses deux poings contre le placard d'où, exceptionnellement, aucun bruit ne s'échappait. La lumière s'éteignit elle aussi, et l'on ne perçut plus le moindre chuchotement. Nul ne put dire si la colère du *baouab* s'était dissipée : il était reparti avec la même énergie et avait déjà claqué la porte derrière lui. Tous s'étaient figés et restèrent silencieux, même après son départ. Seul Daniel se montra impassible et reprit rapidement le fil du récit.

Extrait du manuscrit de Mahdia
La vision du berger
Récit du Maure

L a calèche de Marie de Rochefort arrive en Champagne. Jusqu'ici, la dame d'honneur n'était pas parvenue à arracher à ses deux compagnons de voyage plus que des propos courtois et aimables. L'étroitesse de la voiture a beau faire, Marie ne parvient pas à établir l'ambiance qu'elle désire. Elle n'a pourtant pas atteint la trentaine, et c'est une beauté extrêmement convoitée et courtisée à la cour. Si ce Rik de Bovenkamp, un vrai muffle, finit tout de même par s'animer un peu, c'est en constatant qu'ils approchent de Reims et en apercevant, de loin, les murs en filigrane de la gigantesque cathédrale. Mais lorsqu'ils atteignent enfin le chantier, ils n'y trouvent plus personne. En chemin, déjà, ils n'ont cessé de croiser de jeunes artisans, charpentiers et tailleurs de pierre, forgerons et simples apprentis. Ceux-là n'avaient manifestement qu'une seule idée en tête : rejoindre Paris et la basilique de Saint-Denis, où s'était, disait-on, produit une chose qui pourrait totalement changer leur vie. En constatant l'amère déception de l'Allemand, la dame d'honneur n'a pas grand mal à inciter les deux amis à la suivre sur les terres des Rochefort : de là, ils pourront poursuivre leur voyage vers l'Allemagne.

— Ce qui nous ramène à Armin, ajouta Daniel, impassible. Celle qui porta jadis le nom d'Irmgard von Styrum devrait être l'une des rares à avoir gardé le contact avec son cousin, el-Hakim. (C'était un reproche caché adressé à Rik ; il ne s'était guère occupé, par la suite, de son fidèle compagnon Oliver.) Elle saura donc peut-être où sont partis le médecin et sa femme…

— Quelle femme ? s'exclama Rik.

Le jeune homme était perdu dans ses pensées. Il réfléchissait à l'anneau. Il était forcé de se l'avouer : il ne connaissait même pas le sens de l'inscription, et il était furieux de ne pas l'avoir étudiée plus attentivement.

— C'est un secret bien gardé, répondit Timdal, répandant un peu de poivre dans la plaie relativement bénigne de Rik. En tout cas, autant que cela puisse vous étonner, il y a une créature féminine au côté d'Oliver.

Rik se redressa.

— Je vais immédiatement demander à Kazar Al-Mansour…

— Surtout pas ! l'interrompit irrespectueusement Timdal. Envoyez-moi à Tunis, auprès d'Armin, proposa-t-il, conciliant. Moi, je n'ai rien à faire en Allemagne.

Rik réfléchit. Il ne tenait pas, ne serait-ce qu'en raison de l'anneau, à s'exposer à présent aux questions de l'émir.

— Je ne voudrais pas, murmura-t-il, pas très convaincu, que vous, mon cher Timdal, tombiez de nouveau entre les mains du grand eunuque.

— Il ne me reverra pas de sitôt ! répliqua le Maure insolent.

Rik ne put s'empêcher de rire et oublia sa colère.

— Êtes-vous prêt ? demanda-t-il à Daniel, sur le ton d'un défi.

Le *moussa'ad* lissa le parchemin qui se trouvait devant lui et plongea le bout de sa plume dans l'encre. Le bruit recommença, encore plus fort qu'auparavant : on aurait dit que des animaux sauvages se battaient à l'intérieur du placard et se jetaient contre la paroi extérieure, si fort qu'elle en tremblait. On percevait en outre des halètements, des grognements, des bruits d'étranglement, des sifflements, et chacun finit par regarder fixement cette étrange caisse. Rik imagina combien le gros Moustafa devait souffrir dans cet espace confiné – mais qui pouvait bien tourmenter cet aimable rédacteur d'ardents poèmes amoureux, pour qu'il se débatte avec une telle fureur ? L'émir avait-il par hasard enfermé avec lui son frère naturel, le maigre *haqawati* ? Étaient-ce ces deux-là qui se rendaient la vie infernale ? Ou bien était-ce Moslah qui torturait les deux pauvres diables ? Le tohu-bohu s'amplifia encore. Puis on entendit un sifflement, un cri aigu et réprimé, un claquement assourdi. Il y eut une explosion, des éclats fendirent l'air autour d'eux, un nuage de poussière s'échappa par le grillage – et un silence de mort se répandit. Rik, horrifié, avait déjà bondi. Mais l'émir, suivi de ses gardes, fit aussitôt irruption dans la *sala al-koutoub*. Il ne regarda pas longtemps le montecharge où s'était produit l'accident et chassa immédiatement tous les occupants de la pièce, sans exception.

Sur les petites tables rondes en laiton se trouvaient comme toujours des plateaux mis à disposition par Kazar Al-Mansour, chargés de *qa'ek at-tin*, de gâteaux fins et secs, de *mouqaqqarat at-tamr,* de petits rouleaux aux dattes saupoudrés de cannelle et de *halouiat al-foustouc* dégoulinants d'eau de miel, le tout accompagné de coupes pleines de lait d'amandes, épais et suave. Mais personne ne toucha les délicieux *haalib al-loos*, personne ne goûta les petits gâteaux aux pistaches.

Tous étaient encore anesthésiés par le choc. Même si personne n'en parlait dans le palais, on sut tout de même rapidement quelles conséquences avait eues l'effroyable accident survenu dans le monte-charge de l'émir. La chute de la nacelle avait brisé le cou du *haqawati*. Le gros Moustafa en avait certes réchappé, mais il était désormais paralysé en dessous de la ceinture ; il fallait le porter ou le faire avancer dans une petite voiture. On disait que l'émir l'avait confié aux soins de la Ma'Moa ; il accomplirait les missions que l'on confiait à un homme autorisé à entrer dans le harem. On raconta encore beaucoup d'autres choses sur le déroulement de l'accident, mais comme Kazar Al-Mansour n'en parla pas de lui-même, Rik ne chercha pas à aborder la question. Il déploya cependant beaucoup d'attention et de prévenance pour que l'humeur de l'émir ne se dégrade pas encore, et fit en sorte que son récit continue à porter sur Mélusine. Une assez longue conversation avec Blanche permit à Rik de faire ce plaisir à Kazar Al-Mansour.

Extrait du manuscrit de Mahdia
La vision du pâtre
Récit de Rik van de Bovenkamp

Mélusine passe sa première nuit sous les étoiles, parmi ses compagnons de marche. Elle a fait la connaissance d'Étienne, le petit voleur, et de sa chaleureuse compagne, Blanche, qui partagent leur maigre repas avec Mlle de Cailhac. Étienne l'arrose de vin de messe, car son frère vigilant, Daniel, a abandonné sa place devant l'hôtel pour accompagner Monsignore de Rochefort dans une « mission » particulière. Ils mâchent avec délice les petites saucisses croustillantes de cheval que Blanche s'est procurées chez un boucher bienveillant, avec un morceau de lard qu'elle conserve pour leur voyage imminent.

— Qu'est-ce qui peut bien te pousser, demande Étienne, la bouche pleine, à Mélusine, à affronter les épreuves qui nous attendent à présent ?

— Mélusine est peut-être tombée amoureuse de Stéphane ?

En posant cette question, la douce Blanche donne l'impression de se placer en rempart devant cette étrangère raffinée ; mais elle tremble de peur à l'idée que ce puisse être effectivement le cas. Car elle est elle-même profondément décidée à déposer son grand cœur aux pieds de ce voyant si doué.

— Mais qu'est-ce que tu t'imagines ? répond gaiement Mélusine à la toute jeune putain, en faisant descendre le dernier petit morceau de saucisse avec une gorgée de vin de messe amer. Sans moi, ce petit berger serait encore aujourd'hui auprès de ses moutons, et c'est à eux qu'il décrirait ses visions !

Blanche regarde avec effroi cette jeune femme frivole, puis elle se détourne d'elle, l'air triste. C'est Étienne, alors, qui reprend la parole :

— Mais tel n'est pas le cas. Stéphane a fait son chemin, il a prêché devant le roi. Et toi, tu es assise ici, sur la pierre froide, et tu partages notre maigre pitance à cause de lui !

Mélusine se tait, piquée au vif. Il serait absurde de parler aux deux enfants de ce chevalier blond qu'elle espère retrouver – son propre comportement, à bien y réfléchir, n'est pas beaucoup plus malin que celui de tous ces adeptes du berger. Elle serre Blanche dans ses bras.

— Stéphane mérite certainement notre amour, chuchote Mélusine, en toute mauvaise foi, tout comme il est aimé par notre Sauveur.

Rik aurait volontiers passé sur le récit des heures suivantes, celles passées au château de Rochefort : ce souvenir lui était pénible. Mais Daniel et Timdal, en dépit de l'émir, insistèrent pour quitter au plus vite Mélusine et Paris, et se précipiter dans la salle réservée à la rousse Marie. Rik décida de supporter cela en serrant les dents.

Extrait du manuscrit de Mahdia
La nuit de Rochefort
Récit de Daniel et du Maure

Au château de Rochefort, Marie avait fait monter le meilleur de ses cuisines et de sa cave : pâtés truffés confectionnés avec le foie d'oies gavées et avec du faisan, pain aux céréales sortant tout chaud du four, délicieux fromage coulant et odorant du pays – et surtout, une grande quantité de vin âpre et piquant. Cela devrait suffire pour mettre le vigoureux Allemand – ou mieux encore : ses deux hôtes ! – dans l'ambiance propice aux débauches. Mais les deux amis sont encore à faire ripailles lorsque Timdal, le Maure, annonce à Marie, profondément dépitée, l'arrivée de son frère Gilbert. L'inquisiteur n'a pas hésité à faire le voyage de nuit : il tient à envoyer aussi vite que possible en Allemagne son jeune assistant, Daniel. L'énergique religieux prend place à table, et ordonne au timide Daniel de le servir copieusement, tandis qu'il raconte fièrement les événements survenus à Saint-Denis et aux alentours. Les premiers groupes sont déjà en route vers le Rhône, et des cohortes affluent de tout le pays en direction de Paris.

— Ils dansent et ils chantent ! s'exalte-t-il. Ces rats ! ajoute-t-il cependant pour ne pas dresser sa sœur inutilement contre lui.

— Ils réclament les textes liturgiques ! complète fièrement Daniel. C'est l'ardeur religieuse qui les anime !

— Il faut à présent la porter jusqu'à Cologne ! Cela me paraît être le meilleur endroit, sur le Rhin, d'où, avec l'aide de tous les saints…

— … des trois Rois mages ! ajouta Rik, sans pouvoir interrompre le flot oratoire.

— … l'on pourra remonter le fleuve à la barque, franchir les Alpes et rejoindre les rivages italiens ! conclut le Monsignore, satisfait.

— Et que ferez-vous ensuite ? aboie Marie. La mer s'ouvrira-t-elle une fois de plus ? Ou bien votre radeau flottera-t-il jusqu'à Jérusalem ?

— À l'aide de l'Église miséricordieuse, on trouvera bien des propriétaires de bateaux qui voudront s'assurer une place au paradis...

— Et vous, Gilbert, vos actes irresponsables vous vaudront les braises de l'enfer ! réplique la dame d'honneur, furieuse. Peut-être la pourpre de votre chapeau de cardinal plaira-t-elle au diable. (Elle se lève tout d'un coup de table.) En tout cas, pour notre Seigneur Jésus Christ, vous n'êtes rien de plus qu'un grain de poussière contrariant dans l'œil !

L'inquisiteur se met à rire :

— Même la larme à l'œil, le Seigneur n'aimerait rien tant que vous voir devenir abbesse de Rochefort, lance-t-il, amusé, à sa compagne de table, emmurée, contrainte à tout jamais à un pieux silence et à la pureté du cœur, sans parler de la chasteté de votre corps de pécheresse !

Marie se précipite hors de la salle, non sans avoir intimé aux deux Allemands, d'un signe péremptoire, l'ordre de la suivre sans délai. Rik et Oliver haussent les épaules, perplexes, et font ce qu'on leur ordonne. Marie, écumant de rage, les mène droit dans ses appartements, s'arrache les vêtements du corps et se jette, de dos, sur sa large couche. Elle chasse le Maure de la pièce, mais Timdal voit Rik en sortir à son tour peu de temps après, titubant, sous les quolibets que lui vaut sa fidélité imbécile pour une stupide oie de l'Orléanais, tandis qu'Oliver explique froidement à la femme en furie qu'il n'a aucun goût pour les femmes, surtout lorsqu'elles s'offrent avec tant d'impudeur. On entend jusque dans le couloir le hurlement de Marie, qui bascule bientôt dans un sanglot...

Aux premières heures de la matinée, l'inquisiteur fait atteler les chevaux et installe Daniel dans la calèche. Aux Allemands, qui se sont aussitôt présentés, il autorise l'usage de ce moyen de transport confortable, ne fût-ce que pour assurer la sécurité de son messager jusqu'à Cologne.

Pendant toute la traversée de la forêt des Ardennes, Daniel ne dit pas le moindre mot sur ce qu'il sait : Mélusine, celle que recherche Rik, se trouve en route vers Marseille. Il ne veut pas perdre son escorte.

L'émir avait invité « le précepteur du prince » à le suivre pour une tournée d'inspection sur les murailles, jusqu'à la grande porte, le Bab Zawila, qui offre le seul accès possible, côté terre, entre les deux puissantes tours de Mahdia. Rik se doutait bien que c'était simplement un prétexte pour l'éloigner de la bibliothèque ou lui parler seul à seul : depuis quand Kazar Al-Mansour s'intéressait-il à l'état des fortifications ? Et s'il s'y intéressait, ce n'était certainement pas à la *skifa al-kahla*, qui constituait, avec ses sept herses de fer successives, le point le mieux protégé de la forteresse. De fait, ils n'avaient pas encore atteint le Bourj al-Joub, invisible de l'extérieur, la tour de la citerne, intégrée aux murs de la mosquée avancée, lorsque Kazar révéla sa véritable intention.

— À Paris, la capitale des Francs, les deux amis ont enfin pu retrouver la trace de Mélusine, ils sont pour ainsi dire à ses trousses ; et vous envoyez le très habile secrétaire de l'exceptionnelle épouse du Hafside dans le pays d'où vous venez, comme si vous ne saviez pas combien cela me déchire le cœur d'être abandonné par la femme que j'aime, la seule femme de ma vie, comme si Allah ne m'avait pas suffisamment puni…

— Mais Allah en a décidé ainsi, noble ami, fit Rik en lui coupant la parole, d'une voix aimable, mais déterminée. C'est lui, le maître du destin, aujourd'hui comme jadis ! Ni vous ni moi n'avons rien pu y changer il y a deux ans, et si vous voulez connaître dans sa totalité le destin de la mère de votre fils, il vous faut nous laisser raconter l'histoire dans son ordre. Cela suppose aussi que l'on y intègre un chevalier allemand aussi insignifiant que le jeune Richard van de Bovenkamp. Mélusine n'était pas seule, c'était l'une des milliers de jeunes filles et de jeunes gens qui se mettaient en marche.

— Mais dites-moi pourquoi ! (L'émir secoua la tête.) Pourquoi les enfants courent-ils loin de leurs parents, quittent-ils volontairement la sécurité de leur famille, se lancent-ils dans une aventure aussi démente, une folie aussi avérée ? Pourquoi ?

Rik n'avait pas de réponse toute prête ; en réalité, il avait toujours évité de se poser des questions sur les raisons profondes de cette aventure, et même sur ses propres mobiles.

— C'était dans l'air, expliqua-t-il, révélant plus sa propre incertitude qu'il ne contribuait à la clarification.

Kazar n'admit pas cette réponse.

— Comme la peste noire ? Comme le choléra ? Et pourquoi toutes ces jeunes femmes sont-elles aussi parties ? (Ce point-là lui paraissait totalement incompréhensible.) Leurs pères ne leur avaient-ils donc pas trouvé de mari ?

Rik évita son regard, moins par honte que parce qu'il commençait à comprendre que la restitution et la rédaction des événements passés n'apporteraient pas la clef de l'énigme. Il avait honte à l'idée que Kazar, malgré la perte que l'émir avait subie, réfléchissait plus clairement et plus profondément aux événements que lui, Rik, qui y avait pourtant participé. Les autres, du moins ceux que l'émir avait rassemblés autour de lui, paraissaient prendre leur destin avec autant de fatalisme que lui-même. Pourquoi lui, Rik van de Bovenkamp, ne s'était-il pas intéressé depuis longtemps au sort qu'avaient connu ses compagnons de l'époque, qui ne s'étaient pas tous, loin de là, retrouvés en esclavage ? Il n'avait pas même eu une petite pensée pour son ancien camarade, Oliver, et ignorait donc où il séjournait à cette heure.

— Du reste, reprit l'émir en sautant du coq à l'âne, il n'est pas exact que quelqu'un ait coupé la corde à laquelle tenait la nacelle. Elle s'est détachée de la poulie.

— Qui avait accès au mécanisme ? demanda aussitôt Rik.

— Pratiquement tous les serviteurs du palais…

— Et vous ne soupçonnez vraiment personne ?

Kazar Al-Mansour secoua la tête, fatigué ; cette affaire l'avait touché plus qu'il ne voulait le montrer.

— Mais ce que nous tentons de faire semble profondément contrarier Moslah, dit Rik, songeur.

— Ah, celui-là ! (Kazar sembla vouloir écarter comme une mouche importune l'idée qui lui venait tout naturellement à l'esprit.) Il faudrait d'abord que la perfidie du *baouab* l'emporte sur sa paresse !

L'émir paraissait disposé à clore cette affaire. Rik comprit qu'il n'avancerait pas en posant de nouvelles questions. Pour mettre l'émir de bonne humeur, il fallait reprendre le récit à Paris, où Kazar Al-Mansour pouvait suivre la trace de « sa » Mélusine. Mais lui, Rik van de Bovenkamp, était décidé à élucider le mystère de cet « accident ».

Extrait du manuscrit de Mahdia
La vision du berger
Récit de Rik van de Bovenkamp

Tant d'enfants se sont désormais rassemblés à Saint-Denis que la petite cité ne peut plus les contenir. Luc de Comminges n'hésite pas longtemps et convainc Stéphane, toujours prêt à se lancer dans un prêche enflammé, de donner le signal du départ général. L'entourage immédiat de ce berger visionnaire, au sein duquel on trouve aussi, désormais, Blanche, Étienne et – respectant encore une réserve digne de son rang – Mélusine, orne la petite voiture qu'Étienne lui a procurée de fleurs et de rubans bigarrés. Luc, qui ne s'est pas contenté d'entrer rapidement dans les faveurs de Stéphane, mais a aussi pris le commandement, décide de les autoriser à porter le nom de « petits apôtres ». Quant à Mélusine, elle a décidé d'exprimer sa colère contre le dominicain en faisant comme s'il n'était pas là.

Par milliers, cette légion d'enfants remonte la Loire, comptant ensuite redescendre le Rhône en direction de Marseille. Luc, le *vicarius Mariae*, divise précautionneusement la troupe en petits groupes, chacun étant dirigé par un « petit apôtre » ou un « chien du seigneur », facilement reconnaissable à son oriflamme, la bannière royale frappée de trois lis dorés sur fond bleu, qu'il a choisie, à l'agacement du roi Philippe, comme signe distinctif de la croisade.

Mélusine s'agite en constatant que le cortège passe très près de la région où elle a passé ses derrières années. Là-bas s'étend la sombre forêt de Farlot où se cache le château des d'Hautpoul – des murs calcinés ! Mélusine n'a pas à lutter longtemps pour écarter l'idée d'y revenir. C'en est fini de sa vieille sécurité, le fortin n'est plus que ruines. La mélancolie, elle non plus, n'est pas de mise. Elle doit rompre tous les ponts, tout laisser derrière elle comme un tas de pierres sans valeur, des murs vides qui, avant même cela, étaient devenus trop étroits.

— Qu'est-ce qui te rend triste ?

La question de Blanche l'aide à sortir du doute.

— Tu viens d'ici ? demande encore la sensible Blanche.

— Elle a dû vivre dans un château magnifique, note Étienne, moqueur. Avec des serviteurs vêtus de tissu fin.

Il regarde ouvertement Mélusine, sans la moindre hostilité, et prend le bras de sa jeune amie.

— Maintenant, elle n'a plus que nous, conclut-il.

Blanche prend la main du jeune homme, la pose dans un geste prudent mais déterminé sur le genou de Mélusine, et la recouvre de la sienne.

— Notre chance, c'est d'être ensemble ! Cela nous donnera force et confiance !

Mélusine, sans rien dire, prend ses deux amis par les épaules et son rire ne tarde pas à les contaminer, d'abord timide, puis éclatant.

Presque tous les enfants marchent, le plus souvent pieds nus. Luc a seulement insisté pour que Stéphane fasse usage de sa petite calèche pourvue d'un baldaquin et décoré de l'oriflamme. Il est escorté par de jeunes gaillards de la noblesse venus avec leur cheval. Mais nul n'envie son confort à l'illustre poète. Au contraire : on le traite comme un saint, et l'on collecte comme de précieuses reliques ses boucles de cheveux et les lambeaux de ses vêtements.

Dans toutes les villes qu'ils franchissent, on comble les enfants-croisés de cadeaux ; les parents, notamment dans les familles nombreuses, poussent leurs rejetons à rejoindre leurs semblables, les monastères laissent partir leurs novices. Mais beaucoup de jeunes filles de la campagne qui, faute de dot, ne peuvent espérer un mariage avantageux, préfèrent elles aussi se lancer dans la grande aventure que l'on dit « sacrée » plutôt que de mener une sobre vie de servantes, une existence tout aussi maussade de noble ou de devenir putains et hors-la-loi.

Rik et l'émir se tenaient sur les créneaux du Bab Zawila et regardaient à l'extérieur, vers la campagne, inhabitée sur une longue distance. Quelques maisons non fortifiées se serraient les unes contre les autres, comme pour se protéger des tempêtes de la mer et de celles du désert. Elles se tenaient surtout à distance de la fortification, un devoir depuis toujours impératif pour les habitants, dont le maître de Mahdia était le seul à décider des faits et gestes. Mais l'émir paraissait las. Il était peu à peu forcé d'admettre qu'il ne pouvait pas imputer à Rik le déroulement de sa chronique, et encore moins l'influencer lui-même. Il lui semblait que Mélusine suivait son chemin dans l'histoire sans lui demander son avis !

À cette heure de la journée, tous ceux qui accomplissaient leur travail dans la forteresse avaient depuis longtemps franchi la Skifa al-Kahla. Les observateurs – comme les gardiens de la porte – remarquèrent ainsi qu'un unique chamelier arrivait à marche rapide par le chemin d'El-Djem, l'air totalement insouciant. Son burnous blanc battait au vent, il semblait de haute et mince stature et paraissait étranger dans cet environnement.

Cette vision éveilla la curiosité de l'émir :

— Allons donc voir, lança-t-il à Rik, même si tu ne t'inquiètes guère de savoir qui nous honore de sa visite.

Ils descendirent le chemin de ronde du portail, jusqu'à cette rambarde dissimulée depuis les meurtrières de laquelle on pouvait liquider n'importe quel facteur de troubles sans courir le moindre risque. Les gardiens avaient déjà capturé le cavalier entre deux des herses d'acier et tentaient de lui faire mettre pied à terre.

— Je suis attendu par Richard van de Bovenkamp ! criait d'une voix rauque l'homme toujours voilé, du haut de son chameau. Annoncez mon arrivée au *mourabbi al-amir* !

Rik se perdait encore en conjectures sur le détenteur de cette voix rauque, qu'il avait déjà entendue, mais l'émir se présenta devant les gardes et leur ordonna de libérer l'étranger. Dans un cliquetis de chaînes, on releva la herse devant le chevalier, et le cavalier et sa monture reprirent leur chemin.

— Irmgard von Styrum !

Le nom venait de traverser l'esprit de Rik, comme un éclair. Il ne savait pas s'il devait se réjouir ou se mettre en colère.

— La compagne de Zahi Ibrahim, en provenance de Tunis ! informa-t-il froidement l'émir.

— Je pensais que c'était un homme, bredouilla Kazar Al-Mansour, perplexe.

— Irmgard est la première à le croire ! fit Rik, moqueur, ajoutant encore au désarroi de son ami. Appelez-la « Armin », et vous verrez son tendre cœur fleurir entre ses os solides.

Ils descendirent par l'escalier extérieur pour recevoir leur hôte à l'extrémité du chemin de ronde, devant la porte.

Extrait du manuscrit de Mahdia
Niklas le rassembleur
Récit d'Irmgard von Styrum

Dans l'Eifel, un âpre paysage de collines qui n'a rien de la gaieté des vallées du Rhin et de la Moselle, et moins encore de l'amabilité de la Champagne française, au sud-ouest, vit dans son sombre château de Styrum la fille unique du châtelain. Elle porte le nom d'Irmgard. Sa mère est morte en la mettant au monde, son père très aimé a été abattu par des ennemis supérieurs en nombre, l'année passée, lors du combat absurde pour Trifels. Petite fille, déjà, Irmgard voulait devenir comme lui. Et bien qu'elle soit en âge de se marier, elle décide à présent de se comporter comme un homme. Elle prend le nom d'Armin et obtient de sa famille que Styrum lui soit accordée à elle seule. Cousins ou prétendants, elle repousse toute tentative d'approche. Ceux qui ne veulent pas le comprendre en repartent le nez ensanglanté, et il n'est pas rare que ce soit Irmgard elle-même qui s'en soit chargée.

Dans le hameau situé au pied du piton rocheux où se dresse le château de Styrum vivent, dans une terrible pauvreté, les charbonniers et les pâtres, les bûcherons et les familles de ceux qui gagnent leur vie comme haleurs le long du Rhin et de la Moselle et vont, une fois par an, faire les vendanges sur les coteaux abrupts. De Cologne, la ville de l'archevêque, un maréchal-ferrant est venu avec sa femme malade. Il a contracté des dettes auprès des juifs et doit compléter ses revenus en raccommodant les casseroles. C'est un rude gaillard aux traits grossiers, qui épanche sa colère sur son fils unique, le petit Niklas. Celui-ci apprend donc de bonne heure à se cacher toute la journée dans les granges et à haïr tous ceux qui sont cause de son malheur. Il le fait tous les soirs dans les misérables tavernes où les hommes boivent le piètre salaire de leur travail exténuant, avant de rentrer furtivement chez eux et de rouer leur femme de coups. Niklas a rapidement compris que ses tirades de haine expriment tellement le fond de leur âme, qu'ils l'accueillent volontiers à chaque fois qu'il se présente – mieux, qu'ils attendent littéralement sa venue pour crier, brailler et tousser avec lui.

La demoiselle Armin von Styrum sait par ses valets que « le rassembleur » – c'est ainsi qu'ils l'appellent parce qu'il les rassemble autour de lui comme une escorte – visite une fois par semaine le « Bouc noir de Beweyl » et y tient ses discours frénétiques. Déguisée en homme, Mlle von Styrum se promène souvent dans ces parages et elle ne craint pas les hommes ivres. Un soir, Armin descend donc avec ses gardes du corps et son vieux maître d'armes, et se mêle incognito aux auditeurs, le plus souvent très jeunes, qui braillent avec l'orateur dans la sombre taverne.

Niklas, un frêle gamin aux joues creuses, crache toute sa bile contre les gras religieux de l'épiscopat, ces hommes aux grosses fesses qui pressent les pauvres comme des fruits et utilisent de belles paroles pour leur promettre le royaume des cieux, tandis que la noblesse rurale, cette bande de brigands qui asservit les hommes pour mener ses combats, qui les force à servir sous leurs armes, jeunes ou vieux, et les envoie se saigner mutuellement dans des massacres absurdes, souille leurs filles et incendie les cabanes sur la tête des pauvres hères qui les habitent. Cela doit changer, dit-il, les jeunes ne doivent plus supporter tout cela ! Niklas se fait tendre une cruche pour humidifier sa gorge rauque, puis avale la saucisse qu'on lui propose, avant de reprendre, la bouche pleine :

— Ne courez pas contre les murs des puissants, mais refusez la corvée, les percepteurs, les prêtres ! Allez dans les forêts ! De toute façon, nous ne pourrez pas vous y porter plus mal qu'ici et aujourd'hui ! Restez en groupes autonomes, nourrissez-vous sur les champs ! Tels des bois dérivant, rejoignez les fleuves jusqu'à ce que nous ne formions plus qu'un gigantesque radeau que nul ne pourra plus retenir ! Alors, il leur faudra bien nous laisser passer !

— Pour aller où ? crie une voix.

C'est celle d'Armin, mais elle se noie dans les hurlements enthousiastes.

— Suivons Jésus-Christ ! crie un autre. Nous sommes son peuple ! Seigneur, sauve-nous, mène-nous sur ton chemin !

Ils sautent sur les tables et les bancs, tombent dans les bras les uns les autres, dansent et changent. Ils acclament Niklas, leur « rassembleur », ils s'emparent de lui et le hissent au-dessus d'eux, le portent sur leurs épaules. Il ne parvient plus à se faire entendre, il ne peut plus que battre des bras, ce qui transforme leur ivresse en folie.

— Ordonne, Rassembleur, nous te suivrons ! hurlent-ils tous ensemble.

Armin von Styrum fait un signe à ses hommes, et ils quittent discrètement le « Bouc Noir ».

— Faites donc en sorte, lança familièrement Daniel, le *moussa'ad*, à Rik, lorsque Irm eut quitté pour un bref instant la bibliothèque de Mahdia, que votre ami et émir invite cette dame impérieuse pour une longue promenade, une visite des fortifications… (Daniel tournait autour du pot.)… car je ne peux accepter en l'état cette légende de l'Eifel, qu'Armin présente sous une forme aussi lisse que ciselée – ne serait-ce qu'au nom de cette véracité à laquelle nous sommes tous tenus !

Rik déglutit avant d'afficher un sourire circonspect.

— Je crains seulement que Kazar Al-Mansour ne puisse être horrifié à l'idée de se retrouver seul avec une femme dont il ne sait pas en toute certitude si elle n'est pas, tout de même, un homme.

— Supplie-le, reprit Daniel, qui n'en démordait pas, de faire ce petit sacrifice au nom de la vérité. Armin ne donne pas l'impression de vouloir s'en prendre à son linge. (Le secrétaire se permit un sourire graveleux.) Je n'en dirais pas autant à votre sujet, Rik, si je puis vous rappeler les soirées passées au château de Styrum.

Le sourire de Rik se dissipa.

— Ah! fit-il avec un soupir résigné. C'est donc cela! Le « petit sacrifice », c'est moi, maître chanteur!

Daniel fit mine de baisser la tête d'un air maussade, mais il demeura inflexible.

Rik envoya quelques lignes à l'émir : il ne voulait pas lui exposer leurs intentions de vive voix. Daniel, le *moussa'ad*, retarda l'instant où il commença à le rédiger : il voulait d'abord être certain que personne ne les dérangerait.

— Vous vous rappelez peut-être – ou peut-être pas – que lorsque j'ai eu l'honneur d'être introduit par vous-même et votre ami Oliver d'Arlon au château de Styrum, la maîtresse des lieux, Irmgard, chantait déjà monts et merveilles...

— Armin n'a jamais très bien chanté, corrigea Rik, mais Daniel ne s'arrêta pas à son objection.

— ... la voix cassée par l'enthousiasme, de ce fils de chaudronnier...

— Je me rappelle juste qu'Irmgard, cousine d'Oliver, a tenté de nous convaincre d'écouter ce Niklas : nous devions, ne fût-ce qu'une fois, écouter les mots de cet envoyé de Dieu, cela suffirait à nous entraîner dans son sillage.

Rik éclata d'un rire qui ne paraissait guère convaincant.

— Ni Oliver ni moi-même n'avons donné suite à cette invitation! constata-t-il avec satisfaction.

Daniel n'avait pratiquement pas pris de notes, mais se lança lui-même dans la suite du récit.

Extrait du manuscrit de Mahdia
Niklas le Rassembleur
Récit de Daniel

Comme les sires Oliver von Arlon et Rik van de Bovenkamp, les nobles chevaliers, se refusent à escorter la dame, la demoiselle de Styrum reste auprès du *Legatus*

Domini venu de Paris – c'est sous ce titre que s'est présenté le bedeau de Saint-Denis juste après son arrivée. Il dispose après tout d'une calèche de grand seigneur avec valets d'écurie ! Daniel voit avec étonnement Irm se transformer en Armin, dès qu'il a accepté d'accompagner la châtelaine, sans la moindre escorte, dans une misérable gargote fréquentée par le bas peuple. Daniel n'attend rien de cette visite, mais il a mauvaise conscience à l'idée de rester inactif à côté de Styrum au lieu de poursuivre son voyage vers Cologne, conformément aux consignes qui lui ont été données. Il n'a pas réfléchi à la manière dont il va accomplir sa mission – porter sur les rives du Rhin le message d'une « croisade des enfants », et il n'a pas non plus la moindre idée dont lui, simple servant de messe, devrait déclencher pareil mouvement. Daniel réagit avec d'autant plus de confusion – une confusion qui tourne même à l'effroi lorsqu'il entre avec Irmgard, le soir même, dans la salle bondée du « Bouc Noir » et découvre Niklas, le garçon aux joues creuses, qui, debout sur l'estrade, vitupère ce qu'il appelle la vermine suceuse de sang, « pire encore que les rats : les juifs ».

— La tribu de David, avec son arme d'étrangleur, le taux d'intérêt, tue plus de chrétiens que ne peuvent en abattre la peste et le choléra ! Ils nichent dans nos villes comme des cafards noirs et collants qui...

Sa voix s'étrangle, ses yeux perçants brillent, seules ses lèvres étroites tremblent encore en attendant que leur viennent les autres métaphores. Quelqu'un tend une cruche à Niklas, il la vide rapidement tandis que la mauvaise humeur se répand et que l'indignation pointe dans la gargote.

— N'a-t-il pas raison ? demande Irmgard, l'œil vif, à son accompagnateur. Nous devons être durs et solidaires face à cette racaille qui a cloué le Sauveur à la croix et veut à présent nous étrangler, nous, ses enfants croyants, comme le fit jadis le roi Hérode !

Elle tente de se précipiter vers l'avant pour aller exprimer son approbation au jeune homme, mais la foule dense lui barre le passage. Daniel essaie de la suivre. Soudain, Armin, qui dépasse la plupart des clients d'une tête, s'arrête au milieu de la cohue qu'elle écartait de ses bras puissants, l'air décomposé, elle retrouve tout d'un coup son personnage féminin et, redevenue Irmgard, se tourne vers son accompagnateur comme pour lui demander de l'aide. Devant elle, sous les cris d'encouragement, on vient de hisser sur l'estrade un garçon au crâne rasé que Niklas, chétif et bien plus petit que lui, serre fraternellement dans ses bras.

— Voici Karl! annonce fièrement le Rassembleur. Karl Ripke von Röpkenstein, dont je vous ai raconté les effroyables souffrances, un témoin ensanglanté de notre foi, un soldat du Christ qui a échappé au martyre, un combattant du christianisme, un combattant pour...

Le reste disparaît sous les braillements de la foule.

Karl prend la parole, il ne trouve pas ses mots, et seules des bribes des phrases qu'il bredouille parviennent à l'arrière de la gargote, où Irm se cache désormais derrière Daniel. Mais personne ne fait attention à elle : tous sont suspendus aux lèvres de ce gigantesque chauve qui a bien du mal à déplacer la mâchoire et transpire d'excitation.

— ... du bouillon d'hérétiques, où des canailles païennes et des Sarrasins sauvages... mènent l'agitation contre les églises du Saint-Père, souillent de pieuses nones, abattent, découpent... font rôtir des nouveau-nés sur des pieux...

— Les juifs! feule Niklas entre deux bribes de phrases. Ils leur arrachent le cœur, ils leur boivent le sang!

Le colosse balourd ne sait que faire de l'incise du Rassembleur, il ne parvient plus à retrouver ses idées.

— Nous sommes venus fraternellement au secours des pauvres chrétiens de ces contrées, pour l'amour de Dieu et contre la promesse du paradis.

Le solide gaillard vacille comme s'il sentait encore les flèches perfides qui se sont fichées dans son corps, les coups effroyables qu'il a reçus de tous côtés.

— Les juifs et les Sarrasins nous ont tendu un piège... une lâche ruse, ils les ont tous tués, y compris les prêtres... Ils nous ont traités comme des démons...

Un bruyant sanglot fait trembler le géant et met un terme à son discours incohérent. Karl baisse la tête et montre son crâne aux auditeurs pétrifiés : les entailles à peine cicatrisées qui forment des croix sur sa tête chauve brillent comme des lignes rouges. De son large pouce, Karl désigne sa blessure.

— C'est saint Georges qui m'a sauvé! bredouille-t-il en s'agenouillant devant Niklas. Tu dois venger le Sauveur!

Lorsque les hurlements approbateurs se sont un peu calmés, Niklas, triomphant, lance à la foule:

— Ne vous l'avais-je pas dit? Les juifs, les Maures, les païens, tous dans le même sac! Nous devons en nettoyer notre pays!

Daniel a une révélation: il sait à présent ce qu'il doit faire. C'est lui, qui cherche à se frayer un chemin jusqu'à l'estrade pour se mettre au service de ce Niklas, de ce garçon touché par la grâce. La *sancta ecclesia* doit être la première à se placer au côté de ce nouveau prophète, et le petit servant de Saint-Denis veut l'affirmer haut et fort! Mais cette fois, c'est Irmgard qui le retient, et l'entraîne jusqu'à la sortie.

— Ce Karl Ripke n'est qu'un brigand de grand chemin, explique-t-elle, furieuse, qui a voulu m'obliger à être sa femme pour entrer en possession de Styrum!

Daniel se plie à la volonté d'Irmgard et revient au château avec elle. Ils y trouvent Rik et Oliver, encore éveillés: ils se faisaient du souci. Mais ces inquiétudes se dissipent devant un verre, et ils éclatent de rire lorsque Irmgard leur raconte la prestation de Ripke. Les deux chevaliers reconnaissent immédiatement dans ce personnage leur capitán, qui a manifestement survécu aux incidents de la forêt de Farlot et transforme à présent des paysans en colère et des nobliaux insurgés en sarrasins sauvages et en païens perfides, se faisant lui-même passer pour un héros de la guerre et un martyr de la foi!

Mais ils ont beau se moquer des balourdises de leur capitaine, Daniel, lui, est désormais profondément convaincu que Niklas, ce fanatique, est exactement l'homme qu'il lui faut. Il va revenir le voir, ne le lâchera plus et le dirigera vers Cologne, comme le veut la Providence. Il ne doit pas rester plus longtemps ici, à Styrum, où il néglige son importante mission en compagnie de cette damoiselle Irm qui préférerait être un Armin, d'un Oliver qui rêve de sa vocation de *medicus* et de Rik, qui a perdu son cœur stupide dans un château en flamme et reste obnubilé par cette châtelaine.

Le lendemain matin, Daniel se met en route.

— Il me semble, révèle-t-il à Rik, en passant, au moment de faire ses adieux, que j'ai fait la connaissance de Mélusine à Paris, en compagnie de mon frère dépravé, Étienne, et de sa compagne à la vie légère, qui répond au prénom de Blanche… Ils avaient l'intention de se mettre en route en direction de Marseille…

Si le bedeau n'a pas eu jusqu'ici de problèmes de conscience, il doit à présent craindre pour son intégrité physique, car Rik lui saute à la gorge et le secoue violemment, comme un chiot qui vient de faire ses besoins sur le tapis.

— Tu le savais donc depuis le début! hurle Rik, masquant par ses cris la douleur que Daniel vient de lui causer. À Paris, et même à Rochefort, il aurait encore été temps de prévenir pareil malheur, de préserver Mélusine de cette entreprise démentielle!

Oliver retient le bras de son ami, qui laisse le servant de messe s'effondrer comme un sac de pommes de terre.

— Mais pourquoi? demande-t-il en haletant, pourquoi n'as-tu rien dit, pourquoi m'as-tu floué, pourquoi as-tu détruit mon bonheur?

— Parce que j'avais besoin de votre escorte pendant ce voyage!

Daniel n'a aucune honte, il proclame même sa mission « supérieure ».

— C'était la volonté de Dieu: les enfants de Saint-Denis devaient suivre cet illuminé de Stéphane, pour lequel il fendra même la mer en deux à Marseille, triomphe Daniel. C'est la volonté de Dieu qui m'a conduit à ce Niklas, qui accomplira lui aussi un grand œuvre – vous, Rik, vous n'êtes qu'un instrument, vous n'avez aucun droit de faire défaut à Dieu au nom d'une amourette terrestre.

D'un bond, Daniel se met à l'abri dans la calèche pour éviter le coup de pied de Rik dans l'entrejambe. Et cette fois, Oliver ne s'interpose pas.

— Tu es un menteur, comme tous les curés! crie Rik au religieux, qui quitte à présent Styrum et se dirige sans doute vers Cologne.

— J'avais gardé l'espoir, soupire Rik au moment où Oliver, pour l'apaiser, lui pose la main sur l'épaule. À présent je sais que je ne la reverrai jamais!

— Quand on aime vraiment, on n'abandonne jamais! lance Irmgard.

La jeune fille porte le pourpoint en cuir et les hautes bottes d'Armin. Elle a les larmes aux yeux.

— Je suis à votre disposition pour vous suivre dans votre voyage, Rik. Pourquoi ne partons-nous pas en direction du sud, vers Marseille? (Elle constate que Rik ne la contredit pas.) La mer ne s'ouvre pas si vite que cela! lance-t-elle pour aiguillonner le chevalier enamouré, sans prendre garde au froncement de sourcil de son cousin Oliver.

Ce Rik lui plaît beaucoup: cet homme-là montre des sentiments, et pendant un aussi long voyage, des rapprochements sont toujours possibles.

Rik lui sourit, reconnaissant.

Au milieu de la nuit, Timdal revint sans prévenir. Le petit Maure avait un sourire rusé lorsque l'émir le poussa de nouveau dans la bibliothèque. Rik n'eut pas le temps de l'interroger: Kazar Al-Mansour s'adressa immédiatement à Daniel.

— Je suis bouleversé, profondément effrayé, mais aussi chagriné, fit l'émir, qui se maîtrisait à grand-peine, de tout ce que j'ai dû lire jusqu'ici! Quelle maladie… (Il cherchait l'expression correcte)… quelle abominable confusion des esprits a donc frappé l'Occident? Où est donc passé le sage esprit de vos rois, le chemin raisonnable vers la juste foi que vous enseignaient vos prêtres? (Kazar, indigné, tentait de dépeindre le tableau qu'il avait à l'esprit.) Le *cheîtan* lui-même a dû vous guider, c'est lui qui a pris la place de votre Christ, car Allah, le vrai et l'unique, est incapable de commettre pareilles vilenies!

Rik n'avait pas de réponse à proposer, mais Daniel eut le courage de s'y hasarder:

— C'est chez nous l'argument des hérétiques, ceux qui affirment que le Dieu de la Création est en réalité le démiurge qui a apporté la lumière dans le monde, mais aussi le feu dévastateur et la tentation de connaître ce qu'est la vérité!

— Doutez-vous de la sublime éminence d'Allah ?

La question de l'émir pouvait représenter une véritable menace : c'est certainement ici aussi que s'arrêtait la tolérance de ce pieux musulman. Mais Daniel se rappela sa formation de prêtre :

— Je disais : ainsi pensent les partisans d'une hérésie qui ne veulent pas reconnaître que Dieu est tout-puissant et englobe toute chose.

— Quelle vie épouvantable que celle des chrétiens ! (Kazar n'était manifestement pas enclin à approfondir cette discussion.) Parce qu'ils ne peuvent pas supporter la grandeur du Seul et Unique, ils ont la scélératesse de Lui adjoindre un fils « naturel », comme si... je ne parviens pas à le dire... comme s'il avait visité une femme...

— Tel est le miracle de l'Immaculée Conception, intervint gaiement Irmgard qui, sans que nul ne l'ait remarquée dans le feu de la discussion, était revenue dans la pièce. Une vierge met au monde le fils de Dieu...

— C'est bien cela ! lança l'émir, entre le mépris et l'effroi. Un bâtard ! Vous autres chrétiens, vous êtes tous des alliés du diable !

Et furieux, il quitta la bibliothèque.

Rik le suivit à grands pas. Kazar Al-Mansour laissa son ami courir derrière lui sans se retourner ni lui adresser la parole. Sans quitter son mutisme, il grimpa les marches de l'escalier en colimaçon, qui menait à sa pièce de travail, située juste au-dessus de la bibliothèque. Devant, dans le couloir, bâillait au plafond le trou rectangulaire au-dessus duquel s'était élevée la construction en poutres qui avait tenu la nacelle du monte-charge. La grosse corde qui, passant par un cylindre, menait à la poulie, était enroulée près de la caisse de bois qui avait abrité ses deux occupants. La caisse elle-même avait dû être totalement démantelée par la chute, mais les menuisiers l'avaient minutieusement recollée, un éclat après l'autre. Une caisse solide, ouverte et bien rigidifiée à l'avant et sur le dessus. Sur toute la largeur de la façade, côté grillage, courait une large planche qui servait d'écritoire ; au-dessus, on avait installé un chandelier en terre cuite – qui avait lui aussi été entièrement restauré à partir de ses fragments –, et devant le mur, à l'arrière, on avait disposé un banc molletonné.

— Plutôt étroit pour deux personnes ! fit Rik, mettant un terme au silence qui pesait sur le lieu de l'accident.

— Ils se détestaient ! répondit l'émir, comme pour se disculper. Moslah affirme que le *haqawati* avait juré de tuer son frère qui se mettait tellement en avant.

— Alors il est lui-même monté en vitesse dans la caisse, poursuivit Rik en observant la poulie, après avoir détendu le cran de sécurité sur l'engrenage, de telle sorte que la corde se déroule sans aucun frein ?

— Peut-être Moustafa l'a-t-il emporté avec lui...

Rik examinait depuis longtemps avec méfiance les taches de gras sur le sol de la cabine.

— Qu'est-ce que c'est que ça ? Ça n'est tout de même pas de la cire à bougie ?

Kazar se pencha et passa le doigt sur les taches sombres.

— De l'huile...

— Quelqu'un a... laissa échapper Rik avant qu'il n'ait vraiment pu s'imaginer cette situation atroce. Quelqu'un a lancé depuis le haut de l'huile bouillante sur ces malheureux sans défense !

— Je comprends aussi, à présent, les traces de brûlures sur le corps de ces malheureux. Leur cuir chevelu, leur cou et leurs épaules étaient criblés de vésicules aqueuses et de mauvaises blessures, se rappela Kazar. Certaines étaient déjà brûlées, comme par une inflammation. Cela faisait donc déjà quelque temps qu'ils subissaient ce supplice.

— Qui maniait la poulie ? demanda Rik.

L'émir éluda la question.

— Le seul qui pourrait nous révéler la vérité est mort.

Mais l'Allemand insista.

— Qui maniait la commande ?

— Moslah a chassé ce bonhomme sans délai, il l'a congédié en vertu de sa fonction de *baouab*, finit par reconnaître l'émir.

— C'est aussi ce que j'aurais fait à sa place !

Rik s'inclina devant Kazar, la mine pétrifiée, et se dirigea vers l'escalier en colimaçon.

Extrait du manuscrit de Mahdia
La semence germe
Récit de Daniel

C'est seulement arrivé à Coblence que Daniel remet la main sur ceux qu'il cherche. Des adeptes serviables ont bâti des radeaux pour Niklas et son escorte. Ils s'en sont servis pour descendre la Moselle et sont ensuite parvenus jusqu'au Rhin. La rumeur a descendu en même temps qu'eux, propagée par des voyageurs venus de France : là-bas, dit-on, des milliers d'enfants, garçons et filles, se sont mis en route pour la Terre Sainte, afin de reconquérir Jérusalem au profit de la chrétienté. On parle d'un jeune berger répondant au nom de Stéphane qui, à Paris, aurait arraché au roi la permission de mener ce cortège et qui aurait le pouvoir de séparer la mer, tant et si bien qu'ils pourraient tous atteindre leur objectif les pieds secs. Daniel craint de ne jamais pouvoir rejoindre Niklas : une garde de soudards placée sous les ordres de Ripke constitue désormais un cordon serré autour du « Rassembleur » – ce qui n'a rien d'inutile, car ses adeptes se pressent pour lui serrer la main ou, au moins, le toucher une fois. Daniel passe simplement avec sa calèche devant la tente ornée de fanions et de toutes sortes de symboles que les gardes ont dressée pour leur maître, et exige de pouvoir parler en tête-à-tête avec Niklas. Karl Ripke ne barre certes pas le passage à ce *legatus Domini* vêtu d'une bien trop large soutane, mais insiste pour être présent lors de l'entretien – comme il le fait pour toutes les audiences, afin d'éviter aussi bien les attentats que les gestes d'affection d'adeptes surexcités. Daniel félicite ce grossier lascar pour sa circonspection et s'adresse à Niklas qui, assis sur un trône surélevé, fait comme s'il pouvait lire dans la Bible ouverte.

— Je sais que vous avez parlé au « Bouc Noir de Beweyl » dit-il d'une voix passablement sévère, et je dois vous dire que ce que j'ai entendu ne me suffit pas, loin de là ! (Daniel laisse ses mots agir un instant avant de continuer, inflexible :) Vous avez certes récusé les ennemis du Sauveur, énoncé leurs méfaits, mais vous avez honteusement omis d'indiquer au peuple le chemin qu'il doit parcourir pour reconquérir le paradis perdu !

Karl Ripke bombe le torse.

— Nous commencerons par détruire tout ce qui se place en travers de notre chemin, prêtre! gronde-t-il. Ensuite, nous exterminerons tous ceux qui auront volé le paradis sur terre, les juifs, les Sarrasins, les Byzantins schismatiques, les païens, les hérétiques!

— Ils sont partout! lance Niklas à l'appui des mots de son premier garde du corps, avant de refermer le livre. Nous ne savons où nous devons commencer à frapper par le feu et l'épée…

— Faut tous les enfumer! approuve Karl Ripke.

— La puanteur et la fumée acide pourraient vous gâcher le parfum du paradis! répond Daniel avant de détourner son regard du géant obtus et de s'adresser à Niklas. Les partisans que vous avez assemblés autour de vous doivent être plusieurs centaines, et ils traverseraient les flammes pour vous. (Niklas le remercie de ce compliment avec un sourire flatté. Daniel, lui, prend son élan pour la péroraison.) Le peuple qui vous suivra demain comptera plusieurs milliers de personnes et sera prêt à traverser la mer avec eux, pieds nus s'il le faut!

Cette idée séduit extraordinairement Niklas, qui se redresse malgré lui. Karl Ripke, lui aussi, pointe le menton en avant. Il se voit déjà en général. Daniel a beaucoup appris des évêques et des prélats qu'il a côtoyés à Saint-Denis, notamment l'alternance toujours efficace entre la tiède félicité et la fournaise de la damnation.

— Mais aucun d'entre eux ne fera le moindre pas, reprend-il, aucun ne bougera le petit doigt si vous ne leur fixez pas un objectif: aussi puissant que leur nombre, aussi solide que les cailloux sur le chemin qu'ils devront emprunter, aussi diablement séduisant que leurs rêves!

Niklas, surexcité, s'est levé de son trône et veut serrer Daniel dans ses bras, mais celui-ci se montre aussi hors de portée que l'archange au glaive enflammé, et le prophète choisit de s'adresser à sa montagne de muscles au crâne chauve:

— Pliez le genou, Monsieur mon Colonel! (Ce que fait le soldat, au nom de son maître.) Bénissez-nous! demande au *legatus Domini* le fils du chaudronnier, l'œil brûlant. Attachez la volonté sacrée de Dieu à nos drapeaux, et nous aiderons Jésus-Christ à l'emporter sur les païens, les juifs et les Sarr...

— La promesse du paradis vaut pour tous les hommes de la juste foi, rassemblés au sein de l'*ecclesia catholica*, proclame Daniel pour se sortir de son impasse, car contrairement à ce qu'il a laissé croire, il n'est pas prêtre et n'a pas le pouvoir de bénir. Faisons ensemble un pèlerinage à Cologne, devant l'autel des trois Rois mages. Là, vous lancerez un appel à la jeunesse allemande, comme l'a déjà fait faire notre Seigneur Jésus-Christ avec les enfants de France... (Daniel se laisse emporter par son emphase et s'exclame d'une voix puissante:) La foi transporte des montagnes! Vous mènerez par les Alpes le cortège triomphal de vos partisans, comme si vous franchissiez de vertes collines, car derrière elles s'étend le pays où coulent le lait et le miel!

Karl Ripke se redresse en titubant et se précipite vers la porte de la tente.

— Parez les radeaux à prendre l'eau! ordonne-t-il avant de soulever la bâche, pour que Niklas puisse se montrer à son peuple.

À quelques pas derrière lui avance Daniel, l'ancien servant de Saint-Denis.

Dans les ruelles étroites qui montent depuis la rive du Rhin vers la cathédrale de Cologne, les mendiants d'ordinaire couchés devant les portails courent, trébuchent et se bousculent pour rejoindre le débarcadère des mariniers et des flotteurs: la nouvelle de l'arrivée du «Rassembleur» a précédé Niklas. Il est vrai que Karl Ripke et ses gardes ont tout fait pour: ils ont parcouru au grand galop les chemins de halage, sur des chevaux le plus souvent volés, pour préparer l'accueil de leur maître. Beaucoup de jeunes enfants venus des châteaux surplombant la profonde vallée creusée par le fleuve ont accouru et se sont ralliés à cette cavalcade. Mais beaucoup d'autres ne peuvent ni chevaucher, ni courir: ce sont les innombrables estropiés qui, sur leurs béquilles ou tirés sur des planches, en rampant ou en claudiquant, sortent à présent de tous les quartiers de la vieille ville et font mouvement vers la cathédrale ; une masse brun-gris, une misère qui écœure les bourgeois fortunés. Ceux-ci inter-

disent aussitôt à leurs domestiques, commis et autres portefaix, de rallier ce « Rassembleur » avant que les seigneurs
du haut chapitre aient pris position sur ce point. Ses gardes
verrouillent aussitôt la porte de la cathédrale, qui contient
toujours le précieux écrin des « Trois Rois Mages » et la
« Croix de sainte Géro », afin qu'aucun dommage ne soit
causé aux précieuses reliques et, surtout, que les trésors accumulés en ces lieux ne soient pas victimes des exactions et
du pillage. Le chanoine en titre – le vieil archevêque Dietrich
était mort au début de l'année – voit du reste d'un très bon
œil la disparition de ces mendiants qui pissaient et défé-
quaient dans tous les coins, volaient les pieux pèlerins lorsqu'ils ne brisaient pas directement les troncs.

Parmi ceux qui se traînent péniblement vers le fleuve,
avec un retard imposé par leur état, on trouve aussi Randulf, un estropié auquel ne reste plus qu'une seule jambe
et qui s'appuie sur sa sœur Dörte. La jeune fille est née
aveugle. Randulf, lui, a perdu sa jambe gauche lorsqu'une
roue de chariot ferrée lui est passée dessus, sans s'arrêter
pour autant. Tous deux dépendent donc l'un de l'autre
depuis leur enfance. Ils vivent de la mendicité, bien qu'on
raconte qu'ils viennent d'une bonne famille et que celle-ci
les aurait chassés en raison de leurs tares. Cette fois, ils ont
de la chance. Daniel, le légat, devenu l'irremplaçable secrétaire du « Rassembleur », pêche dans le tas de ceux qui se
sont installés au pied de l'estrade de bois construite à la hâte,
et leur ordonne de s'asseoir sur les marches du trône où
siège Niklas. Comme ils ont du mal à monter sur cet échafaudage, Daniel demande aux gardes de les soulever, ce qu'ils
font à contrecœur. Daniel agit à dessein : il tient à créer un
contrepoids visible au « colonel » Karl Ripke et ses hommes :
en apparence, ils veillent sur l'intégrité de Niklas. Mais en
réalité, ils veulent l'associer à certains projets brutaux et le
protéger de toute autre influence.

Pour le légat, l'image du pauvre Lazare, un étendard de
la compassion et de l'attention portée aux faibles, est la
meilleure manière de contrer celle de ces gardes débordant
de forces. Il invite même Randulf à désigner encore d'autres
compagnons de souffrance, que l'on fait à leur tour monter
sur le podium. Daniel, qui se crée ainsi peu à peu une fidèle

garde personnelle, veille aussi à ce que Niklas mette provisoirement un terme à ses tirades haineuses contre les juifs et se présente à la foule comme un croisé chrétien. Le légat interdit définitivement aussi que l'on emploie le nom ambigu de «Rassembleur». En prenant ces décisions, Daniel se résout à attirer sur lui la haine de Karl Ripke. La confrontation sera de toute façon inévitable, lorsqu'il faudra choisir le chemin qu'emprunteront Niklas et ses milliers d'adeptes exaltés, qui lui font une confiance totale dans leur quête aveugle.

Daniel est suffisamment naïf pour ne pas imaginer que le colonel ne lui abandonnera pas le terrain sans combattre, et que l'instant de la décision ne tardera pas. Comme il ne peut pas consigner par écrit les discours de Niklas, il s'efforce de glisser les mots à l'oreille du fils du chaudronnier, souvent buté et capable de revenir rapidement sur ses choix, de telle sorte que celui-ci croie qu'il ne s'est jamais passionné que pour Jérusalem. Il peint pour ses auditeurs les miracles de la sainte cité du Christ, dans des couleurs tellement ardentes que le désir de la libérer et de la posséder se grave de plus en plus profondément en eux. Leur nombre ne cesse de croître, ils réclament désormais un départ immédiat. Daniel laisse à Karl Ripke l'honneur d'annoncer le départ pour le lendemain matin.

— Vous ne jouez sans doute pas avec votre vie, dit Rik dans le silence qui s'était fait dès son retour dans la bibliothèque, mais vous jouez avec celle des autres ! ajouta-t-il en pensant aux victimes du monte-charge. Il n'est pas très circonspect non plus d'importuner un musulman avec certaines conceptions de la foi chrétienne !

Ses compagnons, qui avaient manifestement, dans l'intervalle, continué à écrire leur chronique sans lui, paraissaient plus rétifs que culpabilisés. Daniel lui lança un regard interrogateur, mais dénué de la moindre trace de peur.

— Ma vie est entre les mains de Dieu… tant qu'il me la laisse. (Il afficha un fin sourire.) Je suis en outre sous la protection du Hafside, mon maître en ce monde.

Cette arrogance agaça Rik :

— Cela ne vous autorise pas à témoigner aussi peu de respect que vous le faites jusqu'ici !

— En cas de doutes, ce que vous ne semblez pas connaître, je préfère manquer d'égards plutôt que de mentir sur ma propre existence. Vous, par contre, mon très cher Rik, vous me semblez être devenu un maître du refoulement !

Rik se tut, piqué au vif, ce qui incita Irmgard à intervenir :

— Le fait de travailler sur ce que nous avons vécu dans le passé, sur les actes que nous avons accomplis ou tolérés au fil de ces événements qui remontent à neuf ans, n'impose pas que nous nous dépecions nous-mêmes. Vous n'avez aucun droit, Daniel, de blesser des tiers que vous n'avez jamais hésité à tromper lorsque vous en aviez besoin ! rappela-t-elle d'une voix basse et dure.

— C'était du passé ! répliqua le secrétaire avec dédain.

— C'était du passé et c'est du présent ! rétorqua Irmgard, implacable. Je peux admettre que vous me calomniiez dès que j'ai le dos tourné, je peux même le comprendre lorsque je songe à votre origine. Mais que vous jouiez un jeu analogue avec Madame Blanche, à laquelle vous devez toute votre gratitude et même, vraisemblablement, votre vie…

— Si vous ne supportez pas la vérité, fit Daniel en se tournant de nouveau vers Rik, je peux aussi m'en aller !

— Arrêtez ! s'exclama Timdal, qui avait jusqu'ici suivi cette confrontation avec amusement, mais sans rien dire. Nous devrions nous accorder sur les règles du jeu : Il me semble extrêmement irréaliste d'exiger de nous tous, qui sommes assemblés ici, qu'aucun ne mente, n'enjolive, n'omette ou tout simplement ne présente aucune lacune dans ses souvenirs. Sans cela, autant se mettre tout de suite à jouer au jeu de la vérité !

— Certainement pas ! contra immédiatement Irmgard.

— Cela mènerait inévitablement au meurtre et à l'assassinat ! renchérit Daniel, les mains levées.

— Vous n'en êtes pas très éloignés ! répondit le Maure, sarcastique. Mais même dans ce jeu-là, on prend le mensonge pour argent comptant. Et au bout du compte, il n'y a que des perdants !

Irm et Daniel l'approuvèrent en silence, ce que le Maure, d'un sourire, accueillit comme un soutien actif. Seul Rik n'avait rien compris de cette entente rapide entre connaisseurs, il n'avait jamais entendu parler de ce jeu de la vérité, mais se garda bien de le reconnaître.

— S'il ne tient qu'à moi, dit-il en s'efforçant visiblement de retrouver son ancien statut de directeur des débats, chacun peut raconter comme il lui plaît. Le secrétaire que Madame Blanche a eu l'amabilité de mettre à notre disposition est juste strictement tenu de le rédiger sous la forme qui est portée à sa connaissance. Qu'il veuille bien n'ajouter qu'entre parenthèses sa propre opinion divergente, et cela vaut pour Daniel comme pour chacun d'entre nous. (Rik apprécia de pouvoir remettre le *moussa'ad* à la place que lui assignait son rang.) Nous tenons même, ajouta, bienveillant, le «précepteur du prince», à ce que notre cher Daniel s'exprime d'une manière aussi exhaustive et sensible sur tout et sur chacun !

— Avec la froideur d'un scientifique, et la pédagogie d'un vieil enseignant ! ajouta Timdal, moqueur.

Irmgard hocha la tête, l'air courroucé.

— Il parviendra peut-être à nous présenter tous comme des escrocs de l'esprit, des maquignons !

Daniel passa aussi sur cet affront et s'inclina devant le Maure.

— Timdal, de tous ceux qui se trouvent ici, vous êtes peut-être le seul à avoir conscience du fait que la mission qui nous a été confiée ne peut être accomplie sans vous et sans mon insignifiante personne. (Il frappa du poing sa poitrine étroite.) Je me mets, moi-même et mon savoir, au service de la cause commune !

Le *secretarius* n'accorda pas le moindre regard supplémentaire à Irm ou à Rik, et plongea sa plume dans l'encre.

Le petit Maure était satisfait. Personne, dans l'assistance, ne l'avait questionné sur le résultat de son voyage. Nul ne lui avait demandé s'il avait pu trouver la trace du disparu, Hakim Oliver, ni quels autres motifs avaient pu le pousser à Tunis. En réalité, il n'avait pas mis les pieds à Tunis !

3

En route pour Jérusalem

Extrait du manuscrit de Mahdia
Comme un dragon
Récit du Maure

Dans la fournaise de l'été, redescendant le long du Rhône, avance la « croisade des enfants de Saint-Denis » – car c'est ainsi que l'on appelle désormais, avec réprobation ou admiration, cet incroyable cortège : ce sont quelque trente mille jeunes gens et jeunes filles qui, semblables à un gigantesque vol d'oiseaux migrateurs, se dirigent vers une promesse mystérieuse, persuadés que la mer se divisera à leur arrivée et qu'ils parviendront tout droit à Jérusalem sans avoir à se mouiller les pieds – comme si ce n'était pas la côte berbère, mais la Terre Sainte qui faisait face à la ville portuaire provençale ! Stéphane, le prophète de ces prévisions inspirées, précède cette horde qui s'étend à perte de vue ; dans son petit chariot décoré, il est entouré par ceux qui, depuis Paris, se sont assuré ces places d'honneur.

En pâtre conscient de son devoir, il a chargé les chevaliers qu'il a trouvés dans cette foule, c'est-à-dire les gamins de la noblesse venus avec un cheval, de jouer les chiens bergers ; ils tournent désormais autour des groupes qui composent le cortège, les guident et, si nécessaire, interviennent pour y garantir l'ordre. Ce qui est de plus en plus souvent nécessaire, car la chaleur et la faim mettent les nerfs à rude épreuve. Aucun n'a à souffrir de la soif, l'eau du fleuve est toujours à portée de main, mais en ce milieu d'été, la plupart des fruits ont déjà été récoltés et les raisins ne sont pas encore mûrs. Quant aux paysans qui cultivent leurs terres le long de leur route, ils n'ont rien à donner – surtout si la seule monnaie que l'on puisse leur rendre est l'amour de Dieu.

Lorsque même des implorations ne suffisent plus à obtenir un morceau de pain, les agressions se multiplient, d'abord de simples vols que les victimes prennent pour de la grivèlerie sans importance, puis de véritables pillages de granges et d'étables. Les moutons se transforment en loups. Dans les villes qui bordent le fleuve, les citoyens anxieux ferment les portes des remparts. Mais les habitants des petits villages et des fermes isolées dans l'arrière-pays, eux, appellent au secours les soldats de leurs seigneurs, et ceux-là ne prennent pas de gants avec les pillards qu'ils prennent en flagrant délit. Les hommes à cheval emportent deux par deux ceux qui se sont trop éloignés de leur groupe afin de commettre leur rapine, et l'on voit bientôt sur certaines branches plus de corps inanimés que de poires oubliées. Les corps émaciés se balancent comme des épouvantails au vent de l'été, avertissement tangible aux affamés qui voudraient les imiter. Mais comme la seule alternative est la mort garantie par famine, les « chercheurs de nourriture » s'arment, emmènent les prêtres des églises pour les faire marcher au premier rang de leurs groupes et frappent paysans et bergers jusqu'à ce qu'ils leur donnent de quoi vivre. Ceux qui ne trouvent pas de quoi manger crèvent au bord du chemin. L'eau et l'herbe, les racines et les feuilles, à elles seules, ne peuvent que prolonger les souffrances, et la mort fait bonne moisson. Plus le cortège avance, comme un lézard à mille pattes, à travers le pays, plus il commet de ravages ; le monstre laisse désormais derrière lui un sillage de souffrance et de victimes.

Devant, à la tête du reptile, on ne sent rien de la détresse de la queue de cortège, qui bat désespérément. On voit certes apparaître parfois, amaigris, les joue creuses, exténués

quelques *canes dominici*, les « chiens de berger » de l'arrière-
garde, auprès de la petite charrette bigarrée et décorée qui
transporte Stéphane. Mais Luc sait remplir leur ventre qui
grogne, et ils n'importunent pas plus longtemps le « prophète
mineur ».

Pour Stéphane et sa garde rapprochée, les « petits
apôtres », il y a au début pléthore de cadeaux et de vic-
tuailles. Les gens sont curieux de lui, ils l'acclament, d'autant plus que bon nombre de leurs enfants quittent leur
maison ou leur ferme et rallient Stéphane. Mais comme les
mauvaises nouvelles voyagent plus vite que les bonnes, les
rumeurs des atrocités commises dépassent bientôt le chariot de tête, et le « petit prophète » ne tarde pas, lui non plus,
à se heurter plus souvent à la méfiance qu'à la cordialité.
Ses visions de la Jérusalem céleste ne suscitent plus que rejet
et portes closes. Blanche qui, dès le début, a cherché à occuper une place à ses pieds – puisqu'elle se considère comme
sa Madeleine –, supporte en silence la faim qui la ronge,
du moment que Stéphane a suffisamment à manger. Son
ami Étienne, grâce à son exceptionnelle débrouillardise, parvient pour quelque temps encore à se procurer le nécessaire,
sur lequel Luc, lui aussi, prend avidement sa part. Mais plus
ils avancent vers le sud, plus le pays devient aride, mis à
part les bosquets d'oliviers et les forêts de châtaigniers –
mais leurs fruits sont encore immangeables. Et la fournaise
augmente. Mélusine se propose d'accompagner le courageux garçon lors de sa prochaine tentative pour se procurer des biens comestibles. Elle emprunte l'un des derniers
chevaux que possèdent encore les « petits apôtres » – cela
fait du reste longtemps qu'ils sont à deux sur chaque cheval : ils ont abattu les autres.

Mélusine, après avoir pris Étienne derrière elle, sur sa
selle, s'éloigne au trot de la tête du cortège, en direction
du sud, espérant y rencontrer une population encore paci-
fique et non informée. Ils se trouvent au milieu de l'Ar-
dèche. Mélusine quitte la route principale et se dirige vers
les terres. Un sentier d'entrée de ferme, jalonné de cyprès,
monte en sinuant dans les collines, on ne voit pas âme qui
vive à la ronde, mais non loin du chemin pavé, Étienne,
avec ses yeux d'aigle, découvre une ferme de volailles rem-

plie de poules blanches et grasses, qui picorent et caquè-
tent. Les deux brigands descendent de cheval et franchissent la haute clôture. D'un geste sûr, Étienne attrape les
poules une par une sans se soucier de leurs piaillements
ni de leurs battements d'aile ; en un clin d'œil, il leur tord
le coup et tend son butin à Mélusine qui, avec l'habileté
d'une fille de la campagne, leur noue une corde autour des
pattes. Les voleurs pressés sont en nage, ils sont justement
en train de gober quelques œufs frais pour se redonner des
forces lorsqu'ils entendent leur cheval hennir : autour de
l'enclos se sont alignés des valets armés de gourdins. Ils sont
faits comme des rats ! Un gros fermier s'est déjà emparé
de leur monture.

— Et qu'est-ce qui vous empêcherait de connaître le
même sort que ma volaille ? demande-t-il avec jouissance.
(Ses valets éclatent de rire.) Comme vous ne pondez pas
d'œufs, je ne vois aucune raison de prolonger votre pauvre
existence... (Le paysan a prononcé les derniers mots à l'attention de ses ouvriers.)... par conséquent, étirez-leur le cou,
et prenez votre temps !

Les valets le prennent effectivement ; ils cherchent
encore une corde fine appropriée et une poutre convenable
lorsqu'une calèche approche par la sente aux cyprès. Étienne
se tient toujours au milieu de la cour, immobilisé, auprès
d'un coq qui bat furieusement des ailes. Mélusine, elle, qui
n'est pas disposée à vendre sa vie à bon marché, a déjà discrètement sorti sa dague. Faire un saut hardi au-dessus de
la clôture et poser sa lame sur la gorge du gros homme lui
paraît être sa seule chance. C'est alors que s'arrête la calèche,
et qu'en descend Marie de Rochefort ! Elle comprend aussitôt la situation.

— Combien coûtent vos poules à la douzaine ?
demande-t-elle au gros homme que la garde armée jusqu'aux dents a aussitôt encerclé tandis que Timdal, le Maure,
lui fait des grimaces depuis le toit de la voiture.

Le gros flaire la bonne affaire.

— Toutes ?

Marie hoche la tête et se fait remettre sa bourse.

— Toutes ! Vivantes ou mortes, avec les œufs de la corbeille ! ordonne-t-elle. Portez-les toutes à la route, et ajou-

tez-y six miches de votre fameux pain, deux gerbes d'oignons et un fût de vin.

Le paysan en sue d'excitation. Mélusine, elle, range ostensiblement son poignard, et Étienne règle enfin son compte à ce coq excité.

— Notre fromage mérite le détour, fait le gros homme, décidé à exploiter au maximum cette bonne occasion. Tout comme notre lard...

— Je ne veux pas affamer votre famille cet hiver, dit Marie en lui jetant quelques pièces soigneusement comptées.

Le montant très décevant de la somme qu'elle lui a versée le dissuade de vanter encore ses produits ; s'il avait laissé à ces voleurs éhontés les quelques poules qu'ils avaient prises, cela lui aurait coûté moins cher. Mais le gros homme n'a plus le choix. Les gens d'arme de cette noble dame ont pris par la longe le cheval sur lequel il se tient et l'emmènent avec eux. Suant de peur, il ordonne à ses valets de porter jusqu'à la route ce qui lui a été acheté.

Pour le « prophète mineur », ses « petits apôtres » et tous ceux qui avançaient assez près de la tête du cortège pour pouvoir bénéficier de cette manne, c'est un véritable festin. Stéphane accepte, sur proposition d'Étienne, de partager sa petite charrette avec les poules survivantes. Luc de Comminges a cherché refuge dans le groupe suivant dès qu'il a aperçu la sœur de l'inquisiteur – il ne peut donc pas profiter lui aussi de ce festin. Le *vicarius Mariae* devine que la dame d'honneur n'est pas venue en ange du salut, qu'elle fera tout, au contraire, pour anéantir l'œuvre de son frère. Or Luc, ne serait-ce que par son statut de dominicain, se sent une obligation à l'égard de celui-ci, même si Monsignore Gilbert l'a dédaigné en lui préférant le « *legatus et praefectus Germaniae* ».

Ses soupçons se confirment : Marie de Rochefort convie Mélusine à poursuivre le voyage avec elle, dans sa calèche. Mais la jeune femme n'accepte pas avant qu'on ait aussi admis Étienne et Blanche. Blanche a dû céder sa place à la volaille dans la calèche du prophète – c'était d'ailleurs l'un des objectifs d'Étienne lorsqu'il y avait installé ces provisions vivantes. Il supporte mal de voir sa compagne ne plus avoir d'yeux que pour Stéphane. Marie commence par tout accepter, et se déclare disposée à accompagner le convoi jusqu'à Marseille. Mais elle sait bien que le temps qui lui reste pour arrêter cette folie expirera à l'arrivée au port. Il lui paraît absurde de chercher à dissuader Mélusine de poursuivre cette aventure. Elle essaie tout de même prudemment, en lui annonçant que Rik est revenu depuis longtemps en Allemagne. Mais Mlle de Cailhac prend cela pour un fieffé mensonge de la dame, et pour un signe certain du fait que son blond chevalier l'attend à Marseille. Par courtoisie – et non en remerciement pour l'avoir sauvée de la cordelette du gros paysan –, Mélusine en reste là. Et elles entrent ensemble en silence, dans la calèche, en se regardant, méfiantes, feignant l'amabilité.

Comme des conjurés, ils se retrouvèrent au début de la matinée dans la salle des livres, car ils savaient qu'ils s'attireraient la mauvaise humeur de l'émir s'ils se consacraient de nouveau aux Allemands. Mais ce changement de perspective, du Rhône vers le Rhin, était aussi la seule chose qui unissait à cette époque Irmgard, Rik, Daniel et Timdal. Même la nuit qui s'était écoulée n'avait nullement apaisé les tensions entre eux, si bien que le Maure s'était permis une plaisanterie juste avant le début du « travail » :

— Si vous envisagez de continuer à vous déchiqueter comme les jours précédents, nous devrions invoquer un orage purificateur : le jeu de la vérité !

Mais au lieu de récolter le désintérêt agacé ou le refus glacial auquel il s'était attendu, le Maure vit Daniel prendre la parole au nom de ce groupe déchiré :

— Dis-nous de quoi il s'agit, le Maure ! demanda-t-il à Timdal.

Celui-ci ne s'en priva pas.

— Nous sommes tous sur le même bateau, commença-t-il avec jouissance. Au milieu de la grande mer survient soudain une tempête qui le fait dériver loin de toute route fréquentée par les navires. Et là, le bateau se brise.

(Timdal nota avec plaisir qu'il avait déjà capté l'attention de ses auditeurs.) Une seule poutre flotte encore dans l'eau. Elle suffit juste à porter deux naufragés qui s'y accrochent, et permet simplement de rejoindre une petite île déserte où les deux rescapés passeront le restant de leurs jours.

Le Maure avait fini. Daniel émit un léger sifflement et ajouta, d'un air de défi :

— La question est la suivante : Avec qui voudrais-tu partager la poutre et, par conséquent, l'île… ?

Il ne put mener la phrase à son terme. Une voix aiguë de petit garçon cria :

— Nous aussi, nous voulons jouer !

Sorti de l'armoire du monte-charge arraché à son boyau pendant l'accident dans la bibliothèque, Karim arriva en tenant par la main Aicha, qui avait le même âge que lui.

— Je suis assez grand pour cela, lança-t-il, provocateur.

Mais son *murabbi* l'interrompit, sans aucune brutalité, d'une voix plutôt bienveillante :

— Depuis quand vous cachez-vous là-dedans ?

Rik désigna l'habitacle. Karim ne lui refusa pas ce renseignement, d'autant moins qu'il avait posé sa main libre sur la bouche d'Aicha.

— Depuis… Avant que vous ne soyez entrés dans la *sala al-koutoub* !

Daniel tenta de désamorcer le conflit qui s'annonçait entre le petit garçon obstiné et l'éducateur conscient de son devoir.

— Pourquoi les enfants ne doivent-ils pas atteindre les îles salutaires ? demanda-t-il à Rik. Puisqu'ils sont là et qu'ils ont entendu les règles du jeu ?

— Je suis le premier sur la poutre ! s'exclama Karim. Car je nage plus vite que…

Il regarda autour de lui. Il ne vit personne qui puisse se mesurer à lui. Rik hocha la tête, approbateur, ce qui suffit à emplir le gamin de fierté. Timdal, lui, vit les regards se tourner vers lui : il était, d'office, le meneur de jeu.

— Je demande à Irmgard ? fit-il, et la jeune femme ne fit pas non plus attendre sa réponse.

— Rik !

Elle avait annoncé sa décision d'une voix presque dure et sèche, sans chercher à accrocher le regard de celui qu'elle venait de désigner.

— À moi, maintenant ! implora Karim, et Timdal lui accorda la parole. Rik aussi ! s'exclama-t-il, enthousiaste, en lançant un regard rayonnant à son précepteur.

— Daniel ? reprit le Maure.

— C'est toi que je choisis, Timdal, répondit-il en ajoutant aussitôt : Toi aussi, tu devrais faire ton choix !

Le Maure fit quelques manières avant que son aveu parvienne enfin jusqu'à ses lèvres :

— Aicha !

La jeune fille timide gloussa en regardant son prétendant inattendu. Mais après tout, le petit Maure était à peine plus grand qu'elle, et avait la même couleur de peau. Timdal échappa à sa confusion en demandant d'une voix pleine d'entrain :

— Et toi, Aicha, dis-nous donc avec qui...

— Avec ma Ma'Moa, répondit-elle sans hésiter.

Timdal se tourna rapidement vers Rik.

L'Allemand balança la tête, ce qui était sans doute censé indiquer une réflexion minutieuse.

— À bien y réfléchir, finit-il par répondre, je préférerais rester seul.

Dans le silence consterné qui suivit (Karim luttait contre des larmes, tandis qu'Irmgard leur laissait libre cours en sanglotant), Timdal, le bourreau, annonça :

— Il y a encore une variante plus intense... (La douleur des naufragés dérivant dans l'eau et cherchant un appui trompeur lui était indifférente.)... une barque battue par les flots, qui peut contenir tous les rescapés, sauf un – sans cela, elle coule !

Il lança à l'assistance un regard triomphal.

— Moi, c'est Rik que je ficherais dehors ! lança le fils de l'émir, profondément vexé, en prenant par la main sa compagne de jeu.

— Moi aussi ! lança Irmgard, furieuse, au *mourabbi al-amir*, dès que les enfants eurent quitté la pièce.

— Et je plaide, moi, pour qu'on exclue Timdal, fit Daniel, qui voulait mettre un point final à cette conversation. Ne serait-ce que parce que le Maure nous a fait entrer dans ce jeu !

— Au travail ! exigea Rik, et cette fois tous parurent d'accord.

Extrait du manuscrit de Mahdia
Ripke le rat
Récit de Daniel

La « Croisade des enfants allemands » marche en remontant le Main, par escouades fermement dirigées. Ce sont les gardes du corps de Niklas qui y veillent, dirigés par son colonel, Karl Ripke. Ils ont conçu ensemble l'idée d'extorquer aux communautés juives des villes qu'ils franchissent les sommes nécessaires à l'entretien de la troupe, ou bien sous forme de vivres, ou bien en espèces sonnantes et trébuchantes. On envoie donc à l'avance des « unités de ravitaillement », le plus souvent composées d'enfants de la petite noblesse à cheval, de chevaliers brigands et de va-nu-pieds.

Mayence est la première ville de quelque importance aux portes de laquelle ils frappent. Mais contre toute attente, non seulement le puissant archevêque Siegfried von Eppstein leur interdit de pénétrer dans la cité, mais il leur demande de se tenir hors de la zone de bannissement de la ville. Si une seule de leurs phalanges ne respectait pas cet ordre, il considérerait cette transgression comme une atteinte à sa souveraineté et les ferait tous passer au fil de l'épée.

Les collecteurs restent donc à bonne distance du prince d'empire et se contentent de piller quelques villages où vivent de riches juifs, comme on le leur a secrètement indiqué. Puis ils reviennent auprès de leurs chefs, qui ont déjà avancé jusqu'à Coblence, par la vallée du Rhin.

Conformément aux instructions de leur protecteur, Daniel, Randulf et sa sœur Dörte restent constamment à proximité de Niklas, qu'ils appellent désormais avec espoir leur « Sauveur » – le mot de « Rassembleur » est proscrit. Mais cette nouvelle dénomination ne suscite que la douce moquerie du *legatus Domini*.

— Tant que vous n'élevez pas Niklas au rang de *salvator mundi...* objecte Daniel, qui finit tout de même par approuver ce titre.

Son créateur, Randulf, n'accepte pas la remarque sans réagir :

— Que celui qui n'a jamais péché jette la première pierre, répond-il sèchement à ce jeune prêtre vaniteux.

Là-dessus, celui-ci, conscient de sa faute, serre l'infirme dans ses bras et fait en sorte d'augmenter encore le nombre de handicapés, de mutilés et de malades incurables pouvant voyager sur la charrette à quatre roues qui transporte Niklas. C'est une paire de bœufs qui tire l'attelage, et tous se battent pour l'honneur de pouvoir le conduire. Cette manière ostentatoire de choisir les plus pauvres parmi les pauvres attendrit les cœurs dans les monastères et les églises qu'ils croisent sur leur chemin, apportant au « Sauveur » un flot croissant d'âmes en souffrance qui attendent de lui un miracle. Étrangement, Niklas se sent merveilleusement bien à leur proximité, car ils sont suspendus à ses lèvres et acclament ses allocutions – un public reconnaissant ! Par ailleurs, ils valent toutes les gardes rapprochées du monde : comme des chiens fidèles, ils dorment tout autour de sa couche et se feraient déchiqueter plutôt que d'accepter qu'il lui arrive malheur. Daniel lui-même se montre aussi peu que possible, ne serait-ce que pour ne pas irriter Karl Ripke, lequel veille jalousement à conserver sa position de commandant en chef, représentant et porte-parole officiel de Niklas. Qui plus est, le titre de « Sauveur » ne lui plaît pas du tout. Mais tous les hommes du colonel, les anciens membres de la garde personnelle de Niklas, sont dispersés dans les différentes « phalanges », et il n'a d'autre choix que d'accepter ce « paquet d'estropiés » qui s'est amassé autour de lui. Mais ça ne durera certainement pas éternellement...

— Peu avant Worms... fit Daniel en interrompant sa rédaction et en se tournant vers Irmgard et vers Rik, vous rencontrez Oliver von Arlon et quelques jeunes chevaliers qui se sont ralliés à vous, à la « Croisade des enfants allemands ». Pourquoi ?

Le secrétaire prit la question comme prétexte bienvenu pour se frotter les doigts engourdis à force de tenir la plume, et complète lui-même sa question :

— En réalité, vous vouliez vous diriger vers Marseille. Depuis Styrum, vous auriez donc dû vous diriger vers le sud ?

Irmgard hausse les épaules.

— Je me suis posé la question, moi aussi, à l'époque, mais…

C'est Rik qui vint à leur secours, en ravivant ses souvenirs.

— À peine étions-nous partis que nous avons rencontré Gilbert de Rochefort.

— Un hasard ? demanda Daniel, impromptu, avant de chercher encore une fois la réponse à sa question. Ou bien ce grand seigneur cherchait-il à m'espionner ?

Rik sourit de cette suspicion tardive, qui tenait sans doute plus de la vanité.

— Messire l'inquisiteur (à moins qu'il n'ait alors occupé une autre fonction au sein de l'Église) nous a raconté avec bonheur…

— Et d'une manière extrêmement bavarde, fit Irmgard en lui coupant grossièrement la parole.

— … en tout cas avec une grande fierté à votre propos, mon cher Daniel, que près de Mayence, il avait vu passer la croisade, et qu'il voulait de nouveau se rendre à Rome.

Irmgard le soutint à son tour.

— Il nous a garanti, de manière crédible – du moins Rik l'a-t-il cru – que les petites Françaises de Saint-Denis avaient forcément déjà rejoint Marseille et qu'elles étaient sans doute déjà en train de traverser la « mer divisée », fit-elle en imitant avec jouissance le ton et le sarcasme du religieux. Rik, nous a-t-il dit, ferait mieux de rallier la « Croisade allemande » qui remontait justement le Rhin.

— Oui, précisa le jeune homme. Il nous a dit qu'ainsi, nous pourrions arriver jusqu'à Gênes, ou un autre port italien sur la Méditerranée, ajouta-t-il en s'excusant presque. Messire l'inquisiteur a aussi dit qu'il pourrait, à Pise, mettre un bateau à notre disposition.

Rik ne se sentait guère à son aise dans cette partie du récit, mais Irmgard n'y prêta aucune attention.

— Rik a laissé cet homme de Dieu à la souplesse d'anguille le convaincre qu'Oliver était prêt à n'importe quelle aventure. Et moi, tout cela m'était égal. Nous avons donc mis le cap à l'est et traversé le Palatinat...

— ... et vous avez retrouvé la « Croisade des Allemands » en grand émoi, fit le secrétaire en reprenant le cahier et, animé par une nouvelle énergie, en plongeant sa plume dans l'encrier.

Extrait du manuscrit de Mahdia
Ripke le rat
Récit de Daniel

L'évêque de la ville de Speyer, le fameux Konrad de Scharfenberg, ne veut rien céder en dureté au responsable du diocèse de Mayence. Lui aussi a l'habitude de saigner ses juifs lui-même. Il traite fort mal les membres de la garde personnelle de Ripke, qui ont de moins en moins froid aux yeux, lorsqu'ils viennent lui présenter leurs revendications. Il est forcé de couper le nez au plus mal élevé d'entre eux, et les oreilles à deux autres. « À titre d'avertissement », et « pour se moquer du "Sauveur" », il renvoie la troupe de ravitaillement vers la croisade. Karl Ripke, fou de colère, en appelle à une vengeance immédiate. Niklas, lui aussi, est disposé à faire aussitôt un exemple, mais Daniel l'en dissuade.

— La ville est en alerte, et bien fortifiée. Nous n'y gagnerions que quelques nez en moins !

Ils passent donc à la droite des fortifications de Speyer et poursuivent leur chemin, l'estomac creux, la rage au ventre. La colère monte vite, les chefs de sections et tous les membres de la garde personnelle font savoir haut et fort à Niklas que la prochaine ville juive – ce sera Worms – ne devra s'attendre à aucune pitié. Une révolte s'annonce. Karl Ripke, le colonel, soutient certes son maître « avec inquiétude », mais en secret, autour des feux de camp, il attise la colère des mécontents et des insurgés.

Comme les jeunes nobles sont de plus en plus nombreux à rejoindre la croisade – parmi eux, on trouve aussi, désormais, Rik van de Bovenkamp, Oliver von Arlon et la jeune châtelaine Irmgard von Styrum –, comme la plupart d'entre eux sont à cheval et en armure, comme ils ont souvent aussi amené avec eux des valets en armes, le *legatus Domini* cède aussi à la pression et rejoint Karl Ripke et Niklas.

Le projet de Daniel est de faire croire à Worms qu'elle est en sécurité, de faire entrer dans la ville de petits groupes discrets – les estropiés et les malades feraient une bonne couverture –, de leur faire passer la nuit à proximité des portes et d'assaillir les gardes à l'aube, tandis que des gardes choisis par Karl Ripke se faufileront, à la faveur de l'obscurité, avant de passer par les portes ouvertes et de...

— Halte ! s'exclama Irmgard. Ça ne s'est pas passé comme ça !

— Je sais, dit le secrétaire, contrit. Cette idiote de Dörte, qui faisait partie des infiltrés, s'est laissé conduire par Randulf à l'église la plus proche, pour s'y confesser...

Irmgard connaissait l'histoire :

— Le prêtre n'a pas communiqué les informations qu'il venait d'apprendre aux gardes de l'évêque, mais a rameuté sa paroisse. Ces braves chrétiens ont décidé de faire cause commune avec les croisés...

Daniel tenait à la précision de leur récit :

— ... pour leur livrer les juifs, ajouta-t-il.

Tentait-il de purifier sa conscience après coup ? L'attitude qu'il avait adoptée jusqu'alors plaidait contre l'habile *secretarius*, qui reprit, comme si de rien n'était :

— Lorsque Ripke et ses gardes se sont faufilés par les portes ouvertes de la ville, ils ont été accueillis, dans le plus grand silence, par des chrétiens armés de gourdins qui les ont conduits dans les maisons des juifs.

Rik se vit contraint d'expliquer le comportement qu'il avait eu cette nuit-là.

— Lorsque nous entrâmes dans la ville, Oliver et moi – nous étions parmi les derniers –, il n'était plus question de grand silence. Partout, on entendait des cris, des torches enflammées brillaient dans les ruelles obscures, les premiers incendies commençaient, on emportait les fruits du pillage. Et partout déjà, on voyait des gens abattus, de vieux hommes barbus aux boucles noirs...

— Des enfants! gémit Irmgard. De petits enfants, garçons et filles! (La châtelaine de Styrum se mit à trembler en se rappelant ces événements atroces.) Qu'ils s'en soient pris aux mères... je pourrais encore le comprendre. Mais les enfants! (Elle avait à présent les larmes aux yeux!)

— À l'époque, votre effroi n'a pas dépassé certaines limites! fit froidement Daniel en interrompant son lamento. Il faut dire que le fameux Armin était de la partie...

— Il y était pour sauver des vies! S'il... si je n'avais pas été là...

Irmgard sanglotait.

— C'est exact! fit Rik pour la soutenir. Irmgard est venue me chercher, juste à temps, alors que Karl Ripke avait déjà tranché la gorge de la sœur de Miriam, celle qui louchait...

— Ça n'est pas vrai! protesta Irmgard, en larmes. Son époux teint en blond s'époumonait en appelant au secours.

— Ce lascar ne s'appelait-il pas Jacov? Il avait tellement peur qu'il en avait fait dans son froc... J'ai assommé Ripke.

— C'était Oliver qui s'en est chargé! s'exclama Irmgard d'une voix étranglée. Vous vous êtes occupés de Miriam, inconsciente. Une peau comme du lait et du miel, le visage blanc comme de la neige!

Irmgard renifla et sécha ses larmes.

— En tout cas, nous les avons sauvés tous les deux, affirma Rik, et nous leur avons permis de sortir vivants de cette ville à feu et à sang. (Rik tenait à ce que le récit retrouve son objectivité.) Vous avez caché la jeune Miriam, Irmgard, parmi les estropiés, sur la charrette du « Sauveur » – mais il lui a fallu pour cela se faire couper les cheveux, et Randulf lui a dessiné des cicatrices de galle sur le cuir chevelu...

Irmgard recommença à rire.

— Quant à Jacov, aux cheveux blonds comme paille, Oliver l'a fait entrer dans la légion des croisés en le présentant comme son cousin, un chrétien authentique !

— Sans que le colonel n'en sache rien !

Après coup, cette vision parvint même à égayer Daniel.

— Sauf qu'il n'avait pas le droit de se laver, le circoncis !

— Il ne puait pas plus que tous les autres hommes.

Irmgard aimait à avoir le dernier mot.

Daniel lissa une nouvelle feuille de parchemin.

Extrait du manuscrit de Mahdia
Ripke le rat
Récit de Daniel

La rébellion active d'Oliver contre le « colonel » n'est pas l'unique motif de la scission qui intervient après Worms. Beaucoup des enfants au sang bleu qui ont rejoint la croisade n'acceptent pas les ordres de l'ancienne équipe, celle que Ripke avait rassemblée autour de lui et de Niklas à Cologne. Les gardes de la première heure sont bien rares à être issus de la noblesse. Dans le meilleur des cas, ce sont des enfants de chevaliers brigands déchus, et le plus souvent de vulgaires bandits de grand chemin. Les nobles ont presque sans exception accepté de participer au coup de force contre Worms, mais ils sont scandalisés par ce qui s'y est déroulé ensuite. Certains ont même honte de ne pas être intervenus. Ils commencent donc peu à peu à se démarquer du gros des troupes et marchent en arrière, à bonne distance. L'autre problème est celui de ces misérables créatures affligées de chancres qui évoluent autour du « Sauveur ». L'amour que les nobles portent à leurs prochains ne va pas jusqu'à souhaiter avoir ces pouilleux-là autour d'eux – pourquoi ne les porteraient-ils pas dans leurs bras en cas d'épuisement ou d'autre détresse, pendant que l'on y est ? Les pauvres écœurent ces jeunes et nobles chevaliers – même si tel ou tel d'entre eux a déjà entendu parler de ce François d'Assise qui, quelque part en Italie, se serait consacré aux soins des lépreux et aurait donné tous ses biens pour eux. Eux n'ont rien à offrir, tout au contraire, ils espèrent tirer un profit de l'entreprise, et c'est pour cette raison-là qu'ils ont rallié Niklas.

De l'autre côté, les mutilés et les malades ont pris de l'assurance – Randulf, l'unijambiste, a tout fait pour cela. Il ne voit aucune objection à poursuivre la route sans ce tas de nobles arrogants qui les dépassent de temps en temps, au galop, et les privent des meilleurs morceaux offerts aux pauvres « croisés » par des bourgeois et paysans pris de compassion.

L'ambiance est telle qu'au moment d'arriver à l'évêché de Bâle, personne ne souhaite plus continuer à marcher avec eux. Ici, le Rhin décrit un virage brutal en direction de l'est et mène à des cols alpins beaucoup plus reculés que ceux qui s'offrent pour la suite du parcours des jeunes croisés. Le bon évêque Leuthold a tout prévu pour les héberger. Mais les chevaliers raffinés sont bien sûr les premiers installés aux tables abondamment couvertes. Le ventre bien rempli, ils dressent leur campement au-delà du fleuve, attendant de voir où se dirigera le gros de la troupe. Les jeunes nobles constituent certes moins du dixième de tous les combattants de Dieu, mais ils ont jusqu'ici constitué la colonne vertébrale du cortège. Ils choisissent alors Oliver von Arlon pour leur servir de porte-parole, et Karl Ripke se réjouit à l'idée de pouvoir se débarrasser ainsi de ce gaillard qui a osé lever la main sur lui.

Rik van de Bovenkamp calque bien sûr son attitude sur celle de son ami, mais à l'étonnement de tous, Armin von Styrum annonce qu'elle n'approuve aucunement l'attitude aussi élitaire qu'égoïste des autres chevaliers, et que *sa place* se trouve à côté des pauvres et des nécessiteux ! Daniel, lui, aurait volontiers servi d'aumônier de campagne aux nobles, mais il lui faut remplir sa mission. Il garde donc sa place au côté du « Sauveur », ne serait-ce que pour ne pas l'abandonner sans combat à Ripke. Les « apostats », comme les appelle Niklas, ont disparu dès le lendemain matin, après avoir appris que le colonel comptait prendre le chemin des lacs, en direction du sud.

Le majordome de l'émir s'était rendu personnellement au palais du prince, où logeaient Rik et les invités, afin de réveiller le précepteur à une heure inhabituelle.

— Mon maître souhaite vous parler avant que vous ne vous rendiez auprès des autres, dans la bibliothèque.

Rik se leva, passa au hammam et suivit la procédure rafraîchissante du bain de vapeur, qu'il écourta en plongeant dans le bassin d'eau froide. Il n'avait pas l'intention de se laisser gâcher ses moments de calme, mais il ne voulait pas non plus énerver Kazar Al-Mansour.

L'émir le reçut sur le balcon qui surplombait la salle. Il était de toute façon énervé. Il avait apparemment passé la majeure partie de la nuit à lire les dernières pages du récit.

— Vous ne parlez jamais que des Allemands ! gronda-t-il immédiatement après les salutations de rigueur. Il ajouta en grognant : Mélusine était française !

Rik faillit avoir une réaction d'agacement, mais préféra éclater de rire :

— Voilà un qualificatif que vous auriez mieux fait de ne pas prononcer face à votre épouse, cette fille d'Occitanie, Kazar Al-Mansour. Sans cela, sa fureur vous aurait valu...

— Elle était tellement magnifique lorsque ses yeux étincelaient de rage ! se souvint l'émir avec exaltation. J'aimerais pouvoir redire, les yeux dans les yeux, à la féroce chevalière défendant Hautpoul : « Ma belle Française ! »

Le souvenir le bouleversa, il serra Rik dans ses bras. L'émir avait déjà oublié les reproches qu'il comptait lui adresser. Mais tel n'était pas le cas de Rik :

— Je ne peux raconter que ce qui m'est arrivé, fit-il, ramenant la conversation au point de départ. Vous considérez peut-être que mon destin est de peu d'importance ? demanda-t-il en jouant l'offensé. C'est pourtant lui qui m'a conduit dans votre maison !

L'émir regarda son ami avec amusement.

— Vous vouliez certainement m'informer qu'aujourd'hui, vous ne voulez plus mettre les pieds en Allemagne... ?

Rik connaissait ce jeu-là.

— J'avais l'intention de laisser la parole à Timdal, car je sais que ce Maure insolent est votre homme !

Kazar eut un sourire entendu et se donna l'air conciliant.

— Nous aurions dû garder avec nous cette Madame Blanche, soupira-t-il.

Mais Rik avait de quoi le consoler :

— En nous laissant son *secretarius*, elle nous a rendu le plus grand des services !

L'émir s'en montra lui aussi convaincu :

— Ce discret Daniel vaut le poids en or de son corps malingre pour ce qui concerne ses talents d'écrivain et de témoin ; malheureusement, et vous n'y êtes pour rien, mon cher ami, il se trouvait du mauvais côté de ce fleuve, le Rhône...

— Vous voulez sans doute dire le Rhin, corrigea Rik. Mais nous quittons à présent le pays des Souabes et nous revenons dans celui des Francs ?

L'émir battit des paupières.

— Vous voulez parler de la Bourgogne ? corrigea-t-il sèchement. Mais pour rester avec vous, les Allemands, expliquez-moi, je vous prie, votre relation crispée avec la pauvreté et la richesse, l'une comme l'autre vous faisant l'effet d'infamies ?

Comme Rik ne trouvait pas de réponse, l'émir fit encore un pas de plus.

— Ce qui vous manque, ce sont les esclaves, c'est cette absence qui rend si difficiles les relations de vos souverains avec leurs sujets. Peut-être ce cortège d'enfants allemands que vous décrivez est-elle une tentative inavouée de sortir de ces contraintes si peu naturelles ?

— L'envie de finir comme esclave ? fit Rik, indigné. Vous ne savez pas ce qu'est un chevalier !

L'émir éclata de rire devant l'ardeur de son interlocuteur.

— Pour la plupart, ce sont de jeunes hommes manifestement jeunes et puissants qui montent à cheval dans l'espoir bienheureux de se retrouver rapidement face à un autre spécimen du même genre pour se battre avec eux : tous deux ont laissé leur raison chez eux !

Rik se demanda s'il devait répondre à cet affront, mais il ne se sentait pas vexé. Il avait cessé de l'être.

— Ce que vous prenez pour un goût stupide de l'aventure est en vérité la simple détresse des deuxièmes ou troisièmes nés, auxquels ne reste que le service des armes ou la carrière cléricale s'ils ne veulent pas finir en chevaliers brigands, méprisés par tous. Quant aux filles, elles ont à choisir entre la vie de nonne et celle de courtisane.

— Voyez-vous, répondit l'émir, réjoui, même l'institution bénie du harem n'a pas été accordée à l'Occident, et surtout pas à ses regrettables femmes !

Rik ne réfléchit pas longtemps.

— Vous croyez, cher Kazar Al-Mansour, qu'une jeune femme de la trempe de Mélusine de Cailhac serait entrée dans votre harem ?

L'émir réagit brutalement :

— Supposez qu'un refuge tel que celui offert par le harem constitue la seule protection contre un monde extérieur tellement misogyne qu'il dénie tout droit à une existence spécifique ! (L'émir se rappela à temps que le fait de hausser le ton affaiblit le meilleur des arguments.) À supposer que Mélusine n'ait pas trouvé ce refuge chez moi, quel aurait été son destin ? Elle aurait été une part de butin, dénuée de tout droit ! Une femme qui voyage seule, sans mari, sans père et sans frères n'est que cela : du gibier ! En Occident comme en Orient !

Rik, songeur, prit congé de l'émir et descendit l'escalier, traversa la grande cour qui séparait les deux palais et se rendit à la bibliothèque, où les autres l'attendaient déjà.

Extrait du manuscrit de Mahdia
La calèche de la dame d'honneur
Récit du Maure

Seul l'hôte bienvenu peut découvrir l'amabilité de la Provence : à l'étranger sans moyens, elle ne montre que les fesses nues de ses collines, la Méditerranée voisine ne s'exprime, entre ces protubérances, que par une chaleur torride et moite, même l'ombre des platanes lui est refusée, et lorsqu'un vent s'élève dans la fournaise, c'est pour souffler de la poussière au visage du promeneur fatigué. Lorsque le cortège des enfants français traverse le Rhône près d'Avi-

gnon et se dirige vers sa destination, Marseille, il a déjà
perdu un tiers de ceux qui s'étaient rassemblés près de Lyon.
Le seul geste des villes qu'ils ont croisées sur leur chemin
a été de proposer des radeaux à ceux que l'épuisement et
la faim avaient brisés – elles n'avaient même pas demandé
d'argent pour cela ! Les habitants portaient en personne les
malades et tous ceux qui ne pouvaient ni marcher, ni ram-
per, sur des troncs d'arbre grossièrement coupés, et payaient
même un salaire spécial aux pilotes des radeaux pour qu'ils
emportent toute cette misère loin de leurs villes. Les bate-
liers pourraient déposer leurs colis puants quelque part dans
le delta du fleuve, infesté par la fièvre, ou dans les maré-
cages de la Camargue.

Ceux que leurs pieds portent encore avancent donc
péniblement vers Marseille, la ville portuaire que beaucoup
se représentent déjà, dans leur délire enfiévré, comme la
terre promise, la Sainte Jérusalem ! À l'avant roule toujours
la charrette décorée du « Prophète mineur », même si les
guirlandes et les fleurs se sont déchirées, desséchées, et pendent sur les montants ; on a dû renoncer depuis longtemps
aux volailles pondeuses : la dernière poule a été dévorée dès
qu'elle a été cuite. Juste derrière, le *vicarius Mariae*, Luc
de Comminges, avance à cheval, veillant à ce qu'aucune
plainte ne parvienne à Stéphane, perdu dans ses visions
confuses. Suit – à distance, et escortée par ses propres
hommes en armes – la calèche de la dame d'honneur, Marie
de Rochefort. Elle abrite Mélusine, et tolère le petit voleur
Étienne et la jeune Blanche, créature d'amour – lorsqu'elle
n'est pas allée faire un tour, au grand dépit de Luc, dans
la petite charrette de Stéphane, sur lequel elle a décidé de
veiller. D'une manière générale, cette calèche et tous ses
occupants sont une épine dans le pied du vicaire, notamment la présence gênante de cette femme, la sœur de son
supérieur – d'autant plus qu'il a réussi à savoir, par Blanche,
à laquelle il donne toute sa confiance, que la dame d'honneur n'avait pas renoncé à résister à la mise en œuvre des
plans qu'il a préparés.

Entre-temps, Mélusine, fatiguée par l'insistance de la
dame d'honneur, s'est montrée disposée à manifester une
certaine compréhension pour le projet de Marie de Roche-

fort : mettre un terme, une fois arrivés à Marseille, à cette croisade absurde. Étienne, le rusé, épaule Mélusine en laissant lui aussi des espoirs à la dame d'honneur. Mais pour cela, dit-il, il faut d'abord rejoindre la ville sur la Méditerranée. À moins qu'elle ne s'imagine pouvoir arrêter, bras écartés, ou même faire faire demi-tour à cette marche d'enfants résolus, désespérés, animés par des visions enfiévrées ? Marie est effrayée lorsque Blanche lui raconte que Stéphane continue à promettre, avec le plus grand sérieux, que la mer se divisera à leur arrivée, et que Luc demande à ses apôtres de proclamer à intervalles réguliers cette promesse, pour donner à tous le courage et l'énergie nécessaires pour parvenir à leur but.

Marie de Rochefort commence à considérer Étienne comme un allié utilisable, et Mélusine comme l'amie sincère qu'elle recherchait. Elle ne se doute pas que le seul but de Mlle de Cailhac est de rester dans cette calèche confortable jusqu'à ce qu'elles aient atteint Marseille, où elle est certaine de retrouver son chevalier allemand.

Cette discussion empreinte de mensonge est encore en cours lorsque la calèche s'arrête en rase campagne. On ouvre brutalement la porte. C'est un groupe de Templiers qui l'a stoppée. Le chef, qui n'a pas ôté son casque, passe sa tête à l'intérieur et parle à voix basse à la dame d'honneur. La visière lui déforme fortement la voix, mais le message est bref. Marie n'hésite pas un instant, bondit à l'extérieur, attrape le casque de fer qu'on lui tend et sous lequel elle dissimule ses cheveux roux et abondants, avant de se pencher encore une fois vers Mélusine :

— Je vous laisse la calèche, mais je ne vous abandonne pas à votre destin ! Ne commettez pas d'acte irréfléchi avant d'avoir de nouveau de mes nouvelles. Vous me le promettez ?

Mélusine hoche la tête, en dissimulant difficilement sa joie.

— Mes hommes vous accompagneront !

Sur ces mots, Marie de Rochefort plonge la main dans ses vêtements et en ressort une bourse qu'elle lance à Timdal. Puis elle saute sur le cheval qu'on lui a sellé, et la cavalcade commence. Mélusine poursuit son voyage, le cœur joyeux. Le vicaire Luc de Comminges, qui chevauche devant elles, fait comme s'il n'avait pas remarqué l'incident. Le Maure, lui, sur le toit de la calèche, baisse sa tête crépue qui apparaît par la fenêtre.

— Je l'ai reconnu ! annonce fièrement Timdal. Ce faux commandeur n'était autre qu'Armand de Treizeguet !

Quelques lieues plus loin à peine, les surprenantes mesures de précaution du chevalier se révèlent justifiées.

— On nous attendait ! avertit le Maure d'une voix éraillée.

Et déjà l'on entend le galop des chevaux.

Sur un chemin creux qui débouche sur la route, des soldats du roi de France, que l'on distingue sans peine aux fleurs de lys sur leur pourpoint, approchent et rouvrent le volet de la calèche.

Le capitaine français a déjà le visage rouge de colère.

— Où est donc passée cette Marie de Rochefort ? hurle-t-il à Mélusine, qui fait comme si elle n'avait pas compris la question.

Le capitaine lève déjà la main lorsque Étienne intervient :

— Madame est partie à cheval ! lance-t-il, impassible, ce qui lui vaut de recevoir la gifle que l'homme éprouvait un impérieux besoin de donner.

— Je vous mets en garde ! aboie-t-il, sans autre explication, en refermant le volet.

Les Français reprennent leur chemin. Timdal, qui ne les quitte pas du regard, annonce :

— Ceux-là, c'est Mgr le Vicaire qui nous les a envoyés aux trousses. Mais il est trop tard ! ajoute-t-il avec un ricanement. Le capitaine et notre Luc de Comminges semblent se faire porter mutuellement la responsabilité, si j'ai bien compris les bribes de mots disgracieux qui volaient entre eux lorsqu'ils sont passés devant nous.

— C'est le diable qui les a envoyés, dit Blanche, inquiète. Le Malin, qui jalouse notre Stéphane pour son rêve admirable.

— Les voies du Seigneur sont impénétrables, lui enseigne son ami Étienne. Je ne sais pas s'il tient vraiment à la réussite de cette opération, ou s'il veut juste jouer un petit tour à l'Église...

— Nous le saurons au plus tard lorsque Satan déploiera ses pompes… annonce Timdal depuis le toit.

Son visage noir et grimaçant paraît déjà bien assez démoniaque lorsqu'il surgit par la fenêtre.

— … et quand la mer s'ouvrira… pour nous, qui y croyons !

— Moi, je n'y crois pas ! déclare Mélusine d'une voix ferme.

— Elle pourrait aussi se refermer sur nous, lance Étienne.

Mais il se tait en voyant Blanche lui adresser un regard réprobateur et faire le signe de croix.

— Au secours ! s'exclama Irmgard, mi-fâchée, mi-malicieuse. Je ne veux pas me noyer dans ce bouillon gaulois ! Nous autres Allemands avons le droit que l'on tienne compte de nous, même si vous, Rik, vous êtes esquivé par les fourrés !

Celui qu'elle venait d'agresser sourit finement.

— Qu'y a-t-il d'autre à dire sur la suite de la marche à travers l'ouest de la Suisse – si ce n'est que vous vous êtes ralliés, fatale erreur, au sinistre Niklas ?

Cette réponse arrogante suscita la réaction de Daniel.

— Même si vous n'étiez plus là, Rik van de Bovenkamp, il s'agit tout de même du destin de bien plus de vingt mille jeunes gens et jeunes filles ! laissa-t-il échapper, indigné. Des jeunes qui, confiants et ingénus…

— Vous et l'Église y aviez tout de même pris une bonne part, fit Rik en lui coupant brutalement la parole, mais sans parvenir à recouvrir la voix du *secretarius* courroucé.

— Laissez donc la *santa ecclesia* hors du jeu lorsqu'il ne s'agit que de votre fierté mal placée !

— L'Église se souciait vraisemblablement de l'âme de ceux qui ne survivraient pas à ce mouvement de folie ! fit Rik, moqueur.

— Vous n'y étiez pas, répliqua Daniel, laissez donc Irmgard raconter ce qui nous est arrivé, même si vous n'y apparaissez pas, ni la demoiselle de Cailhac, ni vous, noble chevalier !

Irmgard s'interposa.

— Arrêtez de vous disputer ! lança-t-elle à Rik, qui s'apprêtait à frapper le secrétaire. Et toi, Daniel, écris ce que j'ai à dire !

— Que ce soit bref ! grogna Rik, mais il obéit.

Extrait du manuscrit de Mahdia
L'ingénuité des musaraignes
Récit d'Irmgard

Dans la croisade désormais scindée des enfants allemands, Irmgard se heurte de plus en plus souvent à Karl, qui tente de chasser Daniel de sa place de « premier disciple » au côté du « Sauveur » Niklas. Ces querelles, mais aussi l'ignorance absolue de ce que représente une traversée des Alpes, de plus en plus proches, poussent cette troupe à se diriger sans la moindre préparation vers la chaîne de montagnes qu'il leur faut franchir. Irmgard en veut à Nilklas : même des compagnies de soldats aguerris et endurcis n'affronteraient qu'en cas d'absolue nécessité pareil défi aux forces naturelles et à la résistance humaine. Il fallait au moins rassembler des provisions suffisantes, des bêtes de somme pour les transporter, des vêtements chauds, des peaux de bêtes et surtout des chaussures adaptées. Mais le « Sauveur » ne veut rien entendre.

Le seul à comprendre le danger est Karl Ripke, qui vient tout de même d'effectuer à travers la France un grand périple qui l'a mené jusqu'au pied des Pyrénées et retour. Il a conscience de ce qui l'attend : les chemins de franchissement des cols ne sont que des sentiers boueux, les mineurs des vallées n'ont strictement rien à offrir de leurs provisions accumulées pendant l'été afin de passer le long hiver. Ripke ne dit rien : lui-même a pris ses précautions pour affronter cette épreuve. Mais la plupart des « croisés » ne portent que de minces haillons et marchent pieds nus. À l'approche des régions vinicoles, autour du lac de Neuenburg, le cortège ralentit visiblement : semblables à un gigantesque vol d'oiseau, les enfants s'abattent sur les grains de raisin encore verts. La diarrhée les surprend, et la dysenterie fait bientôt ses premières victimes à la vive chaleur de la fin de l'été.

Désormais, tous s'opposent à Karl Ripke et à sa garde, qui sait trouver les provisions et préfère avaler du vin que de s'empiffrer de grains verts. Comme Daniel est trop lâche pour s'opposer ouvertement au colonel, Irmgard se fait la porte-parole des opposants à son ex-fiancé. Jacov, qui a déjà franchi les Alpes avec son père, la soutient prudemment, ce qui plonge dans la fureur son épouse, Miriam, laquelle souffre en outre du fait que la mort de sa sœur n'a pas été vengée. Ripke tente de mettre Randulf et Dörte de son côté en leur offrant des provisions, et surtout des fourrures et des chaussures solides. Mais lorsque Dörte lui refuse le rendez-vous amoureux qu'il attendait, il réclame grossièrement qu'elle lui rende ses cadeaux.

Déjà fortement affaibli, le cortège se traîne jusque dans le Waatland. Sur les conseils de Karl, Niklas laisse les malades et les agonisants sur le bord du chemin. Il leur explique que leurs prédécesseurs de la première croisade ont surmonté de tout autres obstacles : ils ont parcouru un chemin interminable et beaucoup plus pénible à travers les gorges des Balkans, ont suivi leurs chefs sans se plaindre sur les hauteurs rocheuses de l'Asie Mineure, sous les grêles de flèches des Turcs perfides. Eux, au contraire, « ses élus », n'auront qu'à atteindre les rives ensoleillées de l'Italie, verront alors la mer s'ouvrir devant eux, et il les mènera dans la Jérusalem céleste, un pays où coulent le lait et le miel.

— Sauf votre respect, nous avons à présent consacré suffisamment de temps aux Allemands ! tonna l'émir depuis l'ouverture du plafond, et Rik, repentant, baissa la tête, ce qui fit tout de même taire Irmgard.

Rik était finalement responsable d'eux tous, et malgré le regard dépité de Daniel, le *murabbi* donna la parole à Timdal, le Maure.

Extrait du manuscrit de Mahdia
La ruée sur le port
Récit du Maure

Malgré des pertes considérables sur lesquelles personne ne s'interroge et que l'on accepte sans la moindre plainte, les premiers membres du cortège des enfants français finissent par atteindre les arrondissements extérieurs de Marseille. Dans les parties de la ville où logent les plus pauvres des pauvres lorsqu'ils ne veulent pas prendre leurs quartiers sur le port, on attend déjà les affamés, et l'on compte bien s'occuper d'eux comme autant de petits porte-bonheur. Les exclus hébergent les enfants épuisés dans leurs misérables cabanes et donnent, avec une grande abnégation, une part du peu qu'ils possèdent. C'est là aussi qu'a atterri Paul, le fils de paysans de Morency. Peut-être espérait-il au fond de lui-même rencontrer de nouveau Mélusine, mais il ne s'y était certainement pas attendu. Il s'accroche donc aussitôt à Luc de Comminges, arrivé avec l'avant-garde : il en a certes gardé un mauvais souvenir depuis Bordàs, mais il préfère l'oublier. Il s'agit désormais d'une plus grande cause, le monde entier le sait déjà, car la rumeur de la mission sacrée du « Prophète mineur » est arrivée ici bien avant le cortège proprement dit. Et le *vicarius Mariae* se réjouit grandement de la ponctualité de ce jeune gaillard musclé. Il lui présente aussitôt Stéphane, lequel refuse d'arrêter sa petite charrette et veut avancer jusqu'au quai du port pour voir enfin devant lui la mer de la promesse. Il est suivi par l'essaim que forme la masse des enfants, qui veulent tous assister immédiatement au miracle. On court, on se pousse, on se bouscule, et les premiers sont jetés à l'eau par ceux qui se pressent derrière eux. Beaucoup s'y noient, car Stéphane a beau battre des bras, debout dans sa petite charrette, la mer ne s'ouvre nullement ; en revanche, ses gestes attisent encore l'ardeur de la foule, car aucun ne veut rater ce prodige : l'eau pourrait bien se refermer de nouveau. De véritables rixes surviennent alors entre les désespérés et les épuisés, entre ceux qui avancent encore avec résolution et ceux qui sont déjà déçus. Un grognement, puis un hurlement de mauvaise humeur et de douleur s'élève, l'arrière du cortège l'interprète à tort, une fois de plus, comme un cri d'enthousiasme, et une fois encore les vagues humaines se propulsent vers l'avant, piétinant ceux qui se placent en travers de leur chemin, et des grappes de corps sont précipités dans le port.

Luc, le vicaire, s'est éclipsé, mais Paul, furieux, tire Stéphane par le bras afin qu'il cesse enfin d'agiter son bâton de berger orné de rubans, comme s'il était Moïse.

— Vous ne voyez donc pas ce que vous êtes en train de provoquer ? lui lance Paul.

— Car le Royaume des Cieux leur sera ouvert ! répond Stéphane en criant d'exaltation.

— Escroc ! hurle Paul en tentant de faire descendre le faux prophète de son promontoire.

Mais sur un signe de Luc, les archanges le tirent en arrière et le poussent presque sous les sabots d'un attelage, celui de la calèche de la dame d'honneur qui les suit. Elle est coincée dans cette foule qui semble fonctionner comme une gigantesque meule aveugle.

Mélusine avait déjà aperçu Paul, mais elle est agacée qu'il ait commencé par s'entendre avec le vicaire et rendre ses hommages à Stéphane avant de se préoccuper d'elle.

— Restez donc avec votre prophète ! lui lance-t-elle immédiatement en guise de salut. Vous pourrez ainsi être parmi les premiers à traverser à pied...

— Ce Stéphane est un vulgaire charlatan irresponsable ! répond Paul en désignant la charrette qui continue à se balancer au gré des flots humains.

Le petit prophète parvient à peine à tenir encore sur ses jambes. Luc, qui l'a finalement rejoint, ordonne aux archanges de le faire descendre du siège et de faire en sorte que la frêle voiture ne passe pas par-dessus le mur du quai et ne soit pas poussée dans l'eau.

— Un charlatan ? rétorque Mélusine à Paul, qui reste, indécis, devant la portière de sa calèche. Mais tous les prophètes de l'Église ont été des escrocs ! Seulement ils ont été plus habiles que celui-là !

Derrière elle, Blanche fond en larmes.

— Et dans ce cas, noble Damoiselle de Cailhac, pourquoi donc avez-vous suivi jusqu'ici ce petit berger que toute raison semble avoir abandonné? demande Paul, furieux. N'importe lequel de ses moutons a plus de plomb dans le crâne!

— Du plomb, oui, mais pas de visions! réplique Mélusine en riant. Stéphane m'a tout de même conduite jusqu'à Marseille, où je ne trouverai sans doute pas celui que je cherche, mais où je tombe de nouveau sur vous!

Elle ouvre la portière et fait monter le petit garçon.

— Bienvenue parmi les élus! fait-elle, conciliante. Voici Étienne, et voici Blanche! Deux tourtereaux avec un penchant coupable pour les sacs et les bourses!

Même Blanche ne peut s'empêcher de sourire sous ses larmes, tandis qu'Étienne laisse un peu de place au nouveau venu. Mais Paul n'aime guère les plaisanteries de Mélusine.

— J'espère que tout cela aura ouvert vos yeux enamourés, Mélusine de Cailhac! Avant toute chose, nous devrions tout faire à présent pour échapper à cette mêlée absurde!

— Comment? sanglote Blanche, effarée. Vous ne croyez pas, vous non plus, que la mer va s'ouvrir pour nous laisser passer? Vous ne croyez pas à ce miracle?

Anxieuse, elle regarde Paul, qui comprend aussitôt que Blanche a un esprit de petite fille.

— Ce ne sera pas pour aujourd'hui, répond-il pour la consoler.

Puis il aide Mélusine, désormais résolue, à tourner la calèche à contre-courant de la masse qui afflue. L'escorte que lui avait laissée la dame d'honneur l'a abandonnée depuis longtemps. Ils arrivent finalement à la mer, à l'extérieur de la ville; mais même ici, les enfants sont assis sur la plage et attendent.

4

Au purgatoire

— Que serions-nous sans l'habile Timdal! (Rik se donnait du mal pour atténuer un peu sa reconnaissance en y déposant un voile de moquerie.) Au moins pour ce qui concerne les épisodes survenus en terre française... (Le Maure rayonnait. Mais le seul but de Rik était de déverser un peu de baume dans l'oreille invisible avant de faire volte-face.) Les droits sont identiques pour tous, n'est-ce pas, ma chère Irmgard? (Rik n'avait fait entrer la demoiselle Styrum dans le jeu que dans l'intention de se faciliter la tâche.) Il nous est tout simplement impossible de négliger le destin du brave Oliver von Arlon qui, avec son insignifiant ami Rik van de Bovenkamp, a entre-temps traversé l'est de la Suisse, sans même parler des autres gaillards au sang bleu... (Rik tendit l'oreille, attendant une réaction, mais le trou dans le plafond resta muet.) Nous aussi, nous nous approchons des Alpes, reprit-il, que cela convienne à l'émir ou...

— Cela ne me plaît que trop, mon cher ami! entendit-on depuis la porte.

Kazar Al-Mansour était entré sans que nul ne le remarque. Derrière lui avançait une femme dissimulée derrière des voiles épais, le visage masqué par le tissu grillagé d'une *bourca*, telle qu'on n'en rencontrait d'habitude qu'au sein des tribus rigoureusement islamistes. Elle avait la silhouette mince et longue. L'émir ne la présenta pas à ceux qui étaient assemblés dans la bibliothèque ; il poussa en revanche dans la pièce un jeune homme trapu, aux manières simples, doté d'une énorme tête ébouriffée aux cheveux blond cendré et qui témoignait d'une personnalité très affirmée. Seul Timdal le connaissait et lui seul le reconnut.

— Alékos ! fit-il avec un cri de joie. *Thalatta, thalatta !*

Le Maure se hâta de présenter le nouveau venu à ses compagnons :

— Alékos servait à la taverne sur le port de Marseille où tout se joua...

— Tel est bien le cas, fit l'émir en lui coupant la parole, mais nous allons d'abord céder à la demande expresse de notre ami Rik van de Bovenkamp, qui ne veut pas garder pour lui plus longtemps le souvenir de ses aventures en Rhétie...

— Je sais pourquoi ! grogna, vexé, celui qu'on venait de présenter. Vous pourrez juger ensuite si j'ai eu tort ou non d'insister. (Il réfléchit un bref instant.) Permettez-moi de mener un travail concentré avec le *secretarius* et de consigner tranquillement l'histoire d'Oliver et la mienne avant de nous tourner de nouveau vers Marseille.

— Certainement, mon ami, et si vous avez tout de même besoin d'aide, en cas de trou de mémoire, par exemple, fit l'émir, sibyllin, alors faites-le-moi savoir. L'islam, lui aussi, connaît *al-aitat al-iajab*, le pouvoir du miracle...

— Je ne saurais comment... murmura Rik, rétif.

Mais l'émir s'était déjà tourné vers la belle voilée qui se tenait derrière lui :

— Venez, Eldjinn, fit-il à voix basse avant de l'accompagner hors de la pièce, impérieux.

Tous avaient entendu cette étrange apostrophe, mais personne ne comprenait ce qu'elle signifiait : Eldjinn, cela sonnait comme une créature mystérieuse et enchantée – tous espéraient qu'il ne s'agissait pas d'un mauvais esprit.

Pendant ce temps-là, Alékos s'était fait présenter par Timdal le pupitre, les montagnes de parchemins enroulés que Daniel avait déjà couverts de son écriture, et les piles plus importantes encore de parchemins vierges, qui attendaient la plume du *secretarius*.

— Je connais cette corvée, dit Alékos à Daniel, d'un ton aimable, j'ai déjà consigné l'histoire des enfants de Marseille à l'intention de mon maître, et je vous l'ai apportée.

Daniel l'en remercia d'un sourire tourmenté. Rik était curieux de savoir qui pouvait bien être ce maître qui s'intéressait au destin d'enfants chrétiens étrangers – lui et tous les autres auraient volontiers connu l'identité de cette dame mystérieuse accompagnant l'émir... Mais lorsqu'on lui posa la question, Alékos se contenta d'afficher un sourire entendu et de poser l'index sur les lèvres avant de faire une révérence maladroite devant Irmgard et de prendre congé des autres.

— Comme nous nous retrouvons pour la première fois devant deux problèmes auxquels je ne peux apporter de solution ni dans un cas, ni dans l'autre, annonça la demoiselle de Styrum, je me permets d'utiliser ce temps pour aller serrer de nouveau dans mes bras mon époux, le sage et très patient Zahi Ibrahim.

Et elle se dirigea à son tour vers la porte, d'un pas ferme.

— Attendez, précieuse Irmgard ! s'exclama Rik. Je vais faire en sorte que vous puissiez rentrer à Tunis avec l'escorte qu'il vous faudra.

Irmgard secoua énergiquement sa tête anguleuse.

— Vous m'avez vue arriver seule, Rik van de Bovenkamp ! Et c'est exactement dans cet équipage que je quitterai de nouveau Mahdia.

Extrait du manuscrit de Mahdia
La chevauchée du roi
Récit de Rik van de Bovenkamp

Les jeunes gaillards de la fort petite noblesse se dirigent tout droit vers les cols des Alpes rhétiques. Le noble Oliver von Arlon et son camarade Rik van de Bovenkamp sont les seuls issus du nord de la France, les autres se sont regroupés en cortège au sud de la frontière de l'ancienne Rome ; le plus souvent, ce sont des Alémans, qui appartiennent donc au duché de Souabe, et constituent une tout autre trempe d'hommes. Les deux chevaliers des territoires de Lorraine se sentent exclus parmi cette troupe, d'autant plus qu'ils ne trouvent guère de plaisanteries à échanger avec eux.

En atteignant la pointe la plus méridionale des terres souabes, à portée de vue, déjà, de l'évêché de Coire, ils voient arriver à leur rencontre une cavalcade de grands seigneurs, accompagnés par l'évêque Walther. Des chevaliers lourdement armés excortent un jeune garçon blond roux qui dégage une grande majesté malgré la simplicité de ses vêtements. Ils passent devant les jeunes gens sans les saluer ; seul Mgr Walther prend le temps de leur demander quel chemin ils suivent. Lorsqu'ils lui font un récit confus sur les visions de Niklas de Cologne, et tout particulièrement lorsqu'ils lui parlent de son intention, reconquérir le Saint-Sépulcre au profit de la chrétienté, l'évêque fait un geste de dénégation sans appel :

— C'est toujours sur cette terre et à chaque instant que se décident l'avenir et le bien de la Jérusalem céleste ! prêche le vicaire du Christ et des Hohenstaufen. C'est à l'élu que vous venez de voir de vos yeux, et à lui seul, d'imposer la volonté de Dieu sur la terre. C'est uniquement si Frédéric conquiert la couronne royale allemande que la « *terra sancta* » sera sauvée des incroyants, et Jérusalem avec elle !

En un instant, l'évêque est parvenu à captiver ses jeunes auditeurs : ils sont désormais suspendus à ses lèvres.

— Oubliez votre entreprise stupide et démesurée, ralliez-vous au roi Frédéric de Sicile, que les insignes de l'Empire allemand appellent à présent à Constance et dont vous serez les chevaliers de la première heure ! (Mgr Walther comprend qu'il a déjà gagné la partie.) Rejoignez le Hohenstaufen, vous, fils de la Souabe, pour qu'il aille arracher le sceptre de la main du guelfe, Othon, cet empereur sans fortune. Vous ne le regretterez pas ! Et pour ce qui concerne Jérusalem, Messire Frédéric a juré au pape qu'il y mènerait lui-même une gigantesque croisade. Vous y serez les paladins très estimés du nouvel empereur !

L'évêque constate avec satisfaction que les premiers font déjà tourner leur cheval.

— Précipitez-vous derrière lui ! s'exclame-t-il avec emphase. En route pour Constance ! Il s'agit de la couronne et du trône !

Les Souabes n'y tiennent plus, ils se tapent déjà sur l'épaule en riant.

— Voilà un objectif qui va dans notre sens ! hurlent-ils, enthousiastes. Un objectif concret, qui promet gloire et bon salaire ! Hourrah !

Et les voilà qui galopent déjà derrière la « garde royale » du jeune Frédéric, prêts à aller chercher les plus grands honneurs à ses côtés. Mais personne n'a rien demandé aux deux Francs : Oliver et Rik restent en arrière, sous le regard compatissant de l'évêque et de son escorte, qui rentrent à présent vers Coire.

Les deux amis passent pour leur part devant la ville et poursuivent leur chemin vers le sud. Malgré cette invitation insistante, ils n'avaient pas la moindre intention de s'immiscer dans les éternelles confrontations entre les Hohenstaufen souabes et les guelfes saxons. Rik ne veut pas abandonner son rêve : retrouver sur les rives de la Méditerranée Mélusine de Cailhac, la disparue. Quant à Oliver, il rêve de tout autre chose que d'aller se battre comme « paladin » pour un souverain quelconque : il veut devenir médecin – et un médecin célèbre ! Or tous les grands *doctores* enseignent dans le sud, depuis l'école de Salerne jusqu'à la cour de Palerme.

— Vous auriez peut-être tout de même préféré chercher l'amitié du jeune Frédéric ? s'enquiert Rik, tout en continuant à chevaucher. Il aurait pu vous ouvrir les portes de l'*Universitas medicinae* !

Oliver sourit tranquillement.

— Ce qui est décisif, dans la vocation de médecin, ce n'est pas la « recommandation » faite en haut lieu, mais uniquement le don, l'ardeur et la volonté ! (Il regarde Rik, droit dans les yeux.) De la même manière que vous ne serez jamais architecte de cathédrales, car vos amourettes et vos rêves vous empêchent de poursuivre sérieusement l'objectif que vous vous êtes fixé !

Pour ne pas paraître touché, Rik répond en riant :

— S'il s'agit d'une formule magique et qu'elle produit son effet, c'est vous, Oliver, qui ne trouverez jamais femme que vous puissiez rendre heureuse !

Oliver, effrayé, tend deux doigts vers Rik pour conjurer le sort, mais préfère au bout du compte éclater de rire avec lui, tout en se grattant le bas-ventre. Lorsqu'ils passent le Tiefencastel, le bailli les met en garde contre le col du Septime que Frédéric a passé en arrivant d'Italie : de la neige, leur dit-il, y est tombée pendant la nuit. Ils feraient mieux de prendre le détour par le col Julier, moins élevé.

Oliver adresse un sourire à Rik :

— Maintenant que vous m'avez ensorcelé les couilles, je peux bien me les geler : je prends le chemin le plus court !

— Aucune force de la nature ne peut rien contre moi, répond Rik, ni même le Malin.

Près de Bivio, ils empruntent donc le chemin direct en direction du sud, qui vient d'être recouvert d'une abondante neige fraîche.

— Dans l'Italie ensoleillée, fait Oliver pour égayer son camarade, mon frère aîné sert chez l'évêque Guido d'Assise. Nous pourrons nous y étendre les jambes, bien au chaud, en buvant du bon vin...

Devant eux, des pierres dévalent la montagne. La neige poudreuse leur fait partout courir le risque d'être emporté par des avalanches ; jusqu'ici, les deux chevaliers sans expérience y ont échappé de justesse.

— Votre ange gardien au pied bot garde la main sur vous ! plaisante Oliver dès que le crépitement des pierres a pris fin.

Ils remontent péniblement le sentier muletier ; on ne voit aucune trace des chevaliers qui l'ont emprunté un peu plus tôt ; eux aussi doivent bientôt mettre pied à terre et tirer leurs chevaux derrière eux par le licol. Ils n'ont pas encore atteint le sommet lorsqu'ils aperçoivent, sous un rocher en surplomb, deux silhouettes recroquevillées qui sont venues y chercher refuge. L'un des deux personnages, sans doute un vieil homme, est couché par terre, à bout de forces. L'autre est une jeune femme, qui le secoue comme pour le maintenir en vie. Sous sa chevelure pendante, Rik n'aperçoit que son profil. Mais il le frappe comme la foudre !

— Mélusine ! s'exclame-t-il, tout joyeux, en tentant de se frayer un chemin dans la haute neige.

La femme à la mince silhouette se tourne vers lui. Ce n'est pas celle qu'il cherche, mais elle parvient tout de même à surprendre Rik :

— Si c'est à Mélusine de Cailhac que vous pensez, dit-elle d'une voix rauque, vous n'êtes pas si mal tombé : je suis Elgaine d'Hauptpoul, sa demi-sœur !

Mais elle prononce ces mots sans lever les yeux vers lui. Tout juste lance-t-elle un étrange regard à Oliver, qui approche timidement. C'est à lui qu'elle montre le vieil homme : il souffre d'une sévère blessure à la tête, et l'épaule de son pourpoint s'est elle aussi teintée de rouge.

— Une chute de pierre ! explique Elgaine. Nous avons perdu nos deux chevaux !

D'un geste expert, elle change les mouchoirs qu'elle remplit de neige et en pose un contre la blessure béante au front de l'homme, pour la rafraîchir.

Oliver observe l'état de la plaie avant de prendre le pouls de l'homme. Le seul fait de lui soulever le bras lui arrache un gémissement sourd – mais le blessé ouvre au moins les yeux.

— Fracture de la clavicule, constate-t-il en lui palpant prudemment le bras. Peut-être même aussi de l'omoplate.

L'homme pousse un cri de douleur aigu. Il respire par saccades.

— Laissez-moi mourir en paix ici, murmure-t-il.

Rik sort de sa sacoche la bourse en peau de chèvre que le bailli de Tiefencastel lui a donnée pour ce périlleux voyage. « L'esprit du vin n'empêche personne de mourir de froid, mais au moins on le sent moins », a plaisanté cet homme d'expérience. Rik verse le liquide brûlant entre les lèvres de l'homme couché.

— N'avez-vous pas rencontré de cavaliers ? demande Elgaine aux yeux verts. Ils escortaient un jeune homme…

« Les mêmes cheveux châtains », songe Rik, abasourdi.

— Nous avons rencontré Messire Frédéric lors de sa « chevauchée royale », devant les murs de Coire, répond Oliver de bon cœur.

Mlle d'Hautpoul dresse alors son corps opulent. « Elle n'a pas moins bien poussé que sa sœur Mélusine », constate Rik. Mais Elgaine s'adresse de nouveau à Oliver.

— Vous vous en êtes sans doute convaincu vous-même, on ne peut plus rien faire pour le *mou'allim*, fait-elle. Mais moi, je dois rattraper le roi avant qu'il n'atteigne Constance.

C'est important, ajoute-t-elle en se tournant aussi vers Rik, l'air implorant. C'est une question de vie ou de mort !

Rik observe son ami, qui prend le temps de poser au moins un bandage sur la tête du blessé, stoppant ainsi l'hémorragie. Puis il glisse la bâtière de Rik sous la tête de l'homme exténué.

— Je vais accompagner Elgaine, fait Oliver en se redressant, et j'essaierai, en chemin, de trouver des gens susceptibles de monter avec une civière...

— Ne vous donnez pas ce mal pour moi, soupire le vieil homme. Vous pouvez aussi bien m'enterrer ici.

Rik prend la main froide de l'homme dans la sienne et fait signe aux deux autres de s'éloigner.

— *Nous* attendrons ici votre retour, lance-t-il d'une voix particulièrement confiante dans le dos d'Oliver, qui a installé Elgaine derrière lui, sur son cheval.

Et ils s'éloignent dans la neige, à pas prudents.

Bien que le soleil brille encore et réchauffe les deux hommes restés sous la neige, Rik emmitoufle le blessé dans sa couverture de cheval ; puis il attache sa monture à une pierre, sous le nez de roche.

— Nous ne reverrons pas ces deux-là, grommelle le vieil homme. Pas moi, en tout cas ! (Il tousse.) Je vais donc, ô inconnu, vous raconter l'histoire qui m'a conduit à faire à présent la paix avec Allah – et vous la raconter telle qu'on me l'avait rapportée.

Il a du mal à parler, de la salive lui coule à la commissure des lèvres, mêlée d'un filet de sang clair.

— Il est possible que vous, dont je ne connais pas le nom...

— Rik, Richard van de Bovenkamp ! s'empresse-t-il de répondre.

— Que vous, Rik, entendiez un jour autre chose sur les événements de Palerme. (Il observe, déconcerté, l'Allemand qui a commencé à ériger un mur de protection devant la caverne.) Si vous ne voulez pas mourir de froid en même temps que moi, Rik... (Le vieux renard a compris l'intention de son bienfaiteur)... alors faites aussi entrer le cheval dans cette grotte du dernier refuge, afin que ses chaudes exhalaisons vous maintiennent en vie, au moins vous.

Il tousse de nouveau, son crachat est teinté de rouge.

— Racontez donc, lance Rik, si cela ne vous fatigue pas trop. Je vous écoute !

L'empilage des briques de neige ne fait pas trop de bruit, on n'entend que le hennissement discret du cheval, qui crotte sur les pieds de l'homme couché.

— À la cour du Hohenstaufen à Palerme, commence-t-il, l'Inquisition de l'Église chrétienne me soupçonnait depuis longtemps, moi, le musulman Mourad « el Mou'allim », d'utiliser ma position éminente d'«*ustaht al malik* » pour enseigner la foi islamique à l'enfant Frédéric – ce qui était tout à fait le cas. Enfin, du moins, dans mon rôle de « précepteur du roi », j'apprenais à mon élève la tolérance de la doctrine du prophète. (Il sourit malgré sa douleur.) Donnez-moi un peu d'eau, Rik, demande-t-il avant de reprendre en haletant : Lorsque notre roi a décidé d'aller chercher aussi la couronne d'Allemagne, la reine, Constance d'Aragon, a souhaité lui donner un talisman pour cette chevauchée dangereuse, talisman qui serait aussi un gage de son amour et de sa fidélité indéfectible. Elle envoya une dame d'honneur, mais celle en laquelle elle avait le plus confiance, Elgaine d'Hautpoul, auprès de Lofti, le joaillier de la cour, pour qu'il réalise une bague. Pour le texte – il devait être en arabe –, elle me demanda conseil, et je rédigeai avec joie deux vers laconiques sur la belle et fière fauconnière qui lâche son oiseau préféré et espère en tremblant qu'il reviendra vers elle, indemne, avec sa proie si rare. J'ai écrit ces vers à Elgaine, et j'étais très fier de pouvoir servir ainsi mon admirable couple de souverains.

Le visage tordu par la douleur, le *mou'allim* tenta de lever la tête pour observer la progression du mur – la paroi blanche était déjà à hauteur de hanche.

— Mais dans le même temps, reprit-il, je pris conscience du fait que mon influence auprès de Frédéric commençait à décliner. Il cherchait de moins en moins souvent à s'entretenir avec moi… (Le *mou'allim* soupira profondément.)… et l'Église m'a fait savoir que dès qu'on aurait élu Frédéric roi des Allemands, elle ne tolérerait plus un *oustath al-malik* islamique à proximité immédiate du roi – le contraire choquerait considérablement le peuple qui vivait au-delà du détroit de Messine ! Il était déjà suffisamment grave que le jeune souverain ne veuille être séparé ni du harem maure, ni des Sarrasins qui lui servaient de gardes du corps !

Le *mou'allim* fit signe à Rik de descendre la tête vers lui : parler à voix haute l'épuisait.

— Cette déception m'a rendu amer, chuchota-t-il, avide de vengeance, non pas contre Frédéric, l'esprit libre que j'avais éduqué, mais contre l'*ecclesia christiana* étriquée qui ne voulait rien tolérer à côté de sa doctrine scélérate !

Il prit une gorgée dans l'outre que Rik lui tendit aux lèvres.

— Je me suis secrètement rendu auprès de Lofti, le joaillier et l'orfèvre, et je lui ai remis, pour la gravure qu'il devait réaliser sur l'anneau porte-bonheur, un texte entièrement nouveau que j'avais emprunté, avec beaucoup de soin, au Coran...

Mourad, épuisé, ferma les yeux et se tut.

Rik l'a certes écouté, mais il se préoccupe surtout du mur de glace qu'il assemble peu à peu. Le soleil se colore de rouge et un vent froid se lève. Rik abrite son cheval derrière la muraille protectrice.

Dans la bibliothèque de Mahdia, Rik, le narrateur, se mit d'accord avec Daniel, qui se soufflait ostensiblement sur la main fatiguée par l'écriture. Du rôle de *moussa'ad* de Madame Blanche, il avait été relégué à une piètre corvée de *katib basit*, un simple scribe. Rik décida de faire une longue pause, d'autant plus que l'épisode qu'il s'apprêtait à raconter à présent ne lui était connu que par ouï-dire, par des fragments de récits que son ami Oliver, mais surtout Elgaine, lui avaient délivrés au compte-goutte. Rik devait donc commencer par rassembler ses pensées pour ne pas se trouver en situation de trop grande ignorance.

Extrait du manuscrit de Mahdia
La chevauchée du roi
Récit de Rik van de Bovenkamp

La demoiselle Elgaine d'Hautpoul, la jeune confidente de la reine Constance – venue de Provence, toute jeune, avec la princesse d'Aragon pour entrer à la cour de Sicile – réussit, en compagnie de son protecteur Oliver d'Arlon, à rejoindre le roi peu avant la ville impériale de Constance – il est vrai qu'ils ont dû partager un cheval pendant la partie la plus difficile du trajet. À Coire, Elgaine s'est certes acheté un cheval, mais ils avaient déjà perdu beaucoup de temps. Frédéric avait installé son campement devant les portes de la ville, son dernier, il l'espérait, car même si l'évêque Werner von Staufen était décédé entretemps, son successeur Konrad, sur le conseil pressant de son collègue de Chur, lui avait laissé entrevoir la possibilité de laisser Frédéric entrer dans la ville le lendemain matin. Cela devenait fort urgent, car de l'autre côté du lac de Constance, l'empereur Othon avait lui aussi installé ses quartiers provisoires après avoir accouru en entendant parler de la très audacieuse entreprise du jeune Hohenstaufen. Le guelfe considérait que la ville le recevrait avec tous les honneurs. Il avait déjà envoyé ses cuisiniers en éclaireurs afin de préparer le festin. Othon dormit bien cette nuit-là.

Lorsque Elgaine et Oliver approchèrent du petit campement, ils constatèrent que tous les accompagnateurs de Frédéric s'étaient installés comme de fidèles chiens de berger tout autour de la tente du Hohenstaufen, et qu'ils étaient très loin de dormir. Elgaine proposa à Oliver qu'il s'y présente seul et demande à être admis dans l'escorte, ce qui lui fut certainement refusé sans égards : il n'était pas Souabe, et n'avait pas su profiter, près de Coire, de l'occasion qui lui en était offerte. Mais elle estimait qu'il devrait s'obstiner à réclamer un entretien avec le roi. Plus il ferait de tumulte avant qu'on ne finisse par le jeter dehors, mieux cela vaudrait pour le plan d'Elgaine. La demoiselle de cour, capable de calculer avec une totale froideur, voulait utiliser cette diversion pour avancer jusqu'à la tente sans être vue.

Oliver admira son courage, et ils convinrent – après la réussite de leur mission – de se retrouver là où ils allaient à présent se séparer. La seule chose que le bon Oliver eût apprise d'Elgaine, c'est qu'ils devaient absolument échanger une bague dont la détention, pour Frédéric, présenterait un risque aussi brûlant que tous les feux de l'enfer. Oliver pensa à du poison... et Elgaine disparut dans la nuit.

À ce point, Rik marqua une pause : il ne savait plus vraiment comment il devait continuer son récit pour rester convenable – ou épargner son ami.

— Le noble fou ! s'exclama l'émir, qui paraissait avoir du mal à se contenir depuis son poste d'observation au plafond : le sarcasme se mêlait manifestement à ses propos.

Tous baissèrent le regard, car ce jugement brutal avait paru concerner aussi l'indécis rapporteur du récit.

— Oliver, que l'on avait brutalement repoussé, a attendu...

— ... toute la nuit ! précisa Kazar Al-Mansour avec délice. Ensuite, le courageux chevalier a posé sa tête épuisée pour se reposer, à côté de son fidèle cheval, mais il n'a pas trouvé le sommeil, tant les reproches l'accablaient. Il pouvait seulement imaginer que la courageuse Elgaine avait été arrêtée et emprisonnée par les gardes. Il se faisait d'effroyables soucis...

— N'importe qui d'autre en aurait eu autant à sa place, protesta Rik au nom de son ami.

Le rire tonitruant de l'émir l'agaçait, d'autant plus que Timdal, l'insolent, s'était mis à rire avec lui.

— À partir d'une certaine dose, mon cher Rik, l'irréalisme ne fait plus honneur à un individu adulte. Je trouve appréciable que vous vous placiez après coup devant votre ami. Il reste que cet homme noble et secourable n'a pas eu l'idée la plus évidente : qu'Elgaine passait tout simplement la nuit dans le lit du Hohenstaufen !

Kazar Al-Mansour fit une pause délicieuse, sans la moindre trace de perplexité.

— D'après toutes les nouvelles qui, de Palerme, nous sont parvenues jusqu'à Mahdia, un homme comme Messire Frédéric n'aurait jamais chassé de son lit une aussi séduisante visiteuse nocturne, de la même manière que la jeune dame d'honneur put sans doute enfin profiter de l'occasion, loin de Palerme et de l'œil vigilant de la reine, pour recevoir le souverain et lui proposer une joute chevaleresque...

— ... une course rapide et un choc admirable!

Timdal, le Maure auquel le *kabir at-tawashi* avait oublié de couper les testicules, bêla de plaisir comme un bouc, et Daniel, lui non plus, ne put s'empêcher de ricaner. Rik se sauva en adoptant la position du moraliste invétéré, qui, dans l'exagération, est passablement grotesque.

— Le roi commit donc un adultère, la servante trompa la maîtresse, et Messire Oliver, fit Rik d'une voix profondément chagrinée, fut la lasse victime du fidèle souci. Il s'endormit!

Rik secoua la tête devant tant de vilenie.

— Qui dort ne pèche pas! se permit de remarquer Daniel.

Rik le regarda d'un air profondément attristé.

— Ah oui? fit-il. Dans ce cas, je veux vous épargner toute possibilité de commettre pareil sacrilège, *ya Katib*! Notez donc, je vous prie, la suite de l'histoire, et ne venez pas m'embêter avec votre fatigue!

Extrait du manuscrit de Mahdia
La chevauchée du roi
Récit de Rik van de Bovenkamp

Dehors, une tempête de neige balaie les hauteurs enneigées du col de Septime, où, dans la grotte rocheuse protégée par la paroi de neige, la présence du cheval réchauffe les deux occupants, le *mou'allim* mourant et le chevalier allemand Rik van de Bovenkamp. Il a beau sentir ses forces s'échapper, le vieux raconte en chuchotant, d'une voix saccadée, ce qui s'est passé par la suite à Palerme, et comment Elgaine s'est rendue chez le joaillier pour aller prendre le bijou achevé. Elle remarqua seulement que Lofti, l'orfèvre de la cour, toujours soucieux de son statut et de sa gloire, insistait pour que la jeune dame d'honneur de la reine, qui jouissait déjà d'un certain prestige malgré sa jeunesse, utilise la sortie située à l'arrière de son atelier – elle s'était fait l'effet d'une voleuse. Elgaine remit comme convenu le petit sac à sa maîtresse, Constance passa l'anneau au doigt de son époux, en sa présence, pour qu'il lui porte chance lors de la « chevauchée royale » qu'il allait entreprendre sous peu dans toute l'Italie, en franchissant les Alpes pour rejoindre le cœur des terres allemandes du Hohenstaufen, pour qu'il lui vaille le succès souhaité et surtout, qu'il protège son cher corps et sa vie. Le roi n'avait pas de temps à perdre, lui et ses compagnons étaient déjà en selle, prêts pour le voyage, il serra son épouse fidèle dans ses bras et ils partirent à cheval.

Le récit du *mou'allim* est de plus en plus souvent interrompu par des râles et des gémissements. Sa voix faiblit nettement. Rik lui fait avaler le vin cuit qui reste dans son outre. Puis il prend la tête du vieil homme sur ses genoux, ce qui lui permet de l'entendre un peu mieux, et Mourad continue, en rassemblant ses dernières forces.

La mauvaise conscience l'accable, raconte-t-il, à l'idée que c'est le mauvais texte qui est gravé sur la bague avec laquelle Messire Frédéric parcourt toute l'Allemagne pour aller chercher sa couronne. Immédiatement après le départ du roi, le *mou'allim* tombé en disgrâce avoue à la jeune dame d'honneur qu'il les a trompés et qu'il a secrètement échangé la « preuve d'amour » de la reine contre un texte fondamental du Coran. Le *mou'allim* craint désormais – il est bien tard pour cela, mais peut-être pas trop ! – que l'Inquisition ne prenne possession de cette bague, n'y découvre les mots du Coran et ne détienne ainsi une arme qui lui permettrait de couvrir le jeune souverain de honte, et même de lui faire perdre sa couronne.

Elgaine d'Hautpoul était disposée à ravaler sa fureur, mais elle ne put la contenir lorsqu'il s'avéra, parce qu'elle le lui avait demandé, que ce vieux gredin avait même remis par écrit les vers incriminés du joaillier Lofti ! Il ne fallait pas plaisanter avec les « services secrets » de la Curie, le royaume de Frédéric – qui dépendait des faveurs du pape

– se trouvait effectivement en danger si l'on apprenait, et *a fortiori* si l'on prouvait, qu'il penchait vers l'islam…

Sa confession, le fait de revivre cet acte irréfléchi, cette stupidité honteuse, use les dernières forces du *mou'allim*, il est pris d'un accès de toux, il crache du sang, halète, « *Allahu ahad, Allahu samad* », un râle accompagne chacun de ses mots – « *lam… lam…* », ses yeux écarquillés se fixent sur Rik. Il faut un certain temps avant que le jeune chevalier ne comprenne qu'il tient la tête d'un mort entre ses mains.

Un silence consterné régnait à présent dans la *sala al-koutoub* de Mahdia. Toutes les personnes présentes étaient trop blasées pour être émues par la mort d'un être humain, trop de cadavres avaient jonché leur chemin jusqu'à ce rif rocheux au bord de la Méditerranée. Et pourtant, Rik dut se faire violence pour raconter jusqu'à son terme l'histoire de la bague.

Extrait du manuscrit de Mahdia
La chevauchée du roi
Récit de Rik van den Bovenkamp

Dans une petite forêt, non loin de la ville de Constance, Oliver von Arlon dort fermement sous l'arbre auquel il a attaché son cheval lorsqu'on le réveille sans douceur : la pointe d'une botte vient de s'enfoncer dans son flanc. Il tente de bondir et de s'emparer de son épée, mais l'autre botte du capitaine des Souabes est posée sur sa garde.

— Il dort, ce chien ! gronde l'inconnu, indigné. Comme s'il avait mérité de dormir.

Le regard d'Oliver quitte les bottes à revers et découvre Elgaine. Deux solides soldats la serrent par les bras. Rien n'indique qu'elle a volontairement conduit ces soudards ici. Ses craintes se sont donc avérées.

— Le mieux, grogne le capitaine trapu, serait de les pendre tous les deux !

Il est déjà en train d'observer les branches de l'arbre, au-dessus de lui, lorsqu'il entend le galop d'un cheval.

Oliver profite de cet instant de distraction, lance les deux jambes à hauteur de la gorge de son bourreau, lui enserre les parties avec une main pour le faire descendre vers lui et, de l'autre main, lui plonge deux doigts pliés dans l'œil. Mais ou bien le capitaine est châtré, ou bien il ne connaît pas la douleur : il se laisse tomber à la renverse, et la pointe de son épée cherche lentement le cou de son adversaire.

— Arrêtez ! Au nom du roi !

Les combattants s'arrêtent net. Le chevalier n'a pas d'escorte, mais il porte le manteau de commandeur de l'Ordre teutonique

Elgaine, agacée, se dégage et sauterait volontiers au visage du capitaine si celui-ci n'avait pas libéré Oliver. Le chevalier de l'Ordre est Armand de Treizeguet. Elgaine le connaît, elle l'a déjà vu à la cour – et Oliver, pour sa part, se rappelle peu à peu qu'il l'a déjà rencontré dans la forêt de Forlat.

— Laissez filer ce garçon ! ordonne le chevalier d'un air de grand mépris.

Le capitaine laisse Oliver reprendre son épée et rejoint ses hommes en haussant les épaules.

— Dans ce cas, Messire, vous raccompagnerez aussi cette... dame dans le camp ?

Cette question grossière agace le commandeur :

— Non ! répond brutalement Treizeguet. Ramenez-la comme je vous l'ai ordonné ! Et vous, lance-t-il à Oliver, qu'est-ce que vous faites encore là ? Disparaissez !

Elgaine, désormais libre de ses mouvements, se dirige vers son compagnon et l'enlace avec une telle passion que nul ne remarque qu'elle lui glisse l'anneau dans la main. Elle met un terme tout aussi soudain à leur embrassade et laisse Oliver sur place.

— Je me tiens à votre disposition ! dit-elle au capitaine d'une voix réprobatrice où se mêle presque un peu d'impatience.

Il lève encore une fois les yeux vers le commandeur, puis ils se mettent en route. Lui marche en avant, suivi par Elgaine, la tête haute. Les deux soldats forment la queue du cortège. Le commandeur attend encore qu'Oliver soit monté en selle et se soit éloigné sans rien dire. Puis il part au trot derrière le petit convoi qui se dirige de nouveau vers le camp.

— Qu'y a-t-il donc dans cet anneau ?

La question a retenti depuis le trou creusé dans le plafond. Rik lève les yeux malgré lui – il s'était pourtant juré de ne plus prêter attention au petit jeu de l'émir.

— Qu'est-ce que j'en sais, moi, grogne-t-il, sans la moindre envie de satisfaire la curiosité de son ami.

Mais il n'en démord pas :

— C'est bien vous, Rik, qui l'avez récupéré auprès de la *sajidda* Blanche ?

Rik ne prit pas beaucoup de temps pour répondre : Kazar Al-Mansour devait enfin comprendre qu'il n'était pas disposé à laisser le passé le rejoindre ainsi.

— Je l'ai jeté dans la mer sans que nul ne le voie ! expliqua Rik d'un air de défi.

L'émir prit son temps, lui aussi, avant de surprendre Rik et tous les autres.

— Je sais, fit-il en traînant sur ses mots. Karim vous observait lorsque vous l'avez fait.

Rik ne laissa pas ce coup sans réponse.

— Vous avez accepté, Kazar Al-Mansour, que je me concentre sur mon récit sans être dérangé…

Comme l'émir ne réagissait pas, il adressa un geste impérieux de la tête à Daniel, le *katib*.

Extrait du manuscrit de Mahdia
La chevauchée du roi
Récit de Rik van de Bovenkamp

Sur le col solitaire du Septime, Rik monte la garde une journée durant à côté du *mou'allim* mort – il attend toujours le retour de son ami Oliver et de cette Elgaine d'Hautpoul. Mais son cheval commençant à s'agiter, Rik quitte enfin la grotte. Comme il est trop fatigué pour ramasser des pierres et en recouvrir le corps, il se contente de fermer derrière lui l'accès à la grotte en bourrant de neige l'ouverture qu'il avait laissée dans le mur de glace. Il se rappelle alors Assise, où sert le frère d'Oliver. Peut-être son ami est-il depuis très longtemps déjà en chemin vers le sud, par une autre voie ? Et si ce n'était pas le cas, lui, Rik, pourrait l'y attendre ! Si cette maudite femme ne s'était pas interposée, ils seraient déjà au chaud, les pieds sous la table de l'évêque, et dégusteraient son vin ! Le véritable responsable, c'était le Hohenstaufen : s'il n'avait pas croisé leur chemin, ils seraient peut-être déjà à Rome – ou bien vogueraient quelque part sur la mer... Rik se rappelle avec nostalgie Mélusine, sa disparue, il soupire profondément, jette un dernier coup d'œil sur le *oustaht al-malik* qui repose dans sa ténébreuse chambre de glace. Il ne parvient pas à prononcer de prière pour son vieux maître, il murmure : « Au nom du roi », et colmate rapidement le dernier orifice restant. Le *mou'allim* y reposera en paix jusqu'à la fonte des neiges. Rik monte en selle et chevauche vers l'Italie.

Dans la bibliothèque de Mahdia, Rik, le narrateur, et Daniel, le scribe, étaient déjà épuisés par leur labeur de la journée – il y avait largement de quoi, d'autant plus que Timdal leur donnait un exemple séduisant : le petit Maure ronflait, recroquevillé, tenant dans ses bras le tas de parchemins vierges qu'il était censé lisser et dégrossir au sel fin. Mais Rik parvint à mener à son terme l'histoire de la « chevauchée du roi ». Il se concentra. Tout ce qu'il avait à raconter était de deuxième main : le laconique Oliver le lui avait raconté plus tard lorsqu'ils s'étaient enfin revus, à Assise.

Extrait du manuscrit de Mahdia
La chevauchée du roi
Récit de Rik van den Bovenkamp

Frédéric réussit le lendemain matin à faire son entrée dans la Ville Libre de l'Empire dans laquelle on conservait les insignes, tellement importants à ses yeux, de la souveraineté allemande – le globe de l'empire et le sceptre. Son rival Othon, l'empereur des guelfes, perdait pour sa part un temps précieux de l'autre côté du lac de Constance. Lorsque Othon arriva finalement, trois heures plus tard, il trouva portes closes : les symboles du pouvoir royal avaient déjà été remis au Hohenstaufen. Même l'abondant festin que les cuisiniers personnels du roi avaient préparé n'y était plus, dévoré par Frédéric et ses compagnons affamés.

Sans se faire remarquer des personnes présentes, l'émir était entré dans la *sala al-koutoub* par une porte latérale découpée dans le lambris, entre les hautes étagères. Il se tint tout d'un coup derrière Timdal, qui, surpris dans son sommeil, se leva d'un seul coup, terrifié.

— Savez-vous au juste à quel tour du sort le Hohenstaufen devait cette minuscule avance ? ajouta Kazar Al-Mansour d'une voix aimable, en donnant la réponse lui-même. Le nouvel évêque n'aurait pas osé faire cette démarche si Armand de Treizeguet n'était pas venu le persuader au nom du pape, en termes éloquents et convaincants.

Rik laissa le maître de maison savourer son effet, tandis que Daniel, qui avait espéré la fin de sa corvée quotidienne, plongeait de nouveau dans l'encre la pointe de sa plume.

— Votre ami Oliver, reprit l'émir, fier de connaître tous les détails, votre ami Oliver eut la légèreté d'esprit – à moins qu'il ne soit tombé amoureux de la dame d'honneur ? – de se mêler aux serviteurs, sous un déguisement. Sans cela, il ne serait pas entré dans la ville et n'aurait pu participer au triomphe.

Rik ne s'était jamais demandé d'où Oliver tenait tous ces détails. Ce qui l'étonnait, c'est que l'émir ait eu connaissance de tout cela, et qu'il insistât à présent pour qu'on confie ce récit à sa chronique.

Extrait du manuscrit de Mahdia
La chevauchée du roi
Complément de l'émir

Le déguisement d'Oliver était parfait. Le major-dome de l'évêque avait pris Oliver pour l'un des nouveaux favoris. Malheureusement, le porte-clefs enamouré ne put s'empêcher de s'enquérir, d'une manière beaucoup trop voyante et insolente pour un serviteur, de la belle dame Elgaine d'Hautpoul qui, visible de tous, se tenait à proximité immédiate du roi Frédéric, un sourire crispé aux lèvres. Certains des hommes venus de la Souabe le reconnurent malgré la dose déjà importante d'alcool qu'ils avaient ingurgitée, et le firent sortir à coups de poings de la salle des fêtes, parce que ce Franc sans manière avait osé refuser de s'intégrer à l'escorte du roi. Oliver eut de la chance qu'à cet instant, le capitaine souabe et ses hommes aient déjà été dans un tel état d'ivrognerie qu'ils ne comprirent rien à ce qui se passait : ils lui auraient joyeusement ouvert la gorge en prétextant qu'il était un assassin payé par l'empereur guelfe ! C'est d'ailleurs aussi contre cette accusation qu'Armand de Treizeguet avait défendu la jeune dame d'honneur. Elgaine d'Hautpoul, qui se tenait sur l'estrade du roi, dut assister à toute la scène.

— Dites-moi, Kazar Al-Mansour, fit Rik, agacé, en lui coupant la parole, je veux bien croire que vos mouchards à Palerme entendent la chute d'une aiguille sur le sol, sans même parler des poignards de vos Assassins... Mais à Constance, vous n'étiez ni présent, ni représenté ? !

L'émir esquissa un fin sourire et se tut.

— C'est tout pour aujourd'hui! conclut Daniel, déployant son ultime énergie.

Aux yeux de tous, il essuya l'extrémité de sa plume et referma l'encrier.

Le temps avait passé. Cette nuit fut source de repos pour ceux qui purent dormir tout leur soûl le lendemain matin. D'autres n'avaient pas trouvé le sommeil au lever du jour. C'était le cas de Rik, qui n'avait cessé de se retourner sur sa couche.

L'intervention de l'émir, la veille, n'avait pas eu pour seul but d'attirer l'attention de son ami sur le fait que lui, Kazar Al-Mansour, disposait aussi de sources, mais aussi et surtout de lui faire comprendre qu'il souhaitait désormais suivre au plus vite le chemin des enfants français – après tout, Mélusine, qui lui importait désormais, se trouvait au milieu de cette foule comprimée qui, arrivée à Marseille, attendait le miracle qu'on lui avait promis, la séparation des flots. Rik, lui, retardait le moment de se confronter avec le destin de la jeune femme adulée : il ne s'était montré ni très galant, ni très chevaleresque.

À la demande de l'émir, des serviteurs portèrent des tapis précieux, des coussins et toute sorte d'ustensiles dans la *sala al-koutoub*, et se mirent à en orner, sous sa surveillance personnelle, une estrade de bois. À la fin, ils tendirent une épaisse corde de soie sur ce périmètre artificiel – cela ne pouvait avoir qu'un seul but: empêcher les personnes présentes d'entrer dans ce secteur. Kazar Al-Mansour préférait calmer tout espoir de mauvaise humeur.

— Nous allons, tous ensemble, entendre le récit d'Alékos, expliqua-t-il d'un ton solennel. Si je ne l'ai pas encore lu, c'est pour écouter *avec* vous... (Il adressa surtout ces mots à Rik.)... ce qui s'est passé.

Il regarda autour de lui comme s'il cherchait de l'aide. Le puissant seigneur de Mahdia attendait au moins un signe d'approbation, ne fût-ce que des autres personnes présentes. Daniel hocha la tête, Timdal fit une courbette exagérée. Seul Rik continua à afficher son étonnement en gardant le silence.

— Comme Alékos, l'auteur du récit, n'est pas un *haqawati* de formation, je m'estime heureux – et vous aussi –

d'avoir trouvé pour ce soir une lectrice, Eldjinn, une authentique *qaria* !

Kazar Al-Mansour profita un instant de la surprise qu'il avait créée mais prit l'air mystérieux lorsque Rik demanda, en passant, qui était donc cette mystérieuse « Eldjinn ». L'émir éluda la question en se mettant à parler de Karim, son fils.

— Comme j'aurais aimé rester assis avec vous si le prince avait pu siéger à mes côtés ! Mais à la demande d'Alékos, j'ai dû renoncer à cette joie paternelle pour ne pas perturber son esprit innocent. *Inch'allah* !

Rik serra l'émir dans ses bras et dit :

— C'est avec une très grande joie que nous serons tous, ce soir, à vos côtés.

Extrait du manuscrit de Mahdia
Le miracle de Marseille
Récit d'Alékos

La taverne *L'Espadon mélancolique* n'était ni la plus belle, ni la plus fréquentée dans le port de Marseille : elle se situait à l'endroit précis où les pêcheurs et les marchands jetaient leurs excédents. Le lieu était donc en permanence pris d'assaut par les mouettes, qui fientaient sur la tête des clients. Et puis il y régnait une épouvantable odeur de déchets en putréfaction. Mais ce jour-là, une puanteur mordante de pourriture suave s'étendait depuis le môle jusqu'à la partie la plus reculée de l'estaminet. Elle montait des corps frêles qui, depuis Saint-Jean jusqu'au fort qui lui faisait face, reposaient comme des poissons morts sur les pierres plates, alignés les uns à côté des autres : les corps des enfants noyés qui, la veille, lors de l'arrivée furieuse dans le port, avaient été poussés dans l'eau par ceux qui les suivaient, et que l'on n'avait pas pu sauver. Rares étaient ceux qui savaient nager, et beaucoup furent pris d'une telle panique qu'ils se tiraient mutuellement sous l'eau. Mais beaucoup se noyèrent aussi d'épuisement. Cela, les essaims de mouches aux reflets bleus qui s'étaient regroupés sur les corps malgré la fournaise de midi ne s'en souciaient guère.

Stéphane, l'illustre chef de cette bande, était passé comme si de rien n'était devant ce charnier, sous le balda-

quin de sa charrette ornée de fanions colorés. Tout au plus
s'était-il agacé en constatant que les morts occupaient les
meilleures place sur le quai, celles d'où il aurait pu voir la
mer se séparer, comme on le lui avait promis. Il lui fallut
aller chercher un autre point d'observation. Le jeune berger de la forêt de Forlat, qui s'était donné le titre moderne
de « prophète mineur », était entouré par son premier cercle,
les « petits apôtres », sa garde à cheval, les « archanges »
et son conseiller spirituel, le *vicarius Mariae*, Luc de
Comminges. Le plaidoyer du jeune dominicain leur avait
permis de trouver un abri dans le cloître ombragé de Saint-
Jean, un refuge contre la foule agitée des enfants répartis
dans toute la ville. Car la foule était en ébullition : c'est pour
cette journée, au plus tard, qu'elle attendait le miracle promis – et puis l'odeur désagréable de cette réalité qui contre-
disait tous les rêves n'arrivait pas jusqu'aux paisibles jardins
du monastère.

Sur le quai scintillant de charbon, devant *L'Espadon
mélancolique*, les responsables détournaient le regard et,
comme d'habitude, restaient parfaitement inactifs. Au premier étage, au-dessus de la taverne, se trouvaient trois
chambres qu'on louait à des marins, lorsqu'il en venait. Jusqu'à la veille, elles étaient restées vides. Le patron grec n'en
crut pas ses yeux lorsqu'il vit une calèche s'arrêter et un petit
Maure sauter du siège de cocher pour ouvrir le battant de
la porte à une jeune dame. Sans prendre le temps d'inspecter
les lieux, Mélusine de Cailhac réserva les trois chambres,
et le Maure paya d'avance. L'escorte de la dame – composée d'Étienne, Blanche et Paul de Morency – ne voulut pas
accepter cette offre éminente. Étienne et sa Blanche se firent
attribuer une place à l'écurie, juste à côté de la cuisine.
Quant à Messire Paul, il refusa tout simplement de prendre
ses quartiers, où que ce fût, et préféra dormir à la belle étoile.
Il annonça qu'il ferait seulement une apparition le lendemain matin dans le seul but d'entendre la jeune fille lui
annoncer enfin qu'elle s'était résolue à tourner le dos à cette
maudite croisade. Dans le cas contraire, lui expliqua-t-il,
Mélusine de Cailhac ne le reverrait plus jamais. Mais pour
l'heure, le gamin du Languedoc n'avait pas reparu.

Stéphane s'était replié dans le cloître du monastère de Saint-Jean, et la nouvelle n'avait pas tardé à se propager. Les enfants étaient de plus en plus nombreux à vouloir voir leur prophète et puiser en lui de nouvelles certitudes. Les « archanges » ne laissaient que les « petits apôtres » accéder jusqu'à lui. Les autres furent bientôt des centaines, assis sur la place, à attendre qu'il apparaisse. Pour l'heure, ils restaient encore tranquilles.

Le « prophète mineur » tenait cour à l'ombre – ils lui avaient sorti un siège du monastère et avaient démonté le baldaquin de sa petite charrette ; c'est sous cet objet que Stéphane trônait désormais, dans une attitude qui n'avait rien de très digne : il était assis en boule et implorait son Seigneur Jésus de ne pas le laisser tomber maintenant ! Derrière lui se tenait sa garde personnelle, qui brandissait fièrement l'oriflamme, la bannière du roi aux trois lis d'or que Stéphane avait choisie comme label de sa croisade. À la grande colère du roi de France – son conseiller, Luc, le lui fit savoir en ricanant. Cette insubordination à la couronne flattait extraordinairement le *vicarius Mariae* dans son rôle d'homme de confiance de Monsignore Gil de Rochefort et de serviteur de l'Église.

Stéphane, lui, souffrait de la situation. Aux premières heures du jour, lorsque tous dormaient encore, il avait passé un habit de moine que lui avait laissé un novice du monastère de Saint-Jean, la capuche ramenée jusqu'au milieu du visage ; il s'était faufilé sur le quai aux enfants morts et s'était jeté au sol, entre les cadavres. Il avait longtemps regardé la mer, couché sur le ventre, il avait imploré le miracle, mais rien ne s'était produit. L'eau du port clapotait régulièrement contre le mur du quai. Stéphane pouvait certes observer les petits poissons qui nageaient entre les algues du fond envasé, mais aucune main immaculée ne séparait l'eau trouble. Profondément déçu, il allait rentrer au plus vite lorsqu'une barge rouillée s'arrêta précisément à l'endroit où il s'était dissimulé...

L'attitude de son ami Luc le décevait beaucoup. C'est pourtant bien le jeune dominicain qui, à l'époque, lui avait écrit cette lettre capitale au très gracieux roi de France, celle où il expliquait que c'était Dieu en personne qui avait

ordonné à ce simple petit berger de mener cette croisade
des enfants. Luc s'ornait certes du titre de *vicarius Mariae*,
mais il se comportait d'un seul coup comme s'il n'avait plus
rien à voir avec tout cela !

Toute cette histoire déplaisait de plus en plus à Luc de
Comminges. Qu'est-ce qui l'avait piqué, de croire que le Seigneur pouvait accomplir l'un de ses miracles en passant par
un esprit aussi simple que celui de Stéphane ? Le matin, lorsqu'il avait entendu ce « prophète mineur » quitter secrètement le cloître et courir vers la mer, Luc avait fait semblant
de dormir. Il l'avait ensuite discrètement suivi jusque sous
le portique de l'église, et avait observé ses faits et gestes avec
précision. Il avait vu Stéphane tambouriner des deux poings
sur la pierre en granit du môle, mais la mer ne s'était pas
divisée.

En le voyant se relever en toute hâte et passer à grands
pas devant lui, caché derrière un pilier, son soupçon se
confirma : Dieu n'avait *pas* choisi cet esprit confus pour prouver sa toute-puissance sur les eaux de la mer. En revanche,
il vit la barge accoster et une silhouette informe en descendre ; il distingua une sorte de poulpe à tête blanche qui
se hissait sur le mur ; sa tête chauve paraissait sortir directement de ses épaules, ses yeux enflés inspectèrent d'un air
lubrique les cadavres des enfants. Pris de surprise, un vivant
se dégagea de l'amoncellement des corps et voulut s'enfuir,
mais les longs bras du monstre s'étaient déjà abattus sur lui.

Luc reconnut dans cette victime qui se tortillait sans
rien dire, la pesante relation de Mlle de Cailhac, celui qu'on
nommait Paul. Même si ce gamin était suffisamment clair-
voyant pour avoir percé à jour la folie du « prophète
mineur », il ne fallait pas qu'il vienne semer le désordre sur
le domaine de Luc ! Le *vicarius Mariae* se demanda un bref
instant s'il devait intervenir, et estima finalement que ce qui
arrivait à ce trouble-fête était bien fait. Il vit avec satisfaction que l'on catapultait le garçon dans la barge comme un
poisson frétillant. Le poulpe éloigna ensuite l'embarcation
à la rame.

Lui, Luc de Comminges, avait joué un rôle décisif dans
le déclenchement de cette croisade. Sans lui, Stéphane, ce
petit berger, garderait encore ses moutons dans la forêt de

Forlat! C'était donc aussi à lui de déterminer s'il voulait l'aider à réussir, ou s'il le ferait échouer. Peut-être Dieu finirait-il par changer d'avis – à moins que Jésus ne vienne Lui-même pour les faire tous passer en Terre Promise? Luc pria la Sainte Vierge, à laquelle il avait toujours pu se fier. Puis il se campa devant le jeune Stéphane et lui proposa de répartir ses légions à droite et à gauche du rivage, afin de ne pas agacer plus encore les Marseillais qui avaient vu les essaims de plusieurs milliers d'enfants qui s'étaient abattus sur le port comme des sauterelles et l'avaient paralysé. Mais avec son trône sous le baldaquin, le «prophète mineur» avait aussi retrouvé la conscience de sa mission.

— Au contraire! proclama-t-il d'une voix forte. C'est la puissance concentrée de notre prière commune qui doit tous les unir dans le port, les morts doivent y mêler leur voix, tout comme le peuple de Marseille! (Stéphane regarda, l'air triomphal.) Que les «petits apôtres» se dispersent comme des chiens fidèles et rassemblent le troupeau ici!

Sa cour et les «archanges» étaient brutalement sortis de leur sommeil et se frottaient les yeux. «La mer, la mer», répétaient-ils, tout excités, en grognant. Se serait-elle...

— Elle va s'ouvrir! s'exclama Luc en sautant à côté du trône.

— Allez dans tous les quartiers, ordonna Stéphane aux «apôtres» réjouis, d'une voix suraiguë, et dites-leur de se rassembler ici!

— Car le royaume du Seigneur leur sera ouvert! ajouta le vicaire, prêt à partir non pas propager la nouvelle, mais contrecarrer cet ordre et empêcher le pire.

Mais Stéphane le retint par la main:

— Tu n'es pas un «apôtre!» (Lorsqu'il vit l'effroi dans les yeux de son ami, il sourit doucement.) Car je veux te savoir jour et nuit à mon côté!

Et Luc répondit, la tête cramoisie:

— Je suis là où je marche et me tiens.

Mais Stéphane ne s'en contenta pas:

— Que chacun d'entre vous, lança-t-il à ses «apôtres», porte une bannière du roi et commande sur mille cœurs.

Le vicaire comprit que face aux «archanges» surexcités, mieux valait qu'il se montre d'accord sur tout, même si une telle levée en masse sur la petite place située devant Saint-Jean allait à coup sûr mener à une catastrophe aux dimensions plus grandes encore que l'avalanche de corps humains qui s'était déversée dans le port à la fin de l'après-midi.

— Chacun de vous est responsable de sa troupe, rappela-t-il aux jeunes chefs de section. Si la mer s'ouvre, dit Luc, en se rappelant la promesse qu'on leur avait faite pour les attirer jusque là, si la mer s'ouvre, alors...

Mais Stéphane lui coupa la parole:

— La mer se sépare! cria-t-il aux «petits apôtres». Et nous partirons pour Jérusalem dans cet ordre de marche!

Et ils se mirent en route en lançant des vivat à Stéphane, leur prophète...

À la lumière vacillante des lampes à huile qui les entouraient, la silhouette de la lectrice, sévèrement enveloppée de voiles, écarta le manuscrit d'un mouvement gracieux et accorda à sa voix à l'accent étranger le repos dont elle avait besoin. Autour de la Qaria, la *sala al-koutoub* était plongée dans l'obscurité. Les efforts déployés par l'assistance pour deviner qui pouvait bien être cette mince et belle femme étaient presque audibles. Rik, notamment, passa en revue toutes les possibilités: il était certain de connaître cette voix. Mais l'émir l'empêcha de résoudre ce problème rapidement. Il s'approcha de la femme voilée avec une courtoisie appuyée; celle-ci se leva et le suivit sans un mot.

C'est Timdal qui rompit le silence.

— Demain soir, crailla le Maure comme pour prouver qu'il était dans le secret du maître, nous continuerons avec le récit d'Alékos Kouridis – fort heureusement présenté par une amie de la maison, fit-il d'un air mystérieux avant de quitter la salle, d'un pas rapide, pour échapper à d'autres questions.

Alékos, le serveur de Marseille à la langue bien pendue, le suivit presque aussitôt. Il ne tenait pas du tout à avoir une discussion. Lui aussi, tant d'années après les événements, avait hâte d'y être de nouveau confronté et de retrouver ce qui avait été écrit jadis sous forme d'histoire contée.

Daniel, le *katib* zélé, avait pour la première fois le loisir d'entendre une histoire et d'en saisir toute la saveur plutôt que de grappiller les mots et de les déposer aussi vite que possible, mais sous une forme lisible, sur le parchemin. Par routine, il nettoya pourtant la pointe de sa plume avec le soin habituel, souffla les bougies sur son pupitre et suivit le mouvement. Rik resta seul avec ses pensées dans la « salle des livres » à peine éclairée : il avait beau faire, il ne cessait de penser à Mélusine. Loin de décliner, le pouvoir qu'elle exerçait sur lui augmentait encore.

Extrait du manuscrit de Mahdia
Le miracle de Marseille
Récit d'Alékos

Tauris : tel était le nom de ce désert de roches qui se situait devant l'entrée. Comme un puissant brise-lames, la forteresse battue par le vent et l'eau salée émergeait de la mer. Elle servait, par périodes, de retraite pour les lépreux, et depuis toujours de prison redoutée. Y être détaché en garnison était considéré comme une punition. Il s'était pourtant trouvé des personnes pour s'y installer de leur propre chef. Guillem, dont le surnom était « Le Porc », n'avait pas mérité ce sobriquet à cause de son aspect, mais parce qu'il évacuait les déchets de cuisine de la ville dans de gigantesques barges. Dans les grottes, déjà occupées du temps des Phéniciens, il donnait ses chargements puants en pâture à des murènes qu'il élevait et vendait à prix d'or à des restaurants dont la clientèle appréciait cette chair grasse et ne se souciait guère de la manière dont elles étaient alimentées. Depuis longtemps, Guillem lui-même ressemblait à l'un de ces serpents à gueule dentée : sa tête chauve dépassait, sans la moindre esquisse de cou, de son corps uniforme, et ses yeux agiles témoignaient d'une avidité sans pitié. À *L'Espadon mélancolique*, on racontait que *Guglielmus Porcus* avait jadis servi d'amiral de la flotte sicilienne jusqu'à ce qu'on l'en chasse pour corruption. Il avait la réputation de faire aussi disparaître contre espèces sonnantes et trébuchantes des hommes dont la vision dans le bassin portuaire, un poignard dans le dos, aurait fâcheusement attiré l'attention. Il utilisait les mêmes moyens pour éloigner de cette vallée de larmes les fruits indésirables du commerce de l'amour.

C'est entre les griffes de ce monstre que Paul était tombé. Guillem lui avait lié les pieds et avait remonté la côte avec lui, car la montagne de cadavres, au milieu du port, lui paraissait sans doute trop suspecte pour aller s'y servir directement, d'autant plus que le soleil, entre-temps, s'était levé ; Guillem en redoutait la lumière autant que les gens qui auraient pu l'observer dans son activité. Partout, dans les arrondissements misérables de la ville portuaire, il recueillait ainsi les cadavres que la mer déposait sur le rivage, il les tirait de l'eau, et Paul devait empiler proprement les corps sur le plancher de la barque, avec tout ce que ce gros cochon y repêchait d'autres. Il voyait des chats crevés lui passer à côté de la tête, mais aussi des mouettes noyées, et des peaux de bêtes gluantes. Paul se tenait jusqu'aux genoux dans un brouet visqueux, il s'étranglait, il vomit, mais il réussit à maîtriser son écœurement. S'il avait perdu connaissance, à cet instant, il en était bien conscient, rien ne l'aurait plus distingué de son chargement et il aurait connu le même destin. Les poings serrés, il se tenait droit, et tentait d'inspirer un peu d'air de la mer tandis que le large dos de porc du chauve dirigeait la barge vers une île rocheuse qui émergeait de la mer, devant la ville. Paul pensa aux matelas de paille fraîchement retournée, dans les chambres situées au-dessus de *L'Espadon mélancolique*. Et se rappela que Mélusine lui avait proposé de prendre ses quartiers dans l'une d'entre elles.

Il était très tôt ce matin-là quand, dans ce restaurant du bord du port qui ne méritait pas sa mauvaise réputation, arriva un visiteur de marque : l'inquisiteur, Monsignore Gilbert de Rochefort. Bien qu'il ait eu hâte de pouvoir inspecter le travail de son élève et protégé Luc de Comminges, le grand seigneur commença par réclamer un petit déjeuner, du pain complet juste sorti du four, trois œufs frits sur du lard tendre, fin et croustillant, puis des oursins frais et de petits poulpes marinés au vinaigre de vin, arrosés d'une cruche de Les Baux – Monseigneur était un connaisseur. Mais il perdit rapidement le sourire en sentant l'air putride, chargé de l'odeur des petits cadavres, que la brise portait dans le restaurant. Il demanda pourquoi personne n'éliminait ces déchets peu appétissants, et le serveur lui révéla que les *consoles* de la ville en avaient chargé Guillem le Porc, au moins pour ce qui concernait les déchets du marché. Comme le grand seigneur demandait à être informé, le valet d'auberge lui récita tout ce qu'il savait sur *Guglielmus Porcus* : il avait jadis été amiral, mais n'était plus en odeur de sainteté à Palerme. Son unique ami, qui partageait son logis et empestait de la bouche, était un gaillard taillé à la hache qu'ils appelaient « Hugo de Fer », sans doute parce qu'il était capable de tordre avec ses pattes n'importe quelle pièce de forge. Mais on se serait trompé en considérant Hugo comme un simple paquet de muscles dépourvu de cervelle. C'était un artisan compétent et réfléchi. Lorsque, vingt bonnes années plus tôt, l'empereur Heinrich avait préparé sa gigantesque croisade, on avait commandé à la ville de Marseille la construction de douze grands navires de transport. Ils avaient été fabriqués dans le meilleur chêne de Provence, et il ne restait plus qu'à encastrer les planches du pont lorsque la malaria emporta le redouté Hohenstaufen. Pour peu de choses, Guillem et Hugo avaient à l'époque acheté les coques et les avaient traînées sur l'île, espérant à juste titre qu'un autre prince fortuné reprendrait bientôt la croix sur son épaule. En tout cas, tous deux se considéraient depuis comme d'honorables marchands et portaient fièrement le titre de « marchands patentés », même si la guilde des *mercatores Marsigliae* ne songeait pas un seul instant à les admettre dans ses rangs.

Mais les années passèrent, et aucun monarque ne sembla plus vouloir envoyer son armée de chevaliers sur la mer pour sauver la sainte Jérusalem. Les coques des navires attendaient donc dans une baie discrète, en dessous de la forteresse, et, malgré tous les efforts déployés par Hugo pour les entretenir, pourrissaient lentement. À ce jour, seuls cinq bateaux sur la douzaine originelle étaient encore en état d'être mis à l'eau. Ils faisaient l'effet de gigantesques baleines ensablées : entre les haubans, leur squelette montrait leur solide structure. Pour la conserver en bon état, Hugo et son unique assistant ne cessaient de dépecer les autres épaves.

Cela parut intéresser extraordinairement Messire l'inquisiteur. Mais pour la première fois, il demanda où Stéphane, le petit berger, avait pris ses quartiers : il cherchait en effet son *adlatus*, Luc de Comminges.

— Oh ! s'exclama le valet d'auberge. Vous voulez certainement parler de Messire le *vicarius Mariae* !

— Je vous demande pardon ? répondit Monsignore, ahuri. *Comment* se fait appeler cet apprenti-prêtre qui n'a même pas reçu les sacrements ?

Le jeune serveur fut impressionné par cette réaction brutale :

— En tout cas, c'est ainsi que l'appellent les « petits apôtres » et le « prophète mineur » en personne ! fit-il pour atténuer son propos, ce qui ne satisfit pas pour autant l'inquisiteur.

Il avala, agacé, le dernier poulpe et la galette de pain, et l'arrosa d'un verre de jeune vin rouge.

— Faites savoir à monsieur le vicaire que je souhaite le voir !

Il essuya le jaune d'œuf qui avait coulé sur sa soutane et se fit attribuer une chambre – sans se laisser le moins du monde impressionner par le fait qu'une certaine demoiselle Mélusine de Cailhac avait loué les trois pièces du premier étage et qu'elle les avait payées d'avance.

Sur l'île de Tauris, Paul fut remis dès son arrivée au factotum muet que Hugo de Fer partageait avec Guillem le Porc. Le bossu répondait au nom étrange de Bart Rotsturz – il était sourd et muet. Pour marquer l'instant de cette remise, Guillem noua une ceinture de fer à la taille de son nouvel esclave et l'accrocha à la longue chaîne au long de laquelle Bart, l'estropié, se déplaçait déjà avec l'agilité d'un singe d'Ifriqiya. Cette créature farouche et bienveillante avait rapidement appris, par des gestes, ce que l'on exigeait de lui – le déchargement rapide et le nettoyage de la barque, puis l'examen et la séparation du butin. Mais le plus souvent, son maître, le Porc, n'attendait pas aussi longtemps et ne tardait pas à arriver avec le chargement de « nourriture » suivant –

Bart avait fort à faire : il triait les déchets, alimentait les bêtes et préparait la cuisine. Avoir enfin un commis le réjouissait. Guillem disposait de trois de ces décharges flottantes.

Constatant que même aux alentours de midi, Paul n'était pas encore reparu, Mélusine envoya Étienne dans la salle de l'auberge, d'abord pour se plaindre qu'un prêtre – c'est Blanche qui le lui avait dit – se soit installé dans la troisième chambre, d'où l'on entendait ses ronflements, et d'autre part pour savoir où était passé Paul. Le valet d'auberge, qui avait tout de même mauvaise conscience, expliqua qu'il s'agissait d'un haut dignitaire religieux qui n'avait posé sa tête lasse que pour quelques heures, et demanda à Étienne d'aller chercher Mgr le Vicaire pour l'informer que l'inquisiteur désirait lui parler.

Dans le cloître du monastère, tout au bout du port, Stéphane délibérait avec son vicaire. Le « prophète mineur » était installé sur son petit siège surélevé, sous le baldaquin, et Luc était forcé de se tenir debout, conformément aux ordres des « archanges ». Stéphane avait les yeux fermés, il respirait difficilement.

— Il a ses visions ! murmuraient les anges, avec respect et componction. Il est en dialogue avec son seigneur Jésus-Christ !

Le *vicarius Mariae* roulait des yeux, le regard tourné vers le ciel, et attendait que Stéphane redescende de ses hauteurs.

— Les « petits apôtres » n'ont rien pu faire, commença-t-il à expliquer avec prudence, la mer ne s'est pas ouverte et les enfants se refusent à venir ici, cela empeste trop pour eux...

Stéphane ouvrit les yeux :

— Leur foi est trop faible ! lança-t-il.

— Ils ont faim ! répliqua Luc. Les marchands, dans la ville, ne songent pas un instant à diminuer les prix des fruits et du pain ; et les pêcheurs, puisque c'est sur leurs débarcadères, au-dessus de leurs filets, que s'installent ces malheureux, ne sont plus disposés non plus à leur offrir des poissons – ils préfèrent même jeter les déchets à la mer...

— Lorsqu'on veut suivre le Sauveur, on n'a pas besoin de nourritures terrestres, expliqua Stéphane d'un ton décidé. Qu'ils jeûnent et qu'ils prient, aujourd'hui, rien ne se produira plus, le Seigneur Jésus est vexé, chuchota Stéphane à son conseiller, avant de répéter d'une voix forte : Jeûnez et priez ! Toute la nuit durant ! (Il s'enivrait du son de ses propres mots.) Et au matin, qu'ils se retrouvent tous ici !

— N'exigez pas cela une nouvelle fois ! l'implora Luc. Les masses resserrées dans le port...

— Dans ce cas, concéda le « prophète mineur » en fermant les yeux pour mieux trouver l'illumination, qu'ils forment une chaîne. Depuis Saint-Jean, où nous nous trouvons, jusqu'à l'endroit où elle arrivera.

— Des deux côtés ? demanda Luc.

Stéphane hocha la tête.

— Qu'ils se tiennent par les mains.

Puis il se tut, et personne n'osa plus produire le moindre son.

Étienne avait tout regardé de loin, les « archanges » ne le laissèrent pas passer. La manière dont Luc prenait de l'influence sur Stéphane l'agaçait aussi, il sentait que le grand élan avec lequel ils étaient partis se tarissait peu à peu.

— Il faut qu'ils se déplacent ! lança-t-il à Stéphane. Qu'ils partent d'ici. (Il se fraya un chemin jusqu'au trône.) Ce lieu n'est pas bon pour nous, fit Étienne, d'autant plus excité que Luc, par de grands gestes, tentait de le faire taire. Et il ne le deviendra pas !

— Il vaudrait mieux, fit le vicaire pour défendre sa position, éviter que n'importe quelle personne passant par ici ne s'arroge le droit d'ouvrir sa gueule, conseilla-t-il à Stéphane en tournant ostensiblement le dos à Étienne.

Celui-ci ne trouva rien d'autre à faire que de remplir sa mission :

— L'inquisiteur Gilbert de Rochefort ordonne à son subordonné Luc de Comminges de se présenter sans délai devant lui pour rendre compte...

Le *vicarius* se retourna, comme s'il avait été piqué par un scorpion.

— Monsignore peut attendre ! lança-t-il, furibond, à Étienne. Ma place est au côté de...

Il se tut: Stéphane s'était levé. Pendant un moment, il sembla qu'il allait se précipiter sur le vicaire; mais il lui sauta au contraire au cou et s'agrippa à lui:

— Ne me quittez pas! fit-il en haletant, avant de le repousser: Allez-vous-en, Judas! chuchota-t-il. Embrassez les pieds de votre seigneur!

Luc lança à Étienne un regard haineux et sortit en courant du cloître. Tous le suivirent du regard, beaucoup avec une satisfaction non dissimulée. Stéphane demanda à Étienne de s'approcher.

— Est-il vrai que nous avons des pertes à déplorer, que certains meurent de faim à l'extérieur, et que beaucoup sont rongés par le doute à l'idée que le Seigneur Jésus pourrait ne pas tenir ses promesses? (Le ton du «prophète mineur» ne trahissait pas la compassion, mais l'inquiétude: il tournait peu à peu à l'incrimination.) S'ils ne sont pas dignes...

Étienne intervint pour l'apaiser:

— Il y a eu des morts par épuisement, des difficultés, certainement, dans la collecte de vivres, mais quand on a la volonté de s'en sortir, on s'accroche au mât de l'espérance! (Étienne était étonné par sa propre exaltation.) La foi transporte des montagnes, pourquoi ne pourrait-elle pas ouvrir la mer!

Stéphane saisit la main d'Étienne.

— Demain, le pouvoir concentré de notre prière ouvrira la voie à tous ceux qui voient notre objectif droit devant eux: Jérusalem!

Il tomba à genoux, non sans entraîner Étienne avec lui, et pleura de bonheur. Les «archanges» suivirent son exemple. Le cloître retentissait de prières ardentes qui se transformèrent bientôt en chants pieux. La douce lumière du soleil de l'après-midi laissa peu à peu la place au crépuscule.

À *L'Espadon*, Mélusine soupe en compagnie de Blanche. Elle s'inquiète pour Paul. Non loin d'eux, à l'autre coin de l'estaminet, Gilbert de Rochefort a demandé qu'on lui dresse une table pour deux personnes. Il ne veut pas être en reste de compliments ni de reconnaissance à l'égard de son compétent *adlatus* Luc de Comminges. Le valet d'auberge lui recommande, en amuse-gueule, des moules dans une décoction d'oignons épicés, puis, pour faire sortir les vents des intestins, des calamars frits et panés, garnis de haricots blancs tièdes. L'inquisiteur rit et regarde les deux jeunes femmes assises de l'autre côté de la salle. Mélusine n'y prête aucune attention.

— Pourquoi Paul n'est-il pas encore revenu ? demande-t-elle à Blanche, aussitôt disposée à aller chercher le disparu.

Mélusine le lui interdit.

— Envoyez Timdal ! fait-elle, mais cet instant de virulence laisse aussitôt place à un moment de faiblesse, beaucoup plus timide : Sans cela, je vais me retrouver toute seule !

Blanche pose, maternelle, son bras autour de son aînée :

— Le Maure, dit-elle, n'est jamais là quand on a besoin de lui !

Mais l'attention de Mélusine est détournée par ce qui se déroule de l'autre côté.

— Vous êtes un poète doué, Alékos ! lance Messire l'inquisiteur, bienveillant. De quels autres plats comptez-vous encore me chanter les louanges afin qu'ils ne pourrissent pas dans votre cuisine ?

Alékos n'était pas né de la dernière pluie et répliqua du tac au tac :

— Je vous recommande vivement un hachis qui cuit pour vous à petits feux depuis des heures : des langoustes toutes fraîches pêchées au petit matin et de la murène bien grasse...

— Au petit matin de cette journée-ci ? ! fit l'inquisiteur d'un air sévère.

— Vous les auriez encore entendues chanter lorsque vous êtes allé vous coucher, au moment où elles sautaient joyeusement dans l'eau bouillante, répondit l'homme, à la fois serveur et cuisinier. Les murènes viennent de l'île de Tauris, ce sont les animaux les mieux nourris à vingt lieues à la ronde ! Leurs parties déjà décapitées mijotent entre des morceaux de fenouil, des olives noires et des châtaignes grillées, épicées de cumin et d'anis – un festin pour le connaisseur !

— Ou pour le baquet à immondices ! plaisanta le Monsignore, de bonne humeur. Apportez-moi tout cela – et convoquez ensuite un médecin juif!

Alékos s'inclina et disparut devant la cuisine, non sans avoir demandé aux deux dames si elles désiraient encore autre chose.

Mélusine lui tendit la cruche sans dire un mot.

— Espérez-vous toujours l'arrivée de votre chevalier allemand? demanda Blanche avec empathie.

— De moins en moins, répondit Mélusine tandis qu'Alékos déposait devant elle une cruche pleine.

Il servit les dames.

— Qu'attendez-vous donc encore?

Mélusine la regarda, étonnée.

— Que voulez-vous que j'attende d'autre, fit-elle dans un soupir. Si au moins Paul revenait!

Au lieu de cela, c'est Luc qui entra dans la taverne.

— Le bourreau de Bordàs! fit Mélusine entre ses dents, méprisante.

Elle partageait l'opinion de Paul sur le zélé serviteur de cet atroce tribunal. Et puisque son ami n'était pas encore présent, elle comptait tout de même le représenter dignement. Elle se leva ostensiblement et quitta, tête droite, la salle de l'auberge, en empruntant l'escalier qui menait au premier étage. Blanche la suivit.

Luc de Comminges la regarda, songeur, puis il se tourna vers Monsignore Gilbert de Rochefort.

— Si, demain matin, le spectacle attendu ne se produit pas, dit-il, effronté, alors vous pourrez renoncer à votre « Croisade des enfants ». Ne serait-ce que parce que les habitants de cette ville sont en train de perdre patience...

Gil afficha un petit sourire.

— Avec l'aide de Marie, vous avez jusqu'ici, messire mon « vicaire », accompli avec un succès manifeste la mission que le Sauveur Lui-même vous avait confiée! L'Église vous en sera reconnaissante, Luc de Comminges... Asseyez-vous!

Luc resta debout.

— C'est moi que l'Église damnera, pas vous!

Il finit tout de même par prendre place à table, en voyant Alékos apporter les entrées. Les coquillages noirs brillaient,

tentateurs, dans le bouillon au vin blanc fumant, et déga-
geaient un parfum délicieux.

— Rome, reprit-il, me clouera à la croix si je laisse cet
exode s'achever sur une catastrophe, et plus encore sur le
massacre de ces innocents...

— De la racaille ! rectifia sèchement l'inquisiteur. De la
vermine, des bouches inutiles !

— Tant qu'elles vivent, vous voulez dire... (Luc plongea la cuiller dans le récipient.) Si quelque chose leur arrive,
ils deviendront de petits saints, de petits anges – et moi, je
me retrouverai en enfer ! Je connais un certain inquisiteur
qui se fera alors un devoir de découvrir le coupable, de lui
faire son procès et de le punir – pour apostasie, usurpation
de fonctions, falsification et, pour finir, hérésie !

Cette énumération n'empêcha nullement Luc de manger abondamment. Monsignore, lui aussi, semblait n'avoir
rien d'autre à faire que d'accumuler les coquilles vides
devant lui.

— Je me réjouis d'entendre combien vous vous sentez
déjà chez vous dans la sainte famille des inquisiteurs... fit
le dignitaire de l'Église en essuyant le bouillon qui coulait
sur ses lèvres. Dieu trouvera bien une heureuse issue à cette
affaire, ajouta-t-il pour consoler Luc...

Alékos apporta les calamars, cette fois dans deux récipients de terre séparés, qu'il avait ornés de deux gambas
roses. Gil découpa soigneusement la queue avec les dents
et la recracha.

— Peut-être Marseille n'est-elle pas la ville appropriée,
peut-être devriez-vous remonter le long de la côte... ?
demanda-t-il en dégustant la chair blanche des crustacés.
À moins que vous ne soyez pas l'homme qui convient pour
caboter avec ce type de petit bateau au plus près des
falaises ?

Luc, impassible, continuait à avaler ses haricots. Il lança
nonchalamment les deux gambas au *Monsignore*.

— Voulez-vous me remplacer ? demanda-t-il en affi-
chant son indifférence.

— Non, mais vous replacer dans le droit chemin ! fit
l'inquisiteur, tandis que Luc mâchait avec plaisir un autre
calamar.

— Vous prenez-vous donc pour le Christ, Gilbert de Rochefort?

L'élève vit avec un plaisir non dissimulé son maître qui manquait s'étrangler; il lui tendit une cruche de vin.

— Certes non! Car dans ce cas, il aurait dit sur-le-champ...

— ... Père, ma mission est accomplie...

— ... et il aurait abandonné son esprit sur la croix... (Gilbert avait repris contenance). Or les enfants, eux, vivent!

— Pour le moment!

Luc relevait le défi, et laissait son adversaire venir vers lui.

— Animez-les! fit le dignitaire. Tant qu'ils sentent leurs pieds et leur ventre qui couine, ils n'abandonneront pas l'espoir.

Luc observait l'homme qui lui faisait face, aux aguets.

— Où voulez-vous que je les conduise? demanda-t-il avant d'apporter lui-même la réponse à sa question: Dans le Languedoc, au pays des hérétiques?

Gilbert comprit le piège:

— Remontez la côte avec eux, jusqu'à Gênes, promettez-leur que le pape les bénira. D'ici là, j'aurai trouvé une solution définitive.

Gilbert se voyait déjà marchant sur la route de la victoire, mais Luc dit froidement:

– Non!

Il éloigna de lui l'assiette creuse et vide.

— Faire intervenir le Saint-Père accentuerait les dommages pour l'Église. Est-ce cela que vous voulez?

— Quelle que soit votre argumentation, Luc de Comminges, choisissez bien le ton sur lequel vous me parlez! *Silentium!* ordonna soudain et brutalement l'inquisiteur, voyant le maître queux apparaître avec une gigantesque marmite de hachis.

Gilbert de Rochefort n'y toucha pas, il ne souleva même pas le couvercle de fer. Il attendit qu'Alékos se soit de nouveau éloigné, profondément offusqué:

— Vous oubliez que vous me devez obéissance, à moi, et pas à vos conceptions puériles sur les avantages et les dommages de l'Église.

Il se décida enfin à soulever le couvercle, laissant monter une vapeur épicée qu'il dirigea vers lui d'un geste de la main et inspira avec jouissance. L'inquisiteur pensait peut-être que l'affaire était réglée. Mais Luc se releva, rigide.

— Si, d'ici à demain midi, insista-t-il, la prophétie de Stéphane ne s'est pas réalisée, je prononcerai la dissolution de la croisade. (Il avait le souffle lourd.) J'en ai le pouvoir ! Vous ne pouvez pas me l'ôter !

Et en esquissant une révérence, sans regarder son interlocuteur dans les yeux, le *vicarius Mariae* quitta la table et la taverne.

Monsignore prit la cuiller à la main et s'attaqua, seul, au délicieux hachis. Lorsqu'il eut à peu près ravalé sa colère, il fit signe au serveur de l'auberge.

— Procure-moi pour demain matin, à l'heure précise du lever du soleil, quelqu'un qui m'emmène à la barque vers cette île de Tauris ! (Il lui glissa une pièce d'or et ajouta, en désignant la marmite :) On a beau dire, ces restes sont tout de même mieux dans mon estomac que dans n'importe quel baquet à déchets !

C'était sans doute censé être un compliment ; en tous cas, ensuite, l'inquisiteur ne lâcha plus la cuiller avant d'avoir atteint le fond du pot.

D'une voix rendue rauque par l'épuisement, la *qaria* acheva sa conférence. Dans la salle des livres, les lampes à huile diffusaient une lumière vacillante. La couronne de lumière qui entourait la silhouette enveloppée de voile rendait encore plus irréelle, mais aussi plus désirable cette créature que l'on avait présentée sous le nom de Eldjinn. Rik aurait pu jurer qu'il avait déjà rencontré cette femme. Il lança un regard interrogateur vers l'émir, de l'autre côté, mais celui-ci se contenta de secouer la tête imperceptiblement. Pendant tout ce temps, Kazar Al-Mansour s'était tenu au bord de l'estrade, plongé dans ses pensées, aux pieds de la lectrice. Il leva alors les yeux vers elle. Elle hocha la tête et se leva. Elle était mince, cette Eldjinn, ce n'était sans doute pas non plus la vieille femme qu'on aurait pu croire à sa voix. Elle tendit la main à l'émir et descendit les marches en évitant agilement les petites lampes à huile. Kazar Al-Mansour fit une révérence fugitive en direction des autres personnes présentes et quitta la pièce avec elle. Cette fois, c'est Rik qui s'adressa à cet Alékos.

— Comment se fait-il qu'un serveur d'auberge ait noté tout cela aussi précisément – et qu'il soit aussi capable de le décrire comme s'il avait été présent partout ?

Rik s'efforçait de reprendre le dessus, au moins dans son ton.

Alékos le regarda droit dans les yeux :

— Je sais écrire depuis mon enfance. Mon père était au service de l'empereur de Byzance.

Il laissa à Rik le temps de digérer ce petit coup, et reprit :

— Lorsque les enfants sont arrivés à Marseille, et en particulier lorsque Mélusine de Cailhac a pris ses quartiers à *L'Espadon mélancolique*, j'ai su qu'un événement singulier était survenu dans mon existence. Je ne pressentais pas ce qui allait se passer, mais j'ai aussitôt tout confié à mon journal – et j'étais curieux. Ma profession me permettait d'entendre beaucoup de choses, et de poser plus de questions encore. Ensuite, j'ai perdu mes notes, mais ma mémoire avait été suffisamment mise en éveil par cette rédaction pour que j'aie pu reconstituer d'après mes souvenirs, dans mes heures d'oisiveté, ce que vous écoutez aimablement à présent.

— Situation enviable, dit Rik. Cela m'est plus difficile. Mais il me faut sans doute apprendre qu'il existe des gens qui ont plus de choses à raconter qu'il n'en ont vécu.

Alékos n'avait aucune envie de s'expliquer, mais Timdal avait déjà une réponse toute prête.

— Toute personne qui écrit ou fait écrire n'est pas un poète, Messire mon Chevalier, mais c'est la liberté de tout écrivain que de formuler ce qu'il a entendu et même soupçonné comme s'il l'avait appris personnellement...

— D'autant plus que pour ce qui concerne ce « miracle de Marseille », intervint finalement Alékos, il s'agit d'une succession d'événements, d'imbrications et d'exacerbations dramatiques, tellement abondante et puissante qu'un cuisinier

digne de ce nom s'abstiendra d'y ajouter l'inutile et le men-
songer...

— C'est justement que la réalité dépasse toujours la fic-
tion! ajouta sagement le Maure. Surtout lorsqu'on sait l'ac-
commoder avec goût!

Alékos reprit le texte que la «lectrice» avait déposé sur
son estrade, et quitta la bibliothèque.

— La rédaction d'un tel rapport, dit Daniel, qui avait,
comme toujours, tout suivi de son pupitre, est comme le
tissage d'un gigantesque tapis – l'un s'occupe de filer, un
deuxième teint certains fils, un troisième encore fait passer la navette de part et d'autre, et c'est ainsi que naît...

— Vous avez oublié les moutons auxquels on a tondu
la laine, dit Rik avec une amère moquerie, le tapis est aussi
votre histoire.

— C'est sans doute vrai, ajouta Timdal, l'air songeur,
nous devrions y penser plus souvent, nous les survivants qui
nous allongeons avec bonheur sur ces couches pelucheuses
ou qui nous disputons pour quelques fils de laine d'origine
inconnue. Dans tous les cas, ils venaient d'un bon mouton
quelconque!

Rik le regarda, étonné. Il n'avait jamais pris particulièrement au sérieux le petit Maure. Il fit en silence ses
excuses à tous, notamment à cet Alékos. Il renonça aussi,
alors que tel était son projet initial, à demander à l'émir
pourquoi il ne lui avait pas révélé l'identité de cette mystérieuse Eldjinn, à lui, fidèle ami et précepteur du prince. Lui,
Rik van de Bovenkamp, n'était vraiment pas plus qu'un brin
de laine, un bélier qui avait échappé avec beaucoup de
chance au couteau du boucher. Il devait, pour cela, rendre
grâce à Allah!

Extrait du manuscrit de Mahdia
Le miracle de Marseille
Récit d'Alékos

La ville de Marseille ressemblait à un gigantesque
camp militaire. Mais alors que les troupes qui, d'ordinaire, y prenaient leurs quartiers avant l'embarquement,
étaient les bienvenues auprès des marchands et des putains,

dont elles assuraient le chiffre d'affaires, et acceptées, par la force des choses, auprès de la population qui redoutait leurs armes, cette croisade des enfants suscitait la désapprobation de tous. Ces groupes de gamins en haillons n'avaient ni armes dont il aurait fallu se garder, ni argent qu'on aurait pu leur ôter de la poche. Même les voleurs de bourses et les brigands n'y trouvaient pas leur compte.

Les enfants traînaient dans tous les coins de la ville, ils vivaient de rapines et de chapardages, faisaient leurs besoins dans les ruelles étroites, et ces mendiants pressants et rebelles importunaient jusqu'aux habitants les plus pauvres. Même les églises ne se réjouissaient pas de la présence des petits pèlerins qui, en quête de fraîcheur et de nuits plus sèches, avaient depuis longtemps occupé toutes les maisons de Dieu. Ils passaient certes leur journée à chanter des cantiques, et priaient à voix haute lorsqu'un prêtre se montrait, mais les fidèles n'osaient plus se rendre à l'église, et les enfants avaient depuis longtemps pillé les troncs. Et comme les intrus faisaient du passage dans certaines ruelles un véritable chemin de croix pour leurs habitants, ceux-ci ne tardèrent pas à se rebeller et à prendre des postures menaçantes. Timdal percevait de plus en plus fortement cette tension – mais le Maure évitait consciencieusement de se joindre aux différents groupes, et nul ne le prit pour un participant à la croisade.

Pour faire plaisir à Mélusine, toujours accablée par son chagrin d'amour et qu'il admirait de tout son cœur, parce qu'il la considérait comme sa maîtresse, elle s'était mise en quête de son blond chevalier allemand. Mais il ne rencontra que Luc de Comminges. Le *vicarius Mariae* errait sans but dans la ville, et n'était nullement désireux de transmettre l'ordre de Stéphane : tous devaient, au matin, se rendre en rangs bien formés à Saint-Jean, puis se prendre par la main et, formant ainsi une chaîne vivante, invoquer la mer. Stéphane ordonna au Maure de rentrer au plus vite à *L'Espadon mélancolique* et d'exhorter sa maîtresse à ne pas quitter le couvert de cette maison, car un malheur se préparait en ville. Mais cela, Timdal, lui aussi, l'avait compris depuis longtemps, et leurs chemins ne tardèrent pas à se séparer de nouveau.

Le *vicarius* chercha et trouva aussi certains des « petits apôtres » envoyés en mission dans les différents quartiers ; le plus souvent, ils s'étaient installés sur des places, devant des églises ou près de puits. Il négligea de les inviter au jeûne : de toute façon, la plupart d'entre eux n'avaient rien à se mettre sous la dent. En revanche, Luc transmit, à dessein, la nouvelle que si, le lendemain, le miracle promis ne se déroulait pas, la croisade quitterait Marseille, ville inhospitalière et ingrate. Il se heurta à une apathie généralisée ; rares étaient ceux qui alimentaient encore la braise joyeuse de la confiance et de la bonne humeur ; la plupart semblaient fatigués ou irrités, la faim et l'hostilité qu'on leur opposait de plus en plus souvent les avaient rendus sourds. Les « apôtres » écoutèrent certes leur *vicarius Mariae*, mais il ne toucha pas leur cœur – il eût fallu que Stéphane apparaisse en personne, or celui-ci restait dans son cloître et se querellait avec son Dieu. Luc implorait les chefs des différents groupes de serrer les rangs et de ne pas provoquer inutilement les habitants de la ville. Il sentait depuis très longtemps de grandes ombres pousser derrière lui et des mains invisibles tenter de s'emparer de lui. Il errait dans les rues, qui lui parurent soudain désertes et mortes.

Timdal rentra dans la caverne, sur le port. Les cadavres avaient presque tous disparu du môle. On voyait désormais à leur place des enfants qui s'étaient traînés jusque là, créatures agonisantes attirées par ce lieu de mort ou déposées à même la pierre par leurs camarades. Blanche et quelques autres jeunes femmes marchaient, courbées, entre ces créatures, et leur distribuaient de l'eau. Mélusine venait juste d'apparaître au seuil de la porte, avec deux nouveaux seaux. Timdal les lui prit et les renvoya chez elles. Mélusine sourit, reconnaissance, à son Maure, et obéit à cette invitation énergique. Servir son prochain d'une manière aussi directe, surtout lorsque les nécessiteux étaient aussi nombreux et désespérés, risquait d'être au-delà de ses forces. Monsignore Gilbert, l'inquisiteur, se tenait dans l'auberge et observait avec inquiétude les événements qui se déroulaient devant la maison. Dehors, l'obscurité tomba rapidement. Mélusine se reprit et avala une bonne rasade du vin qu'on lui proposait.

Timdal raconta que des pillages en bonne et due forme avaient eu lieu, suivis par contrecoup des premières bagarres, lesquelles, sous le poids de la haine accumulée, s'étaient rapidement transformées en rixes sanglantes. On disait qu'il y avait déjà eu des morts. La ville n'était pas encore en insurrection, mais il n'en faudrait pas beaucoup plus – Marseille ressemblait à un fût de « feu grégeois » : une fois qu'il aurait explosé, l'eau ne servirait plus à rien pour éteindre l'incendie. Gilbert de Rochefort, l'air sombre, regardait à l'extérieur, où la nuit tombait. À la lueur des torches, tout ce qui se déroulait dehors paraissait encore plus menaçant. Il voulut dire « Prions ! », mais s'en abstint et se versa un nouveau verre de vin.

Dans le cloître de Saint-Jean, Stéphane, accablé, faisait les cent pas. Le « prophète mineur » n'osait pas quitter les lieux. Tout ce que ses « archanges » ou ses « petits apôtres », qui n'étaient plus nombreux à se montrer, lui avaient raconté en revenant de la ville, lui avait ôté toute envie de se hasarder à l'extérieur et en pleine nuit. D'un autre côté, il était rongé par le doute : était-ce une bonne idée de charger le *vicarius Mariae* d'effectuer toutes les démarches nécessaires pour le lendemain ?

— La mer, la mer ! soupirait-il lorsque seul Étienne était à proximité – car les « archanges » avaient allumé près du trône un feu destiné à se protéger de l'humidité glaciale qui s'infiltrait à présent entre les murs. Elle s'ouvrira pour nous ! implorait-il en dévisageant Étienne. Il le faut !

Ces lamentations devenaient insupportables à Étienne.

— Que ferons-nous au juste si cela se produit ? demanda-t-il avec une feinte naïveté. Combien de temps allons-nous marcher sur le fond de la mer ? Quelle consistance peut-il bien avoir ? Avec quoi allons-nous apaiser notre faim ?

Stéphane le regarda, effaré et muet. On entendit alors, derrière un pilier, s'élever la voix de Luc.

— Vous n'avez donc encore jamais entendu parler de la manne céleste ? (Il se campa devant Stéphane.) C'est ainsi que le Seigneur a nourri Son peuple lorsqu'il traversait le désert. Pourquoi le refuserait-Il à ses enfants ? (Le vicaire lança encore une pique à son rival :) En tout cas, là-bas, vous ne pourrez pas les nourrir avec des bourses volées.

Avant qu'Étienne n'ait pu se jeter sur Luc, Stéphane s'interposa entre les deux garçons.

— Lorsque les bergers se disputent, le troupeau s'enfuit ! lança-t-il à Luc, d'un ton paternel. Jeûnez-vous ? demanda-t-il d'abord à son vicaire ? Participerez-vous à la chaîne ?

Luc eut un rire amer.

— Nous devons relever les « apôtres » de leur mission et les remplacer par les gardes ! (Il avait soigneusement préparé ses revendications et leur présentation.) Seuls les hommes de la noblesse à cheval sont en mesure de rétablir la discipline indispensable à la bonne marche de cette entreprise. Je la mènerai en personne !

— Le malheur et la grande souffrance que vous avez provoqués jusqu'ici, ô *vicarius Mariae*...

Stéphane lui intima l'ordre de se taire.

— Pardonnez à Luc, comme je lui pardonne moi-même, ses manières courtoises qui lui auraient fait préférer une bannière profane au service de notre Seigneur Jésus...

Mais Étienne ne se laissa pas bâillonner.

— Nous devrions renoncer à cette route commode à travers la mer s'ouvrant devant nous. Il faudrait nous mettre en route, par la voie terrestre, comme l'ont fait toutes les croisades avant la nôtre, afin de conquérir la sainte Jérusalem !

— Je suppose que vous vous proposez de diriger ce cortège d'enfants pieds nus et en haillons ? fit Luc, moqueur, mais Étienne ne se laissa pas désarçonner.

— Le départ doit avoir lieu immédiatement. C'est Stéphane, et nul autre que lui, qui doit prendre la tête du convoi.

— Il faut apprendre à attendre le signe de Dieu, Étienne ! l'interrompit Stéphane avec douceur. La seule chose importante, c'est que nous atteignions la Terre Sainte – que nous nous y rendions par les airs, comme des oiseaux, ou à la nage, comme des poissons.

— Observez-les donc, eux! répliqua Étienne. Eux n'hésitent pas, eux ne font pas de halte!

— De la patience, mon ami, lui demanda Stéphane, qui souriait toujours. La foi transporte des...

— L'attente nous tuera, elle nous broiera, elle étranglera ton idée grandiose, Stéphane!

— Si tu n'étais pas un simple cabot glapissant, on pourrait te reprocher plus que de la pusillanimité, Étienne, fit Luc, profitant de l'occasion pour rendre à son adversaire la monnaie de sa pièce. (Car Stéphane s'était tu sous le poids de cette prophétie.) On pourrait aussi t'accuser de désobéissance. Dieu a délivré sa parole par l'intermédiaire de Son serviteur, Stéphane, et Son ordre était: « Je partagerai les eaux devant toi comme je l'ai fait pour Moïse. »

Le vicaire vérifia l'effet de son prêche, et notamment l'impression qu'il avait produite sur Stéphane.

— Le fait de ne pas pouvoir attendre prouve seulement que l'on n'est pas digne de l'honneur de Dieu.

Il avait prononcé ces paroles à voix basse, sur le ton de l'interrogation, de telle sorte que Stéphane comprenne bien qui, ici, n'en était pas digne, et qui se plaçait même en opposition ouverte avec le commandement divin. Cet Étienne était un tentateur, un perturbateur, habité par le diable en personne! Luc plongea la main sous sa bure pour y attraper sa croix de bois, et la brandit, dans une attitude dramatique, face au misérable petit voleur.

— Recule, Satan! cria-t-il d'une voix rauque.

Étienne sourit, mais Stéphane posa le bras sur son épaule et força l'insurgé à le regarder en face.

— Ne me quitte pas, frère, dit-il en espérant gagner la confiance d'Étienne. Dieu nous met à l'épreuve.

Il cherchait une conclusion solennelle. Luc la lui apporta:

— C'est la détresse qui nous fait accéder à la dignité...

— ... comme, jadis, pour les enfants d'Israël.

Stéphane était tellement ému que les larmes lui montèrent aux yeux. Étienne, lui, baissa les siens. Il ne pouvait pas supporter de voir Stéphane pleurer. Seul le regard réprobateur du vicaire, qui voulait sans doute dire « Regarde donc ce que tu as fait! » l'incita à s'arracher à cette scène; ils étaient aussi entêtés l'un que l'autre, Stéphane avec sa conscience de sa mission, le dominicain dans sa quête de pouvoir. S'il n'avait pas une contre-position solide à faire valoir, Étienne, le petit voleur, n'obtiendrait rien, et surtout pas que les deux autres renoncent à espérer la survenue d'un miracle. Lui, Étienne, ne croyait pas aux miracles, et encore moins à l'ouverture des mers ! Dans un accès de sentiments fraternels, il serra gauchement Stéphane dans ses bras.

— Je serai le dernier à t'abandonner, dit-il d'une voix ferme. D'autres t'auront trahi avant la levée du jour !

Et sur cette phrase, il se retira en abandonnant les deux autres.

À l'auberge de *L'Espadon*, cette nuit-là, Mélusine était encore assise en compagnie de sa servante, Blanche, et de son Maure, Timdal. Les deux femmes s'inquiétaient à présent de ne pas voir revenir leurs amis – Mélusine se faisait du souci pour Paul, cet entêté, et Blanche pour son Étienne. Le serveur revenait constamment pour remplir la cruche, seul Timdal ne prenait aucun plaisir à cette consommation démesurée de vin (au fond de son cœur, il était toujours resté musulman), raison pour laquelle il prit bientôt congé pour aller dormir dans l'écurie. Alékos bâilla à plusieurs reprises pour signifier qu'il aimerait lui aussi profiter d'un repos bien mérité, et Mélusine finit par quitter la table sur un coup de tête. Elle demanda à l'aubergiste de raccompagner Blanche à l'étage, car la jeune fille avait absorbé plus d'alcool qu'elle n'en pouvait supporter. Quant à elle, Mélusine, elle voulait aller rapidement s'enquérir de Timdal afin de régler un problème pour le lendemain. Elle attendit qu'Alékos eût fait remonter l'escalier à Blanche, qui s'agrippait à lui, puis elle quitta l'estaminet d'un pas rapide, empruntant non pas la sortie de derrière, qui donnait sur la cour, mais celle de devant, qui ouvrait sur le quai plongé dans la nuit.

Étienne errait dans les ruelles et les cours obscures. Il y avait une chose que les enfants avaient apprise au cours de ces deux jours : ils devaient rester près les uns des autres pour ne pas être chassés à coups de pierres, comme des cabots gênants. Ils étaient donc assis sur les places autour de grands feux de camp, si possible à proximité de puits et de lavoirs, ils se frottaient, se pressaient les uns les autres jusqu'à ce que le sommeil finisse par s'emparer d'eux. La plupart des rues autour d'eux s'étaient vidées de manière menaçante, lorsque la colère des gens de la ville ne s'exprimait pas déjà à travers la présence de groupes armés de bâtons. Tous les marchés, toutes les ruelles commerçantes étaient désormais surveillés, le bruit courait que sous l'arc du grand marché aux fruits, deux corps émaciés pendaient au bout de minces cordes, avertissement adressé à tous les autres. Étienne aurait pu en témoigner : dans sa marche sans but, il était arrivé précisément là où se croisaient la ruelle des marchands d'huile et celle des boulangers. L'odeur du pain frais l'attirait irrésistiblement, de telle sorte qu'il ne fit pas attention aux corps suspendus au-dessus de lui. Il se contentait de regarder, captivé, la braise des fours et les longues miches de pain fumantes qu'ils éclairaient, lorsque des bras nus et puissants sortirent de l'obscurité et s'emparèrent de lui. Mais les apprentis boulangers n'avaient pas compté sur l'agilité du petit voleur. Étienne plongea instinctivement sous les poings blanchis par la farine, se recroquevilla comme un hérisson en boule et roula entre les deux jambes trapues. Partir en courant, il le savait par expérience, était la plus grosse erreur qu'il pouvait faire à présent. Il sauta donc dans un coin sombre et laissa ses assaillants se perdre et se bousculer. Lorsqu'il fut certain qu'ils avaient abandonné leur traque, il quitta prudemment sa cachette.

Mélusine, légèrement éméchée, était partie marcher dans les rues comme une somnambule. Elle ne voyait pas les menaces qui pointaient de toute part et ne s'interrogeait pas un seul instant sur sa légèreté d'esprit – elle aurait au moins dû prendre Timdal avec elle. Attirée par des braillements, elle se retrouva sur une petite place au centre de laquelle se dressait une vieille église. Une foule furibonde entourait la maison de Dieu ; devant l'unique porte de l'édifice on avait déposé une gigantesque montagne de bois et de broussailles, de hardes, de pailles et de corbeilles éventrées. Le même genre de tumulus s'élevait devant les hautes fenêtres et certains brûlaient déjà – leur fumée âcre embrumait l'église. De l'intérieur, on entendait les cris désespérés des enfermés qui frappaient à poing nu contre les portes.

— Brûlez-les tous ! criaient quelques femmes. Enfumez ces rats !

Un gros prêtre tenta de dissuader ceux qui voulaient aussi, à présent, mettre le feu au bûcher installé devant la porte de l'église.

— Vous vous en prenez au corps du Christ ! leur lança-t-il d'une voix tremblante, mais ils l'écartèrent.

Dans un crépitement, la paille et les branches sèches s'enflammèrent ; dans le même temps, les vitres de l'une des fenêtres se mirent à tinter ; les premiers corps des malheureux, fous d'angoisse, sautèrent vers les flammes sous les acclamations de la masse déchaînée qui repoussa, impitoyable, ceux qui voulaient échapper à la fournaise en rampant. Mélusine ne supporta pas ce spectacle plus longtemps. Elle bondit en avant et tira des flammes une jeune fille dont la coiffure était déjà totalement roussie ; mais déjà, quelques brutes lui barraient le passage :

— Remets-la au feu !

Mélusine se campa au-dessus de la jeune fille, les femmes se mirent à crier :

— Toutes les deux ! Envoyez ce tas de rats au diable !

Mélusine tira sur le bras flasque, pour traîner loin de là la malheureuse créature. Mais des mains étrangères lui attrapèrent les jambes, tandis que d'autres la frappaient.

— Au nom de la Sainte Inquisition ! hurla une voix derrière elle. Cette femme relève du tribunal !

On s'empara de Mélusine, les poignes puissantes des « archanges » la poussèrent sur le côté, il ne s'en serait pas fallu de beaucoup pour qu'on la chasse à coups de poings. Puis elle se retrouva devant Luc.

— Disparaissez d'ici, Mélusine de Cailhac ! lui lança-t-il dans un feulement. Mettez-la dehors ! ordonna-t-il à ses hommes. Revenez dans la taverne, près du port !

Mélusine fut emportée comme une prisonnière ; on la déposa sur un cheval. Derrière elle, la petite église partait en fumée.

Le matin pointait déjà à l'orient lorsque Étienne arriva, traînant dans son sillage un mélange bouillonnant de colère populaire surchauffée et de désespoir. La détresse de ces enfants étrangers ne fit que semer l'émoi et la haine parmi les habitants de la ville, qui n'étaient pas, il est vrai, d'une grande sensibilité. Ils étaient habitués à faire face aux agressions des pirates et des Sarrasins, mais pas à un pareil mélange d'indolence et de négligence.

Lorsque ces habitants, bons bourgeois et petites gens, eurent calmé leur esprit, ils allèrent se coucher, laissant les enfants sur les places, accrochés comme des grappes autour de leurs chefs, les « petits apôtres ». Il était tout simplement impossible d'abattre ou de brûler vifs entre vingt mille et vingt-cinq mille enfants – on n'était pas même en mesure de les enfumer ! Étienne, qui se dirigeait vers la taverne, réfléchissait, déprimé, à la situation. Il y avait tout de même un risque que beaucoup de ses croisés subissent ce sort s'ils traînaient encore dans la ville au lever du soleil.

Il laissa aller son regard sur les légions d'enfants en haillons assis des deux côtés de l'ancien bassin portuaire ; à gauche, ils s'alignaient jusqu'au fort surmonté d'un phare ; à droite, jusqu'à l'église de Saint-Jean, avec ses allures de forteresse. Leurs jambes pendaient dans l'eau saumâtre ; d'autres s'étaient installés sur les quais, à l'ombre des rouleaux de cordes, des empilements de voiles et des monticules de filets de pêche. Ils ressemblaient à de petits oiseaux affamés tombés du nid, serrés les uns contre les autres, le bec ouvert, sans même la force de crier pour demander à manger ou appeler leur mère. Leur désarroi plongea Étienne dans la peine.

Devant *L'Espadon mélancolique*, Alékos, l'aubergiste, balayait les pierres. On lisait la fatigue sur le visage du jeune homme, mais Alékos l'informa immédiatement que Messire l'inquisiteur l'attendait déjà : Étienne devait le conduire à la rame sur l'île de Tauris.

Étienne hocha la tête, résigné. Mais son instinct se réveilla :

— Trois poissons grillés ! demanda-t-il. Ou bien je m'effondre sur place !

Alékos, satisfait d'avoir pu transmettre son message à si bon prix, le poussa dans la salle de son caboulot.

Guillem le Porc arriva à Tauris avec la première barge, celle du petit matin. Des corps, le plus souvent calcinés, constituaient le butin de cette nuit agitée. Il laissa Barth Rotsturz et ses auxiliaires enchaînés décharger l'embarcation, et monta vers la tour de son compagnon.

— Les rats nous bouffent nos déchets! se plaignit-il en montant l'escalier extérieur.

Mais Hugo de Fer ne le laissa pas poursuivre son lamento:

— Ne parle pas avec tant de dédain de nos chères pièces d'or!

— Mais les consuls m'ont très officiellement chargé d'éliminer les cadavres! protesta-t-il.

— J'ai pour ma part une bien meilleure affaire: des enfants vivants! répondit Hugo avant de l'emmener dans la tour et de lui présenter son invité: Mgr Gilbert de Rochefort.

L'inquisiteur se serait certes imaginé qu'un ancien amiral aurait meilleure allure que ce Guillem, cette panse sans cou ni cheveux, cette créature mal dégrossie. Mais après tout, il n'était pas venu pour conclure un accord entre gens du beau monde.

— Eh! bien, lança-t-il sur un ton jovial, calculons donc ce que chacune des parties pourra en tirer!

Devant l'île, Étienne attendait dans la coquille de noix que l'auberge avait mise à leur disposition. Il était mort de fatigue. Mais s'il laissait le sommeil s'emparer de lui, les vagues le jetteraient par-dessus bord. Il descendit donc à terre, sur les rochers, et chercha un petit coin où il pourrait dormir sans être dérangé jusqu'à ce que Messire l'inquisiteur revienne. C'est alors que son regard tomba dans la baie voisine, où deux hommes, tenus par une longue chaîne de fer, déchargeaient d'une barge ventrue des corps qu'ils empilaient les uns sur les autres. Ils les attrapaient l'un par les pieds, l'autre par les bras, prenaient leur élan et les jetaient sur le grand tas. C'est alors qu'Étienne aperçut Paul! Le jeune homme eut un instant l'envie de se faire reconnaître par des cris ou des signes, mais il n'eut aucun mal à comprendre, en regardant la chaîne de fer, que les propriétaires de l'île ne seraient pas forcément réjouis par cette prise de contact. Il se contenta donc d'observer cette scène macabre. Il avait compris que ces corps étaient certainement ceux des enfants noyés qu'on avait laissés toute une journée durant devant la taverne, sur les pierres du quai. Il regarda autour de lui : où pouvait bien se trouver le cimetière où l'on comptait enterrer tous ces cadavres ? Il ne découvrit rien de tel dans les ravines qui sillonnaient l'île.

La voix sonore de l'inquisiteur retentit alors au-dessus de lui. Sur l'escalier taillé dans le roc, ses hôtes raccompagnaient Monseigneur à son embarcation. Étienne bondit sur ses jambes.

— Là, en bas, il y a Paul ! s'écria-t-il en désignant les deux silhouettes qui charriaient les corps inertes.

Gilbert de Rochefort fronça les sourcils.

— Je préférerais, lança-t-il à Hugo de Fer, que ce jeune homme, en bas, puisse m'accompagner en ville.

Il avait prononcé ces mots sans la moindre intonation, certain qu'on n'opposerait pas un refus à sa demande. Mais Hugo le regarda avec étonnement et envoya Étienne préparer le canot.

— Monsignore, fit-il lorsque le jeune homme se fut éloigné, voulez-vous donc mettre notre commerce en péril, en laissant une bouche inutile, que nous avons jusqu'ici bâillonnée, raconter en détail quelles sont nos activités – *vos* activités ? Pensez-vous qu'ensuite, ils se presseront encore sur les navires, de leur propre chef et avec enthousiasme ?

L'inquisiteur répondit avec un sourire crispé :

— Une autre personne constitue un bien plus grand danger, fit-il avec le ton supérieur d'un conjuré. Cette personne est trop proche du « prophète mineur » et pourrait bien le convaincre d'abandonner cette croisade.

Il attendit de voir l'effet qu'il produisait. Les traits grossiers de Hugo s'assombrirent, les joues rouges du Porc se mirent à pâlir.

— Et comme je connais cette tête de lard, il mettra sa menace à exécution si, d'ici midi, le miracle promis aux enfants n'intervient pas. À moins que…

— À moins que cet agitateur ne soit réduit au silence, ajouta Hugo.

— Comment s'appelle-t-il, et où notre Guillem le trouvera-t-il ? demanda le Porc, le souffle court.

— Il se fait appeler *vicarius Mariae*, lui répondit l'inquisiteur. Allez à Saint-Jean demander où il se trouve, mais épargnez sa vie. Tout comme celle de votre « auxiliaire volontaire », ajouta-t-il en désignant la baie cachée.

— Vous pouvez être certain, Monsignore, s'exclama Guillem, que nous ne réduirons pas inutilement le nombre convenu des marchandises. Ces deux lascars auront à tout coup une place à bord. (Il s'assura tout de même que son complice partageait cet avis et ajouta :) Car ici, à Marseille, nous ne voulons plus les voir.

Hugo de Fer laissa échapper un sourire agacé, et tous deux raccompagnèrent leur hôte jusqu'à son embarcation.

— J'apprécie votre circonspection et votre silence, mon cher Étienne, dit l'inquisiteur lorsqu'ils approchèrent de l'entrée du port. La corvée désagréable que l'on impose provisoirement à votre ami Paul ne ferait que susciter une excitation inutile de Mélusine. Vous voudrez donc bien ne rien dire de ce que vous avez vu – d'autant plus que Paul sera très prochainement parmi vous.

Étienne, qui ne voulait pas mettre en jeu la vie de Paul, n'eut d'autre choix que de répondre par un hochement de tête au regard de l'inquisiteur.

— Pour votre part, Étienne, ajouta celui-ci, vous resterez désormais jour et nuit à proximité des dames. Cela signifie que vous ne quitterez plus la taverne avant que je ne vous aie donné l'ordre d'en sortir. Des puissances obscures sont à l'œuvre et menacent la vie de Mlle de Cailhac. Faites donc en sorte qu'elle s'adonne à la boisson dans cette auberge, plutôt que de traîner seule dans les rues de Marseille.

— Voilà de bien dures paroles pour une jeune fille qui ne ferme pas son cœur au malheur des autres !

Armin von Styrum était revenue à Mahdia de son propre chef. Comme à l'habitude, cette nature indépendante ne s'était pas annoncée et ne s'était pas demandé si sa présence était souhaitée. Elle coupa aussi l'herbe sous le pied de l'émir en se dirigeant droit vers l'estrade illuminée, en soulevant la lectrice et en la serrant fort dans ses bras :

— Edjinn, mais pourquoi vous tourmente-t-on donc ainsi, ma chère ? fit-elle en simulant l'indignation. Quelle est donc cette corvée que l'on impose ici à votre voix, sans vous laisser la moindre pause, sans le moindre égard pour la sensibilité d'une gorge si douce ?

— C'est un service que je rends à ma sœur ! l'interrompit la jeune femme voilée. Et un service que je rends volontiers !

Elle ôta d'un seul coup la *bourca* de sa tête et se retrouva devant tous, tête nue, les cheveux coupés courts, comme un jeune chevalier d'un ordre religieux. Elgaine regarda à la ronde, en souriant. Ses yeux se portèrent d'abord sur l'émir, mais Kazar Al-Mansour, assis, avait la tête entre les mains. La djinn dévoilée salua Daniel d'un geste amical, adressa un clin d'œil au petit Maure, puis fixa son regard sur Rik.

— Comme on se retrouve, Rik van de Bovenkamp ! fit-elle à voix basse, sans bouger de sa place.

Rik sortit de son hébétude :

— Si je dois être le dernier à apprendre que vous avez heureusement survécu, fit-il (tandis que l'émir n'avait toujours pas levé les yeux) et par quels hasards vous êtes arrivée jusqu'ici, Elgaine d'Hautpoul, c'est manifestement qu'un secret rigoureux entoure votre personne...

— Ici, je suis chair et sang !

Sa voix était taquine, mais nullement désagréable. Rik s'efforçait de suivre le fil de ses propos. Il était ahuri et agacé de ne pas avoir compris plus tôt...

— Vous me permettrez donc au moins de faire un saut dans le passé et de demander une réponse à cette question qui n'en a pas encore eu : que s'est-il passé, à l'époque, à Palerme ? Quel mystère recelait au juste cet anneau que je possède encore, ou plutôt : de nouveau ?

— Quel anneau ? répliqua froidement Elgaine. Il y en a deux.

Irmgard se sentit dans l'obligation d'intervenir.

— Elgaine pourra vous le raconter une autre fois ! Pour l'instant, la pauvrette a besoin de repos, d'une journée de calme ! affirma-t-elle d'un ton sans réplique.

L'émir se redressa enfin, laissant voir un visage tourmenté ; son regard cherchait celui de Rik.

— Pardonnez-moi d'avoir, par égoïsme, négligé tous vos efforts...

— Je vous en prie, ma situation n'est pas si effroyable, répondit Elgaine d'une voix rauque, que je refuse d'aider mon vieil ami allemand à sortir de l'ornière !

Irmgard baissa les bras :

— Si Rik insiste pour que sa curiosité soit satisfaite sur-le-champ, je vous demanderais au moins, chère Elgaine, de soigner vos cordes vocales ! (La jeune demoiselle de Styrum lança un regard de défi à l'émir.) Qu'on lui apporte une boisson chaude – avec beaucoup de miel ! ordonna-t-elle.

— Comment cela, deux anneaux ? demanda Rik.

Elgaine se tourna vers Daniel, l'air interrogateur. Le scribe avait déjà plongé sa plume dans l'encre.

— Le deuxième anneau, c'est Mourad, le *mou'allim* du roi, qui en avait passé commande. Était-ce par vanité blessée ? Ou par désir aveugle de vengeance contre une Église chrétienne qui tentait de l'éliminer, lui et l'influence qu'il exerçait sur Frédéric ? En tout cas, ce geste irréfléchi plaça la Couronne dans le plus grand péril.

— Un poison dissimulé ? songea l'émir à voix haute.

— Oui, l'anneau contenait une sorte de poison ! confirma Elgaine. Un poison qui n'aurait pu produire son effet mortel que sur le futur roi d'Allemagne, Frédéric. Et pour combler le tout, le *mou'allim*, vexé, en avait, en toute ingénuité, laissé la recette au joaillier. Désormais, la menace planait au-dessus des conjurés comme une épée de Damoclès, car Mourad m'avait tout avoué. À peine le soir était-il tombé sur Palerme que nous quittâmes tous deux le palais royal, rejoignant en toute hâte l'atelier de Lofti, l'orfèvre. Nous le trouvâmes dans son arrière-boutique, baignant dans son sang. L'Inquisition avait été plus rapide, mais elle n'avait pas achevé sa besogne. Lofti respirait encore ; Mourad lui demanda s'ils avaient mis la main sur son texte. Le vieux Lofti ouvrit encore une fois les yeux ; très lentement, sa main désigna sa bouche et sa gorge avant de redescendre, épuisée, vers son ventre. Puis il mourut sans une plainte. Si nous ne nous méprenions pas sur son geste, Lofti avait avalé les lignes en question. Par sécurité, nous fouillâmes encore les caisses et les baquets de l'atelier. Nous ne trouvâmes aucune trace du parchemin. Mais tout au fond d'un récipient où se trouvaient sans doute toutes les chutes de métaux précieux, je trouvai l'anneau d'or – le premier, celui qui portait le serment d'amour de la reine. Lofti l'avait certainement déjà forgé au moment où Mourad avait modifié la commande. Le joaillier avait donc réalisé un deuxième exemplaire. C'est celui-là que j'étais passée prendre, c'est avec lui que Friedrich avait commencé sa « chevauchée royale » en direction de l'Allemagne. Je pris le premier exemplaire avec moi. Mourad jugea prudent de quitter la ville la nuit même. Vous connaissez le reste de l'histoire, ajouta Elgaine. Mon cher Rik, je jetterais volontiers un coup d'œil sur l'anneau que vous conservez.

— Nous avons vraiment le temps pour cela ! intervint Irmgard.

On servit la boisson au miel qu'elle avait commandée.

— Si vous me le permettez, intervint l'émir, j'aimerais moi aussi voir un jour cette bague d'un peu plus près. Tel que je vous connais, Rik, vous n'avez pas encore pris le temps de l'observer attentivement ?

Rik rougit comme un écolier pris sur le fait. Tout le monde éclata de rire.

— Demain ! concéda-t-il, confus.

— Demain, Elgaine se reposera, décida Irmgard. C'est moi qui parlerai à sa place !

Extrait du manuscrit de Mahdia
Dans les glaces
Récit de Daniel et d'Irmgard von Styrum

Le gros des Allemands, sous la direction de leur chef Niklas, avance pour sa part lentement sur la route des lacs du Jura, en direction de Genève qui leur ferme ses portes, les forçant à avancer vers le sud, où les attendent les sources chaudes. La croisade s'arrête donc *de facto*, les enfants se laissant bercer d'illusions par le doux automne de la Savoie. Les raisins juteux ou déjà confits de la vigne, les noix et les châtaignes contribuent à leur donner cette sensation de bien-être. Toutes les angoisses qu'inspirait le futur franchissement des chaînes alpines sont oubliées ; on songe désormais à y renoncer et à se diriger vers la Méditerranée en traversant la Provence.

À ce moment, moins de cent lieues séparent les Allemands de la vallée du Rhône, dans laquelle les retardataires du cortège français se sont dirigés vers Marseille. Ce n'est pas Ripke, le colonel, mais Daniel, le légat, qui s'est vivement opposé à ce projet. Il n'a dit à personne, pas même à Niklas, ce qui l'avait incité à le faire. C'était sans doute la crainte de perdre en France son petit pouvoir, de repasser sous la tutelle de Mgr Gilbert de Rochefort – ou du moins sous celle de l'orgueilleux Luc de Comminges. Jadis, personne ne lui faisait la leçon – et aujourd'hui encore, il réfute ce genre de mobiles. S'il s'est imposé, c'est parce qu'en dépit de toute raison, Ripke a prôné la même solution que lui. Ils ont choisi de passer la montagne au col du Mont Cenis. Niklas, le « Sauveur », aurait accepté n'importe quoi pourvu que le mouvement s'empare de nouveau de ces masses paresseuses dont l'armement restait totalement insuffisant et qui, peut-être sous l'effet du flot constant de vin qui se déversait sur elles, ne songeaient pas un instant à faire des provisions pour les semaines à venir.

— C'est insupportable !

En signe de protestation, le scribe Daniel lança sa plume par terre, où elle s'écrasa dans un giclement d'encre.

— J'ai accepté que Mlle von Styrum me taxe d'ingénuité. Mais d'infamie, ça, non ! (Il piétinait à présent sa plume.) Dès notre passage à Cologne, le projet de Niklas et de ses gens était clair : il s'agissait de franchir les Alpes et de se diriger vers l'Italie afin qu'avec la bénédiction du pape…

— Dans ce cas, le col le plus proche eût sans doute été celui du Saint-Gothard, fit Rik, moqueur, en interrompant la diatribe du *katib*.

— C'est bien à vous de me le reprocher! répondit le scribe en écumant. Votre arrogance, l'égoïsme de ces messieurs de la noblesse qui, près de Bâle, nous ont fait mettre le cap sur l'Ouest, nous ont placés dans cette situation et nous ont fait perdre un temps considérable!

— Grotesque! s'exclama Irmgard, désireuse de défendre elle-même le contenu de sa chronique. Où allons-nous si la plume refuse d'écrire dès que le mot prononcé ne convient pas à la main qui la dirige?

— Arrêtez! retentit alors la voix de l'émir, que tout cela agaçait visiblement. Je pense que tous ceux qui ont participé à cette folie, que ce soit du côté allemand ou dans le camp français, qu'ils appartiennent à la haute noblesse de l'Occident ou au Bas Clergé, ont porté tant de responsabilités dans les erreurs de comportement et les effroyables péchés – ils sont allés jusqu'aux crimes – qu'aucun des survivants n'a le droit de porter un jugement sur les autres!

L'émir fit une pause, le temps que les esprits s'apaisent dans la salle des livres.

— Il est hors de question, *katib* Daniel, que vous refusiez de consigner cette histoire, car c'est à *moi* que vous devez ce travail. Si vous avez un complément à apporter, ou une rectification à faire, veuillez l'ajouter à la suite du texte – mais par écrit! Cette liberté vous est accordée en permanence. (Kazar Al-Mansour, toujours invisible, toussota.) En revanche, chaque chroniqueur, et cela ne vaut pas seulement pour Armin von Styrum, est tenu de modérer ses propos sur les personnes présentes, ou d'en convenir avec moi au préalable. J'accepte tout à fait d'entendre toute sorte de querelles, mais pas les règlements de compte tardifs fondés sur la vengeance, ni les diffamations mal dissimulées. Continuez, Daniel!

Extrait du manuscrit de Mahdia
Dans les glaces
Récit de Daniel et d'Irmgard von Styrum

Seule la vue des sommets blancs et découpés des Alpes incite Irmgard, dite « Armin » de Styrum, à rejoindre le camp du légat Daniel. En dépit de la résistance initiale du colonel Ripke, et sans demander au « Sauveur », ils donnent à la croisade l'ordre de reprendre sa marche, d'essaimer encore une fois de tout côté et, plutôt que de se servir au petit bonheur, d'organiser la collecte de provisions en quantité suffisante, et de se procurer aussi, dans toute la mesure du possible, vêtements chauds et chaussures solides. Ripke finit par se montrer compréhensif – ou, du moins, par sembler approuver les mesures prises par Irmgard et Daniel – il craint en effet d'avoir à faire face à une effroyable mêlée quand tous en même temps devront emprunter le sentier très étroit.

Niklas, le « Sauveur », se met en rage lorsqu'on l'informe de cette décision. Il démet aussitôt de leurs fonctions son colonel et le légat, charge Armin de Styrum, dont il ignore qu'elle a participé à la conjuration, de le représenter désormais, et ordonne à sa garde rapprochée, les hommes qui lui obéissent personnellement, de se mettre aussitôt en route, avec lui, en direction des montagnes.

Ni Ripke, ni Daniel, ne se soucient de cette décision ; ils se mettent d'accord pour que Daniel prenne la direction de l'arrière-garde. Ripke espère ainsi que le légat héritera de tous les problèmes avec laquelle il doit se battre en permanence, notamment lorsqu'il insiste pour que tous respectent ses consignes et fassent des provisions avant de partir. Ripke donne l'exemple : ceux qui ne peuvent pas montrer qu'ils sont correctement équipés et qu'ils détiennent un sac plein de nourriture non périssable sont impitoyablement renvoyés à l'arrière. L'intention de Ripke est d'ouvrir la marche avec les meilleurs éléments. Il considère que ceux qui, par habileté, pillage ou vol, sauront se procurer rapidement le paquetage indispensable, seront aussi assez solides pour faire le voyage. En un mot : tous ceux qui le suivront devront marcher vite et jusqu'au bout.

Irmgard est elle aussi victime de ce tri. Ripke lui reconnaîtrait certes la faculté d'avancer à ses côtés, mais Armin von Styrum a regroupé autour d'elle l'estropié Randulf, la sœur aveugle dudit, Dörte, ainsi que son cousin Jacov et son épouse, dite « Marie ». Depuis quelque temps, Ripke avait des vues sur cette Marie, prénom derrière lequel se dissimule la juive Miriam, de Worms. Après lui avoir fait une cour balourde et avoir tenté de la prendre par la violence, il demande à Armin de lui ordonner de se rallier à son cortège. Mais son ancienne promise lui rit au nez.

Furieux, Ripke se place à la tête de ses troupes et les met en ordre de marche, avant de donner le signal du départ. Il est certain de s'être ainsi débarrassé de Daniel et d'Irmgard, ses uniques rivaux – non pas dans le cœur du « Sauveur », mais pour la direction de toute la croisade allemande.

À cet instant, Niklas s'apprêtait déjà à entamer l'ascension vers le col du Mont Cenis. Loin en dessous de lui, la vallée de l'Arc décrivait une large courbe. On avait échangé depuis longtemps contre des mules l'attelage de bœufs qui tirait la voiture de tête à quatre roues, et ce lourd véhicule contre une charrette à un seul essieu ; mais les animaux ne pouvaient même plus tirer celle-ci sur les éboulis. On les abattit, on démonta les deux roues et l'on porta désormais le « Sauveur » comme dans une litière, sur les épaules de gardes qui se relayaient. On emporta aussi les roues de la charrette. Et c'est ainsi, à la file indienne, que le cortège monta le sentier étroit qui menait au col.

Pendant ce temps-là, Daniel gâchait un temps précieux : la neige commence à tomber très tôt dans les Alpes. La cause en était moins l'indécision du reste de la troupe, qui comptait encore quelques milliers de personnes – tous les autres étant partis depuis longtemps, de leur propre chef, à la suite de Ripke – que le découragement du légat. Le col enneigé devenait peu à peu son cauchemar, et il commençait à se faire à l'idée d'avancer jusqu'à la côte en passant par la Haute Provence, puis de marcher le long de la mer, jusqu'à Gênes, où il retrouverait l'avant-garde.

Armin von Styrum, dont ni le colonel, ni Daniel, le légat, n'avait pris particulièrement au sérieux la nomination au poste de substitut de Niklas, s'était rapidement lassée d'attendre. Elle non plus ne voulait pas rater l'occasion de se rallier à la colonne de Ripke. Elle regroupa donc autour d'elle Randulf, Dörte et les deux enfants juifs de Worms qu'elle avait pris sous sa protection. Ceux qui voulaient se soumettre à ses ordres devaient s'engager à se relayer pour porter l'estropié sur une civière ou guider sa sœur aveugle. Elle n'avait pas informé Ripke de son intention, et n'en fit rien savoir non plus au légat avant de se mettre en route en toute hâte.

Alors que les gardes conduisaient déjà Niklas, enveloppé de fourrure et porté sur sa charrette démontée, dans la neige épaisse qui recouvrait le col, Ripke, qui le suivait, remarqua que son convoi n'en finissait pas. De nouveaux petits groupes ne cessaient d'apparaître dans la vallée. Le colonel avait accepté de prendre des responsabilités pour ceux qu'il avait lui-même choisis, et il était disposé à leur faire franchir les glaces et la neige du Mont Cenis, quitte à distribuer quelques coups pour les faire avancer. Mais il était hors de question, pour lui, de se retrouver avec la moitié de la croisade sur ses talons, et de traîner une foule qui pleurait et gémissait.

Il fit avancer plus vite le serpent interminable que formaient déjà ses propres hommes. Ceux qui tombaient ou s'écroulaient de fatigue étaient impitoyablement laissés sur le côté. Ripke se campa, comme un gardien, sur le sentier étroit et sinueux qui montait jusqu'au col. Le colonel n'avait pas l'intention de permettre à des retardataires de gêner l'avancée rapide de sa troupe. Il fallait séparer le bon grain de l'ivraie ! Ripke ne prenait pas de gants. On disait qu'il poussait dans le ravin ceux qui ne lui plaisaient pas ou lui paraissaient trop faibles. Mais on ne trouvait aucun témoin direct pour confirmer cette rumeur. D'autres affirmaient qu'il leur avait tendu la main pour franchir des crevasses dangereuses – car des torrents à peine visibles creusaient en profondeur certaines sections du sentier.

Le fait est que la petite troupe dirigée par Armin, son ex-promise, rejoignit le colonel en un point où le sentier serpentait d'une paroi à l'autre, par une gorge resserrée, et empruntait des ponts aussi étroits qu'anciens. Une chute de pierres assomma les guides de l'aveugle Dörte, elle-même fut précipitée dans une crevasse. Au lieu d'aider la malheureuse, qui s'était instinctivement accrochée au rebord, Ripke lui marcha sur les doigts. Privée de son dernier appui, elle glissa vers le bas, rebondissant de roche en roche. Son frère estropié, Randulf, dut assister à l'épisode, impuissant: une ravine le séparait de sa sœur. Ses porteurs avaient déposé la civière, il attrapa ses béquilles et avança en boitant pour se jeter sur Ripke, qui riait et se moquait de lui. Celui-ci avait déjà découvert une nouvelle victime : la jeune Miriam, qui marchait dans le groupe de Dörte. Elle était assise, anxieuse, sous un promontoire rocheux qui constituait une grotte naturelle. Son désarroi la rendit encore plus désirable aux yeux de Ripke, qui jugea l'occasion favorable. Il l'avait déjà coincée contre la roche et déboutonnait son pantalon lorsque Armin se fraya un chemin derrière lui.

— Ripke, queue de souris ! lui cria-t-elle. Tu ferais mieux de ne pas sortir ta petite chose, avec le froid qu'il fait !

Il se retourna, les yeux injectés de sang, effet de la rage ou de la lubricité. Armin, tout en os, lui tendit son bassin, comme s'il s'agissait de défier un taureau dans l'arène. Ripke abandonna Miriam et se précipita sur Irmgard, qui attendait, immobile, au bord du précipice. Ses bras ne tentèrent pas de s'emparer d'elle, ce sont ses poings qu'il lança vers l'avant afin de la pousser dans la crevasse. En un clin d'œil, Armin se laissa tomber, Ripke frappa dans le vide, trébucha sur le corps de la jeune femme et dévala le précipice en poussant un cri de fureur. Quelques pierres roulèrent derrière le colonel, puis le silence se fit. Armin von Styrum fut tacitement reconnue comme nouveau chef du convoi.

Niklas, le « Sauveur », était parvenu à franchir le col du Mont Cenis, sous la neige et par un froid terrible. Mais pour ceux qui le suivirent, le franchissement des Alpes fut un enfer. Des tempêtes se levèrent, des avalanches balayèrent les parois abruptes et enfouirent des groupes entiers sous leur masse. Mal préparé, le cortège subit les conséquences logiques de son incurie. Les forces déchaînées de la nature coûtèrent la vie à des centaines de personnes, précipitées dans le vide ou assommées par des pierres. Des milliers d'autres moururent de froid dès que la faim et la faiblesse mirent un terme à leur lente avancée. La pluie gelée et la neige transformèrent les petits groupes d'enfants qui s'étaient agrippés les uns aux autres en sculptures bizarres, gelés au bord du sentier du col.

Armin, comme son prédécesseur trop brutal, se vit rapidement contrainte de ne plus s'occuper que de ceux qui avaient encore la force d'opposer la déraison humaine à la résistance de la montagne, ceux dont la volonté de survie était plus coriace que la fureur des éléments, ceux qui, tout simplement, avaient de la chance. Parmi eux avançait Randulf, le cœur lourd. Armin s'était attendue à ce qu'après la mort de sa sœur bien-aimée, le pauvre infirme abandonne la partie. Mais après cet épisode atroce, l'estropié refusa même la civière et monta par ses propres moyens vers les hauteurs glacées du col. Éboulis et chutes de plaques de neige passaient à côté de lui sans qu'il ne bronche, sa bravoure donnait du courage à tous les autres. Armin s'occupait personnellement de Miriam, d'autant plus que Jacov marchait très loin derrière. Lors de l'agresson de Ripke, il n'avait rien fait pour sauver l'honneur de son épouse. Miriam ne demanda pas où il était passé. C'est dans les bras d'Irmgard von Styrum qu'elle trouva un refuge contre la terrible froideur. Lorsque le cortège s'arrêta près de Susa, dans le Piémont, il avait perdu bien plus de la moitié de ceux qui, jadis, avaient quitté l'Allemagne.

Rik van de Bovenkamp, le *mourabbi al-amir*, se tenait sur le haut du mur et regardait la mer, perdu dans ses pensées. Il se trouvait sur la section des fortifications qui, courant autour de la presqu'île, sur les roches du rivage, entre le bassin portuaire et le *bourj fil bahar*, protégeaient le sommeil des morts : c'est là que se dressait le coteau couvert de pierres badigeonnées de blanc qui indiquaient le lieu des sépultures. C'est là aussi que reposait Mélusine de Cailhac, pour laquelle il avait rejoint Mahdia, près d'une décennie plus tôt. C'est aussi à peu près à cet endroit-là qu'il s'était arrêté lorsque, bouleversé par les souvenirs qui l'assaillaient, il s'était précipité hors de la *sala al-koutoub*, après que la *sajidda* Blanche, à sa totale surprise, lui avait rendu, au nom du Hafside, l'anneau du Hohenstaufen. Cette bague d'or ne lui avait valu que des problèmes et des insatisfactions, il ne voulait plus la voir, il fallait qu'il s'en débarrasse enfin ! Il l'avait donc jetée à la mer – à peu près depuis l'endroit où il se tenait à présent. Karim l'avait sans doute suivi et avait dû noter soigneusement le lieu où elle était tombée, entre les rochers. Tout en réfléchissant à son geste impulsif, transfigurant cet acte irréfléchi en « sacrifice », regrettant peut-être tout de même la perte de ce précieux bijou – c'était après tout la bague d'un roi ! –, il vit à ses pieds, dans l'eau claire de la mer, le corps mince de Karim, excellent nageur et plongeur, frétiller comme une truite entre les rochers.

Le corps fin et musclé tourna un moment sur le fond de la mer, remontant seulement de temps en temps, moins pour reprendre de l'air que pour vérifier sa position en se repérant sur les falaises rocheuses, puis il redescendit vers le fond de l'eau, décrivant des cercles concentriques autour du point qu'avait calculé Karim. Rik était fier de son protégé. Il vit sa main se diriger vers le fond de l'eau, et le jeune garçon remonta vers la surface et perça la surface de l'eau, triomphant, le poing serré.

Rik s'était rapidement retiré derrière les mâchicoulis : il ne fallait pas que Karim l'aperçoive et se sente obligé de lui rendre ce bijou. Le jeune garçon pouvait sans remords conserver son butin. Après tout, l'anneau lui porterait peut-être bonheur...

Karim s'éloigna à grandes brassées du champ de vision de Rik et ne tarda pas à disparaître. Le précepteur du prince recommença à regarder fixement la mer. Mélusine ! Parfois, il parvenait à oublier qu'elle se trouvait derrière lui, sous les pierres. Il l'imaginait nageant dans la mer sombre. Là-bas, l'amante jamais atteinte ne vivait que pour elle, elle était sienne.

Rik entendit des pas approcher rapidement dans son dos. C'était Kazar Al-Mansour ! Sans réduire son allure, l'émir l'invita à l'accompagner jusqu'à la mosquée. Rik obéit, bien qu'il n'ait pas eu la moindre envie d'écouter les remontrances que lui vaudrait à coup sûr la dispute survenue dans la bibliothèque. Mais Kazar avait d'autres questions à lui poser, qui portaient sur les différences de comportement entre l'Occident et l'Orient.

— La « Croisade des enfants » allemands a débuté beaucoup plus tard. Et pourtant, elle avance bien plus vite que le cortège en provenance de Paris ? Pour quelle raison ?

Rik ne voulait pas s'engager dans une dispute.

— Cela tient à la mentalité des participants, répliqua-t-il. Les Allemands la considèrent plutôt comme une campagne militaire, même si c'est un gamin qui la conduit.

N'importe quelle réponse aurait sans doute convenu à l'émir: il voulait se défaire de son opinion toute faite.

— Cela concerne donc aussi, pour l'essentiel, un jeune souverain comme Frédéric, qui vise en toute conscience la dignité impériale...

Rik ne voyait pas où Kazar voulait en venir.

— Cela ne viendrait jamais à l'esprit d'un roi de France! répondit-il avec un sourire supérieur. Il serait presque inimaginable qu'il revendique l'héritage de l'empire romain!

— Et pourtant, reprit l'émir après une courte pause, les deux souverains devraient être heurtés par le fait que des milliers d'enfants quittent leur royaume en courant comme s'ils avaient été piqués par une tarentule, épuisent leurs dernières forces sur des montagnes gelées dont la froideur leur coupe la peau et dont les pierres leur déchirent les mains... (Kazar était lancé; mais il avait ralenti le pas et s'arrêtait parfois pour maintenir l'attention de son interlocuteur.)... qu'ils se jettent dans la mer, hébétés, et s'y noient avec bonheur...? (Il barra le chemin à Rik pour obtenir sa réponse.) Expliquez-moi ça!

— C'est l'espoir qui les pousse, l'espoir de ne pas mourir, l'espoir de ne pas se noyer. (Rik n'était pas tellement sûr de ce qu'il disait.) Le défi que constitue la nécessité de résister à ces dures épreuves et de montrer ce dont ils sont capables...

L'émir n'accorda aucune valeur à ces arguments.

— *Ar-raqas moula!* s'exclama-t-il, agacé. Ils sont affligés d'une effroyable maladie, mystérieuse et contagieuse, une danse de Saint-Guy, une drogue qui les a subitement privés de toute leur raison!

Rik soutint le regard provocateur que lui lançait l'émir.

— Puisque vous êtes tellement au courant, à quoi bon poser encore des questions?

L'émir baissa le ton.

— Alors, de quoi s'agit-il? De la foi chrétienne?

Rik secoua tristement la tête.

— Si l'on ne laisse plus de place à l'espoir, la désespérance se propage avec une force insoupçonnée, et la rancœur creuse son lit. Comme le désespoir, la rage ne connaît pas la réflexion, elle ne ressent ni le froid, ni la faim, ni la soif! Si la mer ne veut pas s'ouvrir, nous nous jetterons dedans!

Kazar Al-Mansour dévisagea son ami, effrayé, puis il se retourna d'un coup.

— Je prierai pour vous! lança-t-il à voix basse.

Puis il se dirigea vers la porte réservée aux habitants du palais: elle menait directement, par un escalier en colimaçon, à l'intérieur de la mosquée, en dessous d'eux. Le gardien fit un pas en arrière et laissa passer son maître.

Extrait du manuscrit de Mahdia
Le miracle de Marseille
Récit d'Alékos

Dès les premières heures de la matinée, les enfants, venus de toute la ville, avaient afflué vers le port pour voir si Dieu allait enfin céder et ouvrir la mer de sa main puissante. Cela aurait dû se produire dès le lever du jour. On annonça ensuite que ce serait chose faite aux alentours de midi. Ils restaient donc assis sous la canicule, attendaient et grognaient contre le manque de fiabilité des prédictions de Stéphane.

Le «prophète mineur» avait rassemblé ses fidèles autour de lui, dans le cloître: les «archanges», mais aussi les «petits apôtres», pour autant qu'on avait pu leur mettre la main dessus. Il lui manquait son *vicarius*. Beaucoup avaient certes vu Luc au cours de la nuit, mais à présent que Stéphane avait besoin de lui, il ne se montrait pas. C'est pourtant lui qui avait annoncé le grand événement pour cette journée-là. Il devait survenir par la force de la volonté humaine si, d'ici à midi, Dieu ne faisait pas la preuve de sa bienveillance. Ces informations inquiétèrent Stéphane, qui demanda à voir au moins Étienne. Mais les «archanges» envoyés à *L'Espadon* revinrent avec Timdal et une mauvaise nouvelle: Étienne avait fait vœu de rester enfermé à la taverne et d'y prier jusqu'à ce que le ciel envoie un signe annonçant que toute cette misère allait s'achever. Il recommanda à Stéphane de suivre son exemple au plus vite.

En réalité, Étienne était plongé dans un profond sommeil au creux du lit que le départ précipité de l'inquisiteur avait libéré. Auparavant, Étienne avait sévèrement ordonné à son amie Blanche et à Mélusine de ne pas quitter leurs chambres à l'étage et de ne rien entreprendre sans l'avoir réveillé auparavant. Il ne laissa certes pas échapper un mot sur ce qu'il avait vu à Tauris, mais aussi fatigué qu'il fût, ces images l'empêchèrent longtemps de dormir. Il avait déjà été intimidé au moment où il avait reconnu en Hugo de Fer l'homme qui l'avait forcé à piller les troncs à Saint-Denis. Mais lorsque, peu après son retour, Alékos l'informa que Luc avait subitement «disparu», il commença à se dire qu'il fallait prendre au sérieux l'avertissement que Monseigneur lui avait lancé à demi-mot. Puis il avait enfin sombré dans les bras de Morphée.

Toute la matinée, sur l'île de Tauris, les esclaves du travail – outre Barth Rotsturz et Paul, on avait aussi attaché Luc à la chaîne – avaient mis en état de marche sous la direction d'Hugo les cinq navires que le marchand avait entretenus, soignés et bichonnés pendant toutes ces années en vue d'une grande mission. C'est avec eux qu'il comptait réaliser enfin l'affaire dont il rêvait; mais il comptait aussi y récolter les honneurs. Les trois barges à déchets étaient inutilisables, mieux valait y renoncer totalement.

Au même instant, le marchand rencontre Messire l'inquisiteur, pour faire une offre irrésistible à Stéphane de Saint-Jean.

Sur l'île de Tauris, les esclaves de Hugo mettent la dernière main aux joyaux prêts à prendre la mer. Entre Barth et les deux prisonniers s'instaure une sorte d'amitié, pour autant qu'on puisse utiliser ce terme à propos du bossu et de ses facultés intellectuelles. Paul et Luc ont laissé de côté leur antagonisme. Il leur semble bien plus important de trouver le moyen d'échapper à cette île. Car ils ont tous deux bien compris que Hugo de Fer et le Porc n'ont aucune intention de les laisser s'en aller, du moins pas dans un état qui leur permettrait de témoigner.

Guillaume le Porc profite de l'absence de son compagnon pour faire une petite sieste. Paul et Luc tentent, à grand renfort de gestes, de convaincre Barth de les aider à se débarrasser de leur chaîne. Barth Rotsturz n'a jamais éprouvé le désir de passer sa vie ailleurs qu'au bout de sa laisse de fer. Il sait en outre, et tente de l'expliquer aux autres, que même sans chaîne, il ne peut pas s'enfuir de Tauris ; le puissant courant pousse n'importe quel nageur vers le large, où il se noie inévitablement. Barth ne veut pas imposer cela à ses deux compagnons, auxquels il a fini par s'attacher. Cette bienveillance du bossu désespère Paul et Luc – et il est le seul à savoir où Guillem garde sa clef.

— Dieu t'a entendu, Stéphane ! annonça l'inquisiteur d'une voix solennelle, et les « archanges » eurent bien du mal à réprimer leur joie.

— Loué soit Jésus Christ !

Stéphane s'agenouilla devant Gilbert de Rochefort, qui poursuivit son exposé en désignant Hugo de Fer, dont le visage furibond s'illumina du sourire qu'inspire la perspective d'un gros bénéfice.

— Ce pieux marchand a pitié de ces enfants dans la détresse ; il est disposé, pour l'amour de Dieu, à vous transporter en Terre Sainte.

Stéphane, le prophète sauvé, pleurait de bonheur.

— Je ne sais comment vous en remercier ! pleurait-il.

Son regard de chien trempé allait et venait entre la soutane de l'inquisiteur et les bottes à revers du marchand. Il parut soudain se rendre compte de l'immense générosité de cette offre.

— Tous ? demanda-t-il encore.

— Eh bien… fit Hugo, mes cinq navires sont ma seule fortune. Chacun d'entre eux peut en accueillir cent quatre-vingts, avec un peu d'amour et en se pressant, peut-être, deux cent vingt, deux cent cinquante…

Stéphane serrait les bottes à revers entre ses bras, comme s'il s'était agi de reliques.

— En l'honneur de notre Seigneur Jésus, nous nous ferons petits comme des souris, comme de petits poissons…

Un geste impérieux de l'inquisiteur le fit taire.

— Plus d'humilité, Stéphane! ordonna-t-il au prophète surexcité. Le Rédempteur vous a tendu son doigt, ne prenez pas toute la main. Laissez donc notre Seigneur décider combien mériteront sa bonté!

— Pour chaque bateau, confirma Hugo, il existe une limite dont le dépassement pourrait déplaire au Seigneur...

— Placez-vous donc à Son service, répliqua l'inquisiteur, qui ne tenait pas à continuer à discuter de ce problème ici, même si le chargement maximal de la petite flotte était une information qui l'intéressait beaucoup. Passez le temps qu'il faudra en prière, et préparez un embarquement en bon ordre!

Il tendit la main à Stéphane pour qu'il y dépose un baiser et quitta, sous les braillements des « archanges », le cloître de Saint-Jean.

Hugo de Fer sortit à son tour de l'édifice. Il fit savoir qu'il allait embaucher des équipages et que les candidats devaient se rendre à *L'Espadon mélancolique*.

Derrière lui, c'était un véritable déchaînement de joie. Tous ceux qui avaient douté de lui chantaient désormais sa gloire. Les « petits apôtres » sortirent en courant pour annoncer la bonne nouvelle aux groupes dont ils avaient la charge. Des chants de jubilation et de louange du Seigneur ne tardèrent pas à s'élever dans les ruelles. Stéphane se fit promener sur sa petite chaise à baldaquin, et jouit, sur le parvis de Saint-Jean, de cette grâce qui leur avait été accordée à tous, grâce à son intercession et à la bonté du Christ.

Mgr Gilbert de Rochefort quitta Marseille sans repasser par la taverne. Là, Hugo de Fer n'avait guère eu de peine à recruter toute sorte de canailles pour constituer l'équipage des cinq navires. Blanche crut reconnaître ce gaillard taillé à la hache qui, jadis, à Saint-Denis, lui avait dérobé son salaire. Étienne, qui n'était pas dupe mais qu'elle avait dérangé dans son sommeil, repoussa cette idée stupide: elle se trompait!

Hugo de Fer partit avec ses hommes: il fallait à présent faire venir les navires de Tauris.

Sur l'île, Luc et Paul avaient su émouvoir le cœur solitaire de Barth Rotsturz. Bien que le bossu ait considéré le fait d'accéder à leur demande comme une grave transgression des ordres de son maître nourricier, il avait, pendant le sommeil de Guillaume le Porc, réussi à repêcher, avec un peu d'efforts et beaucoup d'habileté, la clef qui ouvrait la serrure de la chaîne, et libéré les deux esclaves. Mais cela l'avait forcé à se libérer lui aussi, ce qui lui inspirait de terribles remords. Les deux jeunes gens ne s'en souciaient guère ; ils avaient compris que leur seule chance était de quitter l'île à bord de l'un des navires. Ils choisirent l'une des barges à déchets : c'était le seul lieu où ils pourraient se terrer dans la coque souillée, où Barth les recouvrirait d'immondices comme s'il avait mal effectué le travail de nettoyage qui lui était assigné. Ce brave homme avait aussi accepté de subir cette honte. Il s'apprêtait à se rattacher lui-même à sa chaîne et à jouer les ignorants et les idiots quand on le questionnerait et quand on le rouerait de coups pour savoir où avaient disparu les deux commis, lorsque Guillaume le Porc s'éveilla tout en haut, dans la tour. Un seul regard lui suffit pour comprendre que Paul et Luc s'étaient enfuis. Il écumait de rage. Mais il n'eut pas le temps de descendre dans la baie : depuis son promontoire, il vit le bateau de son associé, Hugo, qui rentrait au port. Il préféra donc jouer lui aussi les ignorants ou les idiots, et laisser Hugo de Fer s'apercevoir lui-même de cette évasion.

Hugo, fou de joie, expose à son compagnon l'accord qu'il a réussi à conclure avec Stéphane avec l'aide du Monsignore. Il a déjà réparti sur les cinq navires les équipages qu'il a ramenés avec lui lorsque son regard tombe sur la chaîne de fer vide, dans la baie aux ordures. Guillem parvient sans peine à jouer l'ingénu et l'indigné : le Porc est effectivement surpris que leur fidèle factotum, Barth Rotsturz, ait lui aussi disparu. Ils trouvent l'infidèle noyé, coincé entre les rochers – un sort que les autres évadés ont certainement connu eux aussi. Cela tranquillise les deux complices : c'est même la meilleure chose qui pouvait leur arriver ! Ainsi, il ne reste plus personne sur l'île qui puisse témoigner de quoi que ce soit. Les trois barges d'ordures qu'ils laissent sur place seront bientôt englouties par le ressac – une perte facile à oublier ! Satisfaits, ils montent à bord de leur petite flotte pour aller embarquer à Marseille le chargement qui les y attend.

— Je sais que chez les chrétiens, on n'accorde plus qu'une valeur symbolique au sacrifice de l'agneau, résuma l'émir, sarcastique, dès que la lectrice eut choisi de reposer sa voix. Mais j'ignorais qu'ils se comportaient, dès leur enfance, comme des moutons.

Il ne trouvait plus ses mots, entre autres parce qu'Elgaine s'était tournée vers Armin et lui avait demandé qu'on lui resserve de cette boisson au miel qui lui apaisait la gorge. Kazar Al-Mansour envoya immédiatement quelqu'un en cuisine. Rik se proposa d'y aller lui-même. L'émir avait déjà hoché la tête en pensant à autre chose lorsqu'il se rappela qu'il avait déjà demandé plusieurs fois au *mourabbi al-amir* de lui montrer la bague. Il profita donc de l'occasion pour demander à Rik, au vu et au su de tous, de céder enfin à sa demande ; cette fois, celui-ci ne trouva pas d'échappatoire – d'autant moins qu'il vit Elgaine sourire à l'émir pour manifester son approbation.

— Je ne comprends pas, dit-elle, à peine Rik avait-elle quitté la salle des livres, pourquoi M. van de Bovenkamp ne m'a pas permis depuis longtemps de voir cet anneau, d'autant plus qu'il me revient bien plus à moi qu'à lui.

— Cela pourrait bien en être le motif, intervint Alékos qui, auteur du récit lu par Elgaine, « le miracle de Marseille », était resté pendant tout ce temps sur la réserve. Je suis très curieux d'apprendre dans quelles circonstances cette preuve révélatrice est tombée entre ses mains – mais vous n'y êtes sans doute pour rien, Eldjinn ?

Elgaine ne parut pas apprécier cette expression, elle sembla même la mettre en colère.

— Qu'il vous soit donné (et vous le voyez, ajouta-t-elle d'une voix sèche, j'y apporte aussi ma contribution), de profiter d'une gloire bien méritée pour avoir arpenté le sentier caillouteux qui vous a mené du statut de garçon d'auberge à Marseille à celui d'*Adib*, d'écrivain fort doué en Ifriqiya. Mais tout ce qui s'est déroulé à l'écart de ce chemin ne doit pas attiser votre curiosité !

Elle lui parla comme une maîtresse, et Alékos se tut aussitôt, comme un chien qui aurait pris une volée.

Armin, qui avait auparavant pris le parti d'Elgaine, n'apprécia pas son ton cette fois-ci. Mais elle s'adressa sans fard à l'émir, comme d'habitude.

— Au nom de Rik van de Bovenkamp, absent, j'insiste pour que le « parcours des Allemands » soit intégré au récit. Vous, Kazar Al-Mansour, vous avez approuvé ce procédé. Et nous… (son regard embrassa aussi bien Daniel, embarrassé, que Timdal, qui souriait)… nous voudrions à présent faire connaître et intégrer au récit commun ce que les différentes personnes ont vécu ensuite, dans l'aimable Italie, après le terrible franchissement des Alpes.

Elgaine s'apprêtait à protester lorsque la porte s'ouvrit, laissant passer Rik, qui poussa devant lui le prince Karim dans la pièce. La mine de l'émir parut s'assombrir instantanément : on n'avait pas respecté son ordre.

— Quel motif justifie-t-il que vous transgressiez nos conventions ? demanda-t-il à Rik.

Le fils de l'émir répondit avant son précepteur.

— Il me l'avait donné ! Et ce que l'on a donné un jour, on ne peut pas le reprendre, expliqua-t-il sobrement à son père. Si vous voulez voir l'anneau, je serai celui qui le mettra, de bon cœur, à votre disposition, sous forme de prêt et à condition qu'il me soit restitué sur-le-champ !

Il tendit immédiatement à l'émir la main qui tenait l'anneau.

— À l'époque, c'est Karim, un plongeur habile, qui était allé le récupérer dans la mer, entre les roches, compléta Rik pour répondre au regard interrogateur de l'émir. Comme cela lui était interdit, son précepteur et le prince n'en ont pas dit un mot. (La fierté paternelle se lisait sur le visage de Kazar Al-Mansour. Rik poursuivit donc son récit, soulagé.) Comme les récompenses ont souvent un effet plus éducatif que les punitions, et comme je me suis effectivement débarrassé de l'anneau, Karim est aujourd'hui son propriétaire légitime – car seul le roi Frédéric pourrait à la rigueur en revendiquer la détention, ainsi, peut-être, que son épouse Constance.

— Le roi Frédéric, déclara Karim, s'il me le demande personnellement, je lui donnerai l'anneau tout de suite. Et de bon cœur !

Ému, Kazar Al-Mansour serra son rejeton dans ses bras avant de prendre la bague. Tous se rapprochèrent du maître des lieux, en s'efforçant toutefois de ne pas trop laisser paraître leur curiosité. Seul le Maure ne dissimula pas la sienne, il se fraya un chemin sous la main qui tenait le bijou à contre-jour pour qu'un rayon de lumière tombe sur la face inférieure. Mais l'émir avait beau tourner l'anneau, il ne parvenait pas à discerner les minuscules hiéroglyphes, et encore moins à les déchiffrer. Timdal fouilla ses vastes poches, jusqu'à ce qu'il ait trouvé ce qu'il cherchait. Cela ressemblait à une pièce de cristal clair et ciselé.

— L'œil de Dieu ! expliqua-t-il, l'air rusé, à ceux qui l'entouraient. Il voit aussi ce qui est dissimulé ! (Il plaça la pierre vitreuse, légèrement bombée, au-dessus de la main de l'émir.) Tenez-le à bonne distance de l'objet, d'un côté, et de votre œil, de l'autre. Ainsi, vous distinguerez le moindre pore, le moindre petit poil de votre peau !

Kazar Al-Mansour attrapa « l'œil de Dieu » du bout des doigts, renonça, par suspicion ou superstition, à examiner sa peau, et le plaça immédiatement au-dessus de la bague. Il leva et baissa l'anneau, approchant ou éloignant son œil du morceau de verre. Mais il avait beau tourner et retourner l'objet, les lignes dissimulées ne voulaient pas lui apparaître. L'émir fronça les sourcils :

— Il ne s'agit en aucune manière de versets du Coran !

Timdal le remplaça, lui ôta la bague et plaça le prisme translucide devant son œil, paupières serrées. Puis il demanda à Daniel de tenir une lampe sous l'anneau.

— « … vole – fier – faucon… » déchiffra-t-il.

Mais un cri étouffé d'Elgaine l'interrompit.

— Non ! Cela ne se peut pas ! (Armin la soutint.) Cela signifie que depuis tout ce temps, Frédéric porte… le…

Elgaine se laissa tomber sur un tabouret, l'émir voulut s'occuper d'elle, mais la jeune femme s'accrocha à Armin de toutes les forces qui lui restaient.

— Conduisez-moi dans ma chambre, s'il vous plaît, lâcha-t-elle dans un souffle, et Armin lui tendit le bras.

— Ah ! les femmes ! gronda Rik dès qu'elles eurent quitté la pièce. Tout cela n'est que du théâtre, et mal interprété. On annonce une tragédie, on camoufle ça sous une profonde douleur spirituelle, mais ce n'est qu'un prétexte pour ne pas être présente lorsqu'on racontera les circonstances dans lesquelles, au cours de cette nuit devant la ville de Constance, l'anneau manipulé a été échangé contre l'autre.

— Ce qui permet de conclure que le roi a gardé la tête parfaitement claire malgré l'ivresse de ses sens – ou que la dame qui s'était sacrifiée a, pour sa part, perdu la sienne !

— Vous voulez dire que Frédéric avait bien compris ce qu'elle désirait, mais qu'il voulait conserver l'anneau portant le verset du Coran ?

— Ou bien qu'elle ne désirait pas aussi clairement que cela échanger les anneaux – et que le roi, jusqu'à ce jour, ignore à quelle circonstance il doit cette visite nocturne dans sa tente ? (L'émir évita de prendre un ton graveleux ou de manifester un quelconque malin plaisir.) Le reste doit être attribué à la confusion de ses sens, c'est-à-dire à sa passion pour Frédéric !

— Puis-je à présent reprendre mon anneau ? demanda Karim. S'il ne manque à personne, pas même au roi Frédéric, je le porterai volontiers en son honneur !

Le Maure le déposa dans la main du jeune garçon.

— Ne laissez jamais une femme l'approcher, mon prince, même si elle vous fait la belle !

Rik fit sortir son filleul de la *sala al-koutoub* après que Karim eut poliment pris congé de son père.

Le lendemain soir, Alékos, l'auteur du rapport, dut lire son ouvrage en personne. Elgaine était partie. On disait qu'à l'invitation de Madame Blanche, elle s'était retirée dans la propriété rurale de celle-ci, près d'El-Djem, pour se remettre des émotions des journées précédentes.

Extrait du manuscrit de Mahdia
Le miracle de Marseille
Récit d'Alékos

Ce n'est pas un navire qui traversa la mer, non, cinq voiles enflaient à l'horizon lorsque la petite flotte, croisant contre le vent en provenance de l'île de Tauris, approcha du port de Marseille ! Aussitôt, un monstrueux tumulte se déclencha parmi les enfants qui attendaient depuis des jours, ballottés entre leurs certitudes et un profond désespoir. Malgré l'enthousiasme que leur inspirait l'idée que toute leur misère allait prendre fin, ils étaient taraudés par la peur de ne pas avoir leur place sur l'un des bateaux. Ils se pressaient sur le quai, se poussaient et se battaient, on revit des scènes identiques à celles qui s'étaient déroulées immédiatement après l'arrivée dans la ville portuaire. C'en était fini de l'ordre que leur avait imposé Stéphane par le biais de ses « archanges », il n'avait plus à sa disposition l'autorité de son *vicarius*, puisque Luc de Comminges n'était toujours pas réapparu. Quant aux « petits apôtres », leur seul souci était d'obtenir l'une des premières places pour le groupe dont ils avaient le commandement. Ils se battaient comme des chiffonniers, tombaient dans l'eau du bassin portuaire, et beaucoup se noyèrent avant même que le premier navire soit arrivé à la hauteur des hauts murs du môle. Beaucoup n'attendirent même pas leur accostage, ils sautèrent directement sur les embarcations vacillantes, tentèrent d'escalader les coques lisses et glissantes, s'accrochèrent le long des cordes, tirant vers l'arrière ceux qui avaient déjà un pied sur le pont.

Même Hugo de Fer, d'une humeur de dogue, resta d'abord ahuri. Il ordonna rapidement à son équipage de s'éloigner du quai à grandes ramées, et resta avec son navire au milieu du bassin, attendant que la tempête se calme. À ceux qui s'approchaient à la nage, il faisait donner des coups sur la tête et sur les mains. Il avait aperçu dans la mêlée la petite charrette à baldaquin, qui se tenait elle aussi à l'écart des masses déchaînées. Hugo tenait à faire monter à bord, auprès de lui, le « prophète mineur » : cela lui permettrait de commander plus facilement ces hordes indisciplinées.

Étienne n'eut aucun mal à retenir Mélusine à la taverne : ce qu'ils voyaient depuis leur fenêtre n'incitait aucune personne sensée à aller se précipiter dans cette bataille pour obtenir une place dans l'un des navires. Les quatre embarcations qui s'étaient exposées à cet assaut étaient déjà désespérément surchargées. Elles tentèrent de s'éloigner du port, mais c'était comme si l'on avait voulu déchirer un ruban humain, tant les corps s'agrippaient aux amarres, s'accrochaient aux pales des rames, aux cordages et aux ancres. L'une d'elles chavira face au mur du quai, les autres parvinrent au moins à gagner le milieu du bassin et se regroupèrent autour de leur amiral, Hugo de Fer. Il fit venir Guillem le Porc auprès de lui et délibéra un bref instant avec son compère.

Les masses d'enfants que Hugo était forcé de laisser sur le port avaient attisé la convoitise du Porc. Il décida de faire intervenir ses barges à déchets : comment aurait-il pu renoncer à un gain supplémentaire aussi facile ? Hugo avait des doutes considérables sur la capacité des trois « épaves flottantes », c'était sa propre expression, à affronter la haute mer. Mais Guillem invoqua son obscur passé d'amiral et l'assura que sous sa direction, ils accompliraient leur mission. Hugo de Fer accepta de détacher quelques hommes de chacun de ses navires – contrairement à la plupart des enfants, les marins des cinq bateaux ancrés sur le bassin avaient pu sauver leur vie – pour constituer un équipage capable de piloter les barges.

Guillem dut donc repartir à la voile vers Tauris, où il se fit déposer par une barque, et acheminer les trois barges dans le port, tandis que le reste de la flotte attendrait devant l'île jusqu'à ce que Hugo arrive avec Stéphane. Hugo était tout disposé à confier à Guillem le haut commandement de la réserve, mais il ne l'attendrait pas : il prendrait immédiatement le large. Cette solution convenait au Porc. Et sous les hurlements de ceux qui étaient restés à quai, les trois premiers navires prirent la mer.

Compte tenu du désespoir furieux de tous ceux qui assiégeaient encore le quai, et tout particulièrement de ceux qui avaient pu ressortir de l'eau, Hugo décida de rester loin du môle, et envoya simplement son canot pour faire monter à bord Stéphane et son premier cercle, celui des

« archanges ». Le « prophète mineur » dut renoncer à sa petite charrette, mais on hissa tout de même sur le canot le baldaquin qui témoignait de sa dignité.

Entre-temps, ceux qui étaient restés dans le port avaient tiré vers le rivage le navire chaviré, quille vers le haut. Des centaines de bras se tendirent, des dizaines d'épaules chétives se cabrèrent pour redresser la coque du navire et le repousser immédiatement dans l'eau.

Depuis la taverne, Mélusine – entourée d'Étienne et Blanche, de Timdal et Alékos – vit que l'on portait Stéphane à bord du dernier voilier encore présent, avant que celui-ci ne file vers le large. L'humeur de Mélusine oscillait entre le soulagement, la déception et la mauvaise conscience. Son blond chevalier allemand ne s'était pas montré – et son ami Paul l'avait grossièrement laissée tomber. Elle n'envisageait pas qu'il puisse être de ceux qui prenaient à présent la mer – il ne serait pas parti sans lui faire ses adieux. Mais d'un autre côté, que faisait-elle encore ici ? Pourquoi avait-elle entrepris ce long et pénible voyage jusqu'à Marseille, alors qu'au lieu d'exaucer son rêve, arriver à Jérusalem, elle se retrouvait coincée dans une auberge du port tandis que d'autres voguaient vers la grande aventure ? Étienne et Blanche ne dissimulaient pas leur mécontentement. Seuls leurs égards pour Mélusine les avaient dissuadés de se jeter eux aussi dans la mêlée. Pour le petit voleur de Saint-Denis et sa compagne, la voile du navire-amiral qui s'éloignait vers le large symbolisait la fin de tout espoir en une nouvelle vie. Même Timdal, le petit Maure, fit savoir ce qu'il en pensait :

— Avec vous, Mélusine de Cailhac, je serais allé au bout du monde !

À cet instant précis, semblable à un piteux mirage, les trois barges à déchets firent leur apparition à l'entrée du port. Le vent soufflait dans leurs voiles rapiécées et fixées à des mâts de fortune. Soutenues par quelques rames rondes, elles ne glissaient pas, elles rampaient vers le quai. Et pourtant, leur vue soudaine provoqua un sentiment d'ultime espoir, tellement puissant qu'Alékos, plongé jusqu'ici, dans ses réflexions silencieuses, bondit sur ses jambes.

— Vous pouvez rester ! lança-t-il à ses clients. Moi, je pars pour Jérusalem !

Et sans même se retourner, il partit en courant sur le quai. Le serveur parvint tout juste à atteindre le navire que l'on avait remis à flot avant qu'il ne sorte du port à la rame et ne mette le cap sur ceux qui l'avaient précédé. Le départ subit d'Alékos leva les dernières barrières pour Mélusine, Étienne et Blanche qui se précipitèrent derrière lui – Timdal parvint tout juste à les suivre. Cette fois, la bousculade, sur la rive, était bien moins violente ; et beaucoup considéraient avec un profond scepticisme les trois barges qui venaient d'accoster et ne comprenaient même pas à quoi elles pouvaient servir. D'autres avaient bien compris la chance qui s'offrait à eux, mais cette vision déprimante les faisait hésiter. La foule était pourtant dense, et ceux qui venaient d'arriver de la taverne ne voyaient pas beaucoup de moyens de se frayer un chemin vers l'avant pour être de ceux qui pourraient monter dans ces gros navires. Mélusine entendit alors quelqu'un crier son nom et aperçut Paul qui lui faisait signe. Deux bras puissants la soulevèrent et la firent monter à bord. Étienne et Blanche furent séparés, Mélusine ne voyait plus ni l'un, ni l'autre. Quant à Timdal, il refusa de les suivre sur-le-champ.

— Je vais chercher nos réserves de guerre ! cria le Maure à sa maîtresse, et il repartit en courant vers la taverne.

Les trois barges étaient pleines à ras bord. Guillem le Porc donna l'ordre de larguer les amarres. Les cris de fureur et d'enthousiasme qui s'élevaient de toute part étouffèrent la voix de Mélusine. Elle vit Timdal revenir, se faufiler à travers le mur humain en brandissant la précieuse bourse. Mais les barges étaient déjà à quatre mètres du quai. Timdal aperçut la gesticulation désespérée de Mélusine, mais il ne plongea pas. Pour apaiser sa conscience, il nota que Paul se tenait à côté d'elle. Il fit signe à ses amis qui s'éloignaient, essuya une larme avec la manche de son pourpoint et revint, songeur, à *L'Espadon* déserté. Comme Alékos ne reparaissait pas, il comprit que le serveur se trouvait lui aussi en haute mer. Et le Maure se soûla, pour la première fois de sa vie.

5

Mer trompeuse

La petite assemblée de fêtards rentra par le Bab Zawila, l'unique porte creusée dans la puissante fortification de la Skifa al-kahla, qui permettait l'accès terrestre à Mahdia. Sur invitation de l'émir, on avait assisté à des joutes de chevaliers. Mais il n'y avait pas de place pour ce genre de divertissements dans l'enceinte des murs : la résidence du gouverneur se situait sur un rocher qui émergeait dans la mer, et le peu de terrain qui n'avait pas été construit entre le palais du Mahdi et le phare était beaucoup trop escarpé et caillouteux pour permettre le déroulement normal d'une fantasia dans laquelle il arrivait que l'un des courageux chevaliers soit éjecté de son cheval ou de son chameau. L'extérieur, le parvis de la *skifa*, se prêtait le mieux à ce genre de grandes cavalcades, et c'est sous le toit d'un dais ouvert, en dégustant du couscous, que les invités avaient pu profiter de ce spectacle que les tributs bédouines de l'émirat offraient deux fois par an à leur seigneur. Pour l'occasion, l'émir avait offert à tous ceux qui collaboraient à la chronique – narrateurs confirmés ou scribes zélés – une *houllah*, une tenue précieuse, et ils étaient assis aux places d'honneur.

Kazar Al-Mansour avait présenté son fils Karim aux doyens de la tribu qui festoyaient avec lui, et les cheikhs aux cheveux gris avaient autant chanté l'éloge de ce joli petit garçon que celui de l'agneau gras. Une fête réussie !

Ensuite, les habitants et les invités du palais, à la suite du maître des lieux, empruntèrent derrière le maître des lieux le chemin de la grande porte, jalonné de herses, et revinrent dans les jardins du palais du prince, où Kazar Al-Mansour, à l'ombre des citronniers, fit encore servir du thé à la menthe et du *haloyàt*, un gâteau à la menthe parfumé à l'eau de rose, de petits gâteaux de figues imbibés de menthe et des dates fourrées à la pistache. Les musiciens se mirent à jouer tandis que les invités – ce qui était moins conforme à leur rang qu'au bon vouloir de l'émir – s'installaient sur des coussins de soie : à côté du prince s'était installé son *mourabbi*, Armin s'était fait une place à côté de Rik tandis que le coussin d'honneur, à la droite de l'hôte, devait être occupé par Alékos, « le poète », que Kazar Al-Mansour appréciait – ce petit serveur d'auberge marseillais lui avait enfin apporté des informations de première main sur le calvaire de son épouse bien-aimée. Il espérait ardemment que ce Grec talentueux était aussi parvenu, par la suite, à demeurer à côté de Mélusine après que ces enfants chrétiens déraisonnables et égarés étaient partis en mer dans des conditions aberrantes.

Kazar Al-Mansour attendait fébrilement la suite de l'histoire. C'est Timdal, le Maure, qui servit d'intermédiaire entre Kazar Al-Mansour et son ami Rik.

— Je sais, fit-il pour plaisanter, en proposant son plateau d'abord au prince, puis à son père, que vous préféreriez vous trouver vous aussi à bord de cette barge puante, comme notre ami littérateur, Alékos, mais le chemin de Mahdia passe par des sentiers nombreux et sinueux – tout particulièrement celui qui a conduit Rik en Italie et en Sicile !

L'émir sourit, l'air entendu.

— Qui le saurait mieux que moi... (Il regarda tendrement son fils, très occupé à engloutir une petite tarte collante.)... puisque je l'ai vue... (Il s'abstint de prononcer une fois encore le nom de son épouse bien-aimée, pour ne pas attirer l'attention de son fils sur le sujet de leur conversation.)... pour la première fois dans les eaux de la Linosa...

Rik remercia le Maure d'un sourire et répondit à l'émir :

— Je veux aller aux devants de vos désirs, Kazar Al-Mansour, car mon petit détour à Assise ne mérite même pas d'être mentionné, si ce n'est qu'à mon arrivée, j'y ai rencontré mon camarade Oliver von Arlon...

— N'était-ce pas lui qui avait l'anneau ? demanda aussitôt Armin, qui ne perdait pas un mot de la conversation.

Rik ne répondit pas à la question.

— Il me parut très fermé et me fit une impression assez défavorable. Manifestement, Oliver était tombé amoureux d'Elgaine, la demoiselle de cour, et souffrait beaucoup désormais d'avoir découvert de quoi sont capables les femmes lorsqu'elles veulent atteindre leur objectif. Or l'objectif, ce n'était pas lui, mais Frédéric. À l'époque, il ignorait quel rôle jouait l'anneau – et j'en savais encore moins que lui ! (Rik, songeur, plongea les lèvres dans le thé à la menthe qu'on lui avait servi.) Oliver était tellement abattu qu'il a totalement refusé de poursuivre l'aventure que nous avions prévue, le voyage à Jérusalem. Il s'était déjà fait admettre dans la garde du palais de l'évêque.

— Vous n'y serviez pas, vous aussi ? demanda Timdal, toujours pertinent. Ce François d'Assise vous avait plu, non ?

Rik sourit.

— Nous ne voulions ni l'un ni l'autre imiter l'exemple du « pauvre frère », comme il aimait à s'appeler, ni nous consacrer au bien-être des mendiants et des lépreux. Au moins pour ce qui me concernait, je tenais à poursuivre mon périple aussi vite que possible – car j'avais toujours un objectif en vue. (Son regard chercha celui de l'émir qui adressa un signe de tête à son confident, en signe de compréhension.) L'évêque loua ma volonté d'atteindre la Terre Sainte, mais me mit en garde contre les difficultés auxquelles je me heurterais. Son protégé, François, venait de partir en pèlerinage pour ces lieux. Avec quelques « frères » triés sur le volet, il cherchait à Ancona un navire qui, pour l'amour de Dieu, les emmènerait en *terra sancta*. Ils en trouvèrent un, mais à peine étaient-ils en mer qu'une tempête les rejeta contre la côte dalmatienne, à proximité de la ville vénitienne de Zara. Ils s'échouèrent sur un banc de sable et leur bateau se démantela. Comme les Vénitiens n'eurent pas la générosité de refaire passer les «pauvres frères» rescapés de l'autre côté de l'Adriatique, ils furent obligés de la franchir les uns après les autres, comme passagers clandestins de différents navires...

— Mais ce François n'abandonna pas, se rappela l'émir, il s'est présenté il y a deux ans dans le campement de notre sultan El-Kamil et l'a imploré de se convertir à la foi chrétienne. Notre souverain l'a richement récompensé...

— N'est-ce pas de lui, demanda Alékos en grimaçant, que vient cette maxime : Qui pue autant ne peut être qu'un saint homme ?

— Je n'ai vu François que de loin, reprit Rik, lors de la fuite de sa «sœur par la foi», une jeune noble prénommée Clara qui, contre la volonté de sa famille, voulait absolument suivre le même chemin de sacrifice, de pauvreté et de dévouement aux malades que lui. L'évêque couvrit cette fuite bien préparée en engageant sa garde. Il me proposa d'y participer – ce que je fis effectivement, car le salaire proposé était une armure, un heaume et une épée. Je pus aussi échanger mon cheval contre une monture fraîche, car ce brave animal qui m'avait traîné jusqu'à Assise, en passant par les Alpes et les Apennins, avait grand besoin de se reposer et bien plus encore que son chevalier.

— Il me semble, déclara l'émir, impassible, que tout l'Occident, cette année-là, fut touché par une étrange épidémie au cours de laquelle les enfants échappèrent soudain à leurs parents...

— Il s'agissait pour eux, répondit Daniel, de montrer aux adultes que la jeunesse n'était plus disposée à accepter l'indifférence générale, l'inactivité commode dans la foi...

— Comment cela? répondit sèchement l'émir. On menait la guerre sans répit. Venise pille Byzance, Rome fait dévaster le sud de la France, les Génois se collettent avec les Pisans, les Templiers avec les chevaliers de Saint-Jean, autant de combattants ardents et unis dans la foi du Christ !

Daniel n'admit pas ce persiflage.

— Les enfants ne supportaient plus ces guerres fratricides, cette cupidité, cette rivalité «chevaleresque» dans laquelle on s'affrontait pour de vils avantages, pour une idée de l'honneur qui avait perdu toute signification ! Tout cela n'avait plus rien de commun avec la foi et la doctrine de notre Seigneur Jésus-Christ !

Il se tut, craignant d'être allé trop loin en lançant sa profession de foi à la face de l'émir. Mais Kazar Al-Mansour hocha la tête.

— Étrange religion que celle-là, où ce ne sont pas les sages et les *oulamat*, mais des enfants immatures qui se mettent en marche pour la sauver.

— Nous n'avions pas l'impression d'être des « enfants », dit Armin, il nous semblait être appelés à chercher une nouvelle vie, une existence pleine de sens...

— Et vous vous êtes laissé berner par les premiers imposteurs venus ! conclut amèrement l'émir. Pour ma part, Rik, mon précieux ami, je pense que nous devrions conserver le procédé que nous avons utilisé jusqu'ici : le « chroniqueur » raconte, et le *katib* consigne tout par écrit. Trop de choses essentielles se perdent, comme vient de me le prouver notre discussion.

Il mit brutalement un terme à cette causerie autour d'un thé dans son jardin.

— Alors, qu'est devenu cet anneau ?

Timdal bouillait de curiosité.

— Oliver me l'a glissé dans la main lorsque j'ai quitté Assise, pour l'apporter à Rome où je devais me rendre, comme l'avait demandé l'évêque. Oliver était certain que j'y rencontrerais Elgaine, qu'il n'avait pas oubliée mais ne souhaitait sans doute pas revoir. Dans le cas contraire, je devais faire parvenir le bijou à la reine Constance. Il ne me dit pas comment il se représentait la chose. Je partis au galop, triste d'abandonner mon compagnon.

— Avant que vous n'atteigniez Rome, décida l'émir, j'ai le droit d'entendre la suite de cette histoire que notre poète, Alékos, a intitulée « le miracle de Marseille » !

Extrait du manuscrit de Mahdia
Le miracle de Marseille
Récit d'Alékos

Peu avant l'entrée des trois barges de déchets dans le port, Luc s'était extrait des immondices qui pourrissaient dans la coque. Sur les poutres, au-dessus, les rameurs appuyaient leurs pieds. Le *vicarius* ne supportait pas cette station immobile, et les exhortations à voix basse de Paul, qui le suppliait de ne pas trahir leur fuite, n'y avaient rien fait. Mais aucun homme de l'équipage ne s'étonna de voir se lever cette silhouette couverte de crasse. Leur propre allure ne les distinguait guère de Luc et de ses haillons, ils le considéraient sans doute comme l'un des leurs. C'est précisément ce qui déplut au *vicarius* : son orgueil était trop grand pour cela. Il se campa donc devant Guillaume le Porc et se présenta en déballant tous ses titres : c'est à lui que revenait la direction spirituelle de toute la croisade, d'autant plus qu'il était l'unique représentant autorisé de l'inquisiteur Gilbert de Rochefort. Le Porc n'avait absolument pas reconnu ce misérable personnage, et seule l'allusion au Monsignore lui rappela que Luc était l'un des deux détenus évadés. Ses deux petits yeux bleu clair de porc se resserrèrent et il émit un grognement excité, ce que Luc prit à tort pour une marque d'approbation amicale. Pour prouver sa bonne volonté à ce gros bedon à cou de taureau, Luc commença par dénoncer ses compagnons, toujours assis dans l'eau saumâtre de la coque. Le grognement devint une expression de délice : il avait donc aussi récupéré le deuxième fugitif ! Guillem envoya immédiatement des hommes tirer Paul à la lumière du jour.

— En cale humide ! ordonna-t-il, à la grande joie de son équipage qui se mit à beugler. Tous les deux, et à la même corde !

Luc n'avait pas la moindre idée de ce que signifiait cette consigne, mais la seule idée de se retrouver de nouveau ligoté avec son compatriote honni le mit dans une colère démesurée. Il serra pourtant les dents, d'autant plus que le Porc le laissa dans l'ignorance sur son véritable destin jusqu'à ce que l'on ait arrêté Paul.

— Pour que vous puissiez savourer à l'avance ce qui vous attend, sachez que nous allons laisser descendre très lentement vos corps ligotés l'un à l'autre sous la coque. (Le Porc comptait sans doute se repaître de l'effroi de ses victimes, mais, ni l'un ni l'autre ne pouvant imaginer ce qu'était cette torture brutale, ils regardaient les alentours, insouciants.) Et ce qui restera de vous sera jeté en pitance aux poissons !

Guillem n'obtint pas le succès escompté, d'autant moins que Luc lui indiqua tranquillement que pareil rituel ne ferait pas précisément bon effet, ici, devant les enfants qui attendaient : mieux valait sans aucun doute attendre la haute mer. Pendant tout ce temps, le *vicarius* avait gardé un œil sur l'entrée du port, et Guillem dut reconnaître qu'ils s'étaient effectivement trop rapprochés du quai. Torturer les deux devant tous les autres pouvait faire mauvaise impression sur les enfants. Le Porc réfléchit intensément. Luc, lui, surveillait le dernier navire, que les enfants faisaient eux-mêmes sortir à la rame tandis que d'autres tentaient de redresser le mât sorti de son support.

Nul ne prit garde à lui lorsqu'il s'approcha discrètement du bastingage pour aller voir ce qui se passait. Luc se laissa tomber. Comme tous les fils de nobles occitans, il savait nager. Avant que le Porc ne s'en soit aperçu et n'ait ordonné qu'on tente de le frapper avec les rames, il avait filé comme un dauphin vers le navire sur lequel s'était réfugié Alékos, le garçon d'auberge. On lui lança une corde et on le hissa à bord. Guillem était trop accaparé par cette évasion pour pouvoir lancer à temps à ses rameurs l'ordre de braquer les rames contre la marche : la barge cogna de toute sa force contre le mur du quai, mettant tout le monde au sol, et comme il dirigeait les trois barges, les deux autres procédèrent d'une manière aussi stupide – si aucune ne se fracassa, ce fut sans doute grâce aux corps qui dérivaient dans l'eau et amortirent le choc.

Les premiers sautaient déjà, depuis le quai, dans les barges ouvertes. Dans le tumulte, nul ne remarqua Paul qui passait, d'un bond puissant, sur la barge voisine. À peine s'était-il redressé qu'il aperçut Mélusine, sur le quai, dans la mêlée…

Guillem le Porc avait cessé depuis longtemps de s'intéresser à lui, car un corps de jeune fille venait de lui tomber entre les bras. C'était Blanche : une bonne raison pour taper sur les doigts d'Étienne, le petit voleur de Saint-Denis, lorsqu'il voulut à son tour se hisser à bord. Étienne se retrouva sur la troisième barge.

Depuis un certain temps déjà, tandis qu'Alékos lisait son récit, on avait l'impression qu'un souffle d'air froid balayait la *sala al-koutoub*. Pour être précis, c'était depuis que les serviteurs avaient entrouvert la porte et qu'une créature vêtue d'un burnous s'était faufilée dans la salle. L'homme resta tranquille, à l'arrière, la tête baissée et couverte par la capuche de sa tenue brune. Mais sa présence dégageait une impression désagréable et hostile. Kazar Al-Mansour n'adressa pas la parole à l'intrus – si l'on se fiait à sa tenue, c'était un religieux, un pieux savant – mais fit venir auprès de lui le gardien de la porte afin de connaître la raison pour laquelle il avait laissé entrer l'étranger. Dans son embarras, l'homme oublia de répondre à voix basse, si bien que chacun put l'entendre distinctement dans la pièce.

— Le digne serviteur de Dieu, Saifallah, de son état *ouléma* à la Grande Mosquée de Kairouan, bredouilla-t-il, a dit que sa place était ici! (Le froncement de sourcils de l'émir le força à continuer à s'expliquer, mais il préféra se jeter au sol devant son maître.) Sans son intervention, le vénérable a dit que l'on allait créer ici une œuvre du diable et que c'est à lui, Saifallah, qu'il revenait...

L'émir, lassé de cette conversation autant que de son hôte indésirable, commença à dire d'une voix froide « Mettez-le dehors! » lorsque l'autre souleva sa capuche et observa, d'un regard fixe, les membres de l'assemblée. Alékos fut le seul à reconnaître aussitôt l'*ouléma*.

— Luc de Comminges! chuchota-t-il à Rik, qui l'avait rejoint.

C'était effectivement le *vicarius Mariae*. Manifestement, non seulement il s'était converti à l'islam, mais il avait aussi trouvé dans cette religion un accès au pouvoir spirituel. La manière dont Alékos avait décrit l'ancien représentant de l'Église chrétienne, dans son « miracle de Marseille », ne pouvait que fortement lui déplaire, lui qui se faisait désormais appeler « l'épée de Dieu ».

— Que personne n'ose porter la main sur moi! lança-t-il au garde, mais ces mots étaient en réalité destinés à l'émir.

Comme il ne put découvrir personne, dans la bibliothèque, pour prendre son parti, il se tourna vers le maître des lieux avec un rire moqueur.

— Puisque vous permettez à ce chien chrétien de propager ses mensonges, vous vous arrangerez avec votre conscience de musulman croyant. (Il se tourna comme pour partir, ce qui lui permettait au moins de se rapprocher de la porte.) Mais rappelez-vous que dans le monde de l'islam, il n'y a pas de place pour ce genre de fictions imaginées par des arrogants. Car aucun mot écrit par des infidèles ne peut dépasser la vérité définitive du Coran. Brûlez, ô Tawarik, cette chronique des mensonges chrétiens avant que votre bibliothèque ne s'envole en fumée avec elle !

L'émir serrait tellement les dents qu'il en avait le visage blême. Mais il maîtrisa son expression et son regard accompagna le visiteur qui ressortait, jusqu'à ce que la porte se soit refermée derrière lui. Le malheureux gardien était tombé aux pieds de son maître et attendait, non sans raison, qu'on lui coupe la tête.

Rik interrompit le silence glacial en poussant ce pauvre vermisseau, d'un coup de pied, en direction de la sortie.

— Il y a quelque chose de bon là-dedans, Kazar Al-Mansour, dit-il d'une voix forte, nous savons à présent où nous en sommes avec le clergé du pays. (Il se tourna vers les autres.) Vous voyez quel prix cela coûte de s'élever au-dessus des obstacles de sa propre foi et de faire parler les adeptes d'une religion étrangère ! Vous voyez aussi à quel point il est important de comprendre les autres ! (Il s'adressa aux participants :) Maintenant, je vous prie, laissez-nous seuls.

Armin, Daniel, Alékos et Timdal comprirent aussitôt et quittèrent la « salle des livres » devant l'émir, toujours figé.

— J'aurais dû le faire fouetter à mort, cet insolent.

Rik laissa libre cours à son énervement. Kazar Al-Mansour, lui, s'était repris.

— Si je voulais me venger, je devrais demander un service à Abdal le Hafside. Mais ce converti n'en vaut pas la peine...

— Vous avez perdu la face.

— Devant qui, Rik van de Bovenkamp ? (Il releva l'expression incompréhensive de son ami.) Je suis en place ici comme gouverneur du sultan ayyubide, sur un promontoire rocheux plus proche du dur pilon de Marrakech que des fesses blanches du Caire. En tant que kurde et étranger, je suis donc tenu de vivre en paix avec la racaille locale des Bédouins, et je vais sûrement me heurter aux chefs de la Grande Mosquée.

— Mais ce Saifallah ne fait pas partie des dignes gardiens...

— Il suffit qu'il soit sous leur protection ! lança l'émir, en guise de conclusion. L'important, c'est que nous savons à présent que les murs épais de Mahdia n'ont pu empêcher la rumeur du travail sur notre chronique de se propager assez loin à l'extérieur pour provoquer l'intervention des zélateurs religieux !

— Luc de Comminges n'est pas arrivé ici par pur hasard ! confirma Rik, la mine soucieuse. Nous devrions renforcer les gardes, leur répéter les consignes...

— Rien de tout cela ! Cela ne ferait qu'exciter ce nid de vipères ! (Kazar posa la main sur l'épaule de son ami.) Nous ne pouvons imposer la prudence qu'à un cercle réduit, le plus étroit possible – et nous devons le faire discrètement.

— Confiez-moi cette mission ! dit Rik, sûr qu'on la lui remettrait.

Extrait du manuscrit de Mahdia
Le miracle de Marseille
Récit d'Alékos

La petite flotte de Hugo de Fer voguait vers le sud. Le premier des quatre navires qui avançaient à bonne distance, sur lequel Stéphane et sa garde personnelle se trouvaient sous la tutelle du fier propriétaire de l'embarcation, avait déjà atteint le cap sud-ouest de la Sardaigne lorsque Hugo décida d'attendre les retardataires. Il s'ancra à portée de vue de l'île de San Pietro, mais ne débarqua pas. On se contenta d'envoyer des hommes chercher de l'eau potable. Le cinquième navire, celui qui avait chaviré, avait rapidement rallié les autres après être parvenu à redresser son mât et à hisser la voile. Luc, le *vicarius*, et Alékos, le garçon d'auberge, s'y trouvaient. Les trois barges à ordures de Guillem, en revanche, avançaient lentement, non seulement parce qu'elles étaient terriblement surchargées – elles se ressemblaient toutes en cela, à l'exception du navire amiral –

mais parce que les gréements de fortune et les voiles assemblées de bric et de broc partaient constamment en lambeaux, même par temps calme. Mélusine et Paul se trouvaient sur l'une de ces barges à ordures qui flottaient tant bien que mal; Étienne était sur la suivante, et Blanche s'était retrouvée à bord de celle que pilotait le Porc.

Lorsqu'ils arrivèrent en vue des navires en attente à San Pietro, même ceux qui n'avaient pas l'expérience de la mer aperçurent derrière les trois barges pataudes un mur de nuages d'abord gris-bleu, puis d'un noir profond, qui approchait à trop grande vitesse pour qu'il fût encore temps d'aller chercher une protection dans les baies de l'île. La tempête, ses coups de tonnerre et ses éclairs, ses vagues gigantesques secouèrent presque aussitôt la flotte dispersée. Comme on pouvait s'y attendre, elle commença par s'en prendre aux barges ventrues de Guillem. Le Porc attrapa le gouvernail: c'est sa propre peau qui était en jeu désormais; son passé agité de corsaire sicilien lui remonta à la gorge comme le contenu de son estomac; il pilotait sa barge trop chargée dans les abysses des vallées de vagues et sur les crêtes des flots écumants.

Les deux autres barges furent noyées sous des lames dont l'écume ne laissa plus que des planches en miettes et des corps qui flottaient, impuissants, sur les montagnes d'eau. Mélusine retint Paul au-dessus de l'eau lorsqu'il lui eut crié qu'il ne savait pas nager. Elle attrapa un tonneau qui dansait devant eux dans les vagues, elle était tout juste parvenue à le placer entre les bras de Paul lorsqu'une vague l'arracha à lui. Elle vit, non loin d'elle, apparaître la tête d'Étienne qui s'agrippait à un cordage qu'on lui avait jeté depuis le navire-amiral. Mélusine s'inquiéta pour Paul. Elle était la seule nageuse à la ronde, presque tous ceux qui n'étaient pas parvenus, autour d'elle, à attraper un morceau de bois furent rapidement victimes des flots écumants. Elle venait de retrouver Paul et son fût: il était coincé entre les rames qui sortaient de la coque du voilier, où Alékos, comme tous les autres occupants, étaient installés au bastingage ou agrippés à un accessoire quelconque, persuadés qu'un navire qui avait chaviré une fois serait insubmersible pendant la tempête suivante.

Mélusine vit Paul lâcher son tonneau pour s'accrocher à l'une des rames, mais le bois plat et lisse frappa comme une hache dans sa direction; il le manqua certes d'un cheveu, mais fracassa le petit fût. Mélusine le rejoignit le plus vite possible et utilisa ses dernières forces pour sortir la tête de Paul hors de l'eau bouillonnante qu'elle commençait elle aussi à avaler – un cordage lancé depuis l'un des bateaux les sauva tous les deux à la dernière seconde. C'était Blanche qui avait incité Guillem le Porc à accomplir ce geste.

La tempête s'apaisa aussi vite qu'elle s'était levée. Hugo de Fer et son vice-amiral firent l'inspection des dégâts. Hormis leur perte, que l'on oublierait facilement, la disparition des deux barges ne posait pas de problèmes, puisque presque tous leurs occupants s'étaient noyés. C'était agaçant, mais on n'y pouvait plus rien. La nuit était désormais tombée. Les survivants se rapprochèrent les uns des autres, ancrèrent leurs navires sinon bord à bord, du moins à portée de voix, si bien que Blanche, à son grand soulagement, entendit que son Étienne comptait au nombre des rares rescapés.

Hugo de Fer invita Stéphane à remercier le créateur pour les avoir sauvés. Les «archanges» et les «petits apôtres» qui s'étaient regroupés autour de lui entonnèrent un hymne à Marie que les passagers des autres navires reprirent presque aussitôt. Le Porc pleurait d'émotion, Blanche de bonheur, d'abord parce qu'Étienne était encore vivant, ensuite parce que Guillem ne s'occupait plus d'elle depuis que Mélusine était à bord. Paul ne pleurait pas, mais il ne lâcha plus la main qui l'avait sauvé. Il lui voua désormais une vénération muette. La tempête avait fait oublier à Mélusine son rêve de chevalier blond, qui ne reparut plus jamais dans ses pensées. Oh, Paul ne l'avait pas remplacé, loin de là, mais elle aurait certainement arraché les yeux de Luc de Comminges si elle avait appris que c'était lui qui avait frappé Paul avec la rame et détruit le fût. Mais cela, Alékos, le garçon d'auberge, était seul à le savoir, et à l'époque, il le garda pour lui.

Ils se tenaient dans le couloir étroit, non loin de la cage du monte-charge dévastée dont l'ouverture était désormais barrée par un coffre massif en chêne cerclé de bandes de fer, que l'on avait installé au-dessus du trou hideux.

— À partir de maintenant, ce sera le lieu où chaque feuille de parchemin que vous aurez rédigée pourra être conservée en sécurité ! annonça l'émir à Rik, qui était monté avec lui au premier étage. C'est à vous seul, mon ami, que je confie le double de la clef, afin que vous ne soyez plus obligé de dormir avec les pages rédigées sous votre traversin.

Kazar Al-Mansour tentait de se distraire, mais Rik le ramena aux réalités.

— Ce n'était certainement pas la dernière fois que nous entendions parler de Saifallah !

— La seule question est de savoir qui il enverra à nos trousses.

Rik avait déjà la réponse à cette question qui n'en était pas une.

— Il a déjà trouvé un homme dans nos murs… (Il fit patienter un bref instant le maître des lieux.) Je parie que c'est Moslah qui a fait appel à l'*ouléma* fanatisé !

Kazar Al-Mansour ne se montra pas impressionné.

— Reste à savoir qui est son homme.

— Ne pouvez-vous pas congédier ce *baouab* ambigu ? Si ça ne tenait qu'à moi, il serait déjà parti à la retraite, un bon bakchich en poche.

— Plus maintenant, lui répondit l'émir. Ce serait un coup de pied dans le nid de frelon ! Et puis Moslah n'attache aucune valeur à la richesse terrestre, il n'a aucun besoin matériel…

— Ou il vous trompe avec une telle habileté qu'il accumule secrètement des trésors fantastiques…

— Rêveur allemand ! fit Kazar, moqueur et un peu agacé. Que voulez-vous qu'il en fasse ? Le transmettre à ses enfants ? Il n'en a pas ! (L'émir devint songeur, mais sa mine s'assombrit visiblement.) Non, c'est le pouvoir et lui seul, le pouvoir de l'intrigue qui pourrait être son moteur… Il surveille vraisemblablement mes faits et gestes à la demande du sultan de Marrakech… qui aurait décidé de le faire sous la pression des Almohades, aussi conservateurs que militants… Cela expliquerait aussi le lien avec la clique des érudits de

Kairouan, que vous gênez beaucoup, vous et votre chronique!

Rik ne comprenait pas l'ampleur des problèmes que l'émir tentait d'appréhender; lui s'efforçait surtout de prouver la culpabilité de Moslah.

— C'est la raison pour laquelle il a aussi éliminé le *haqawati* et le gros Moustafa, sans doute parce que ses frères refusaient de travailler pour lui?

— Possible! admit Kazar Al-Mansour. Il faut se méfier des manigances de ces fanatiques, quelle que soit la personne qui exerce le pouvoir profane à Mahdia...

— Mais si ce gredin espionnait au contraire au profit du Caire? demanda Rik, soudain illuminé.

L'émir éclata de rire :

— Rik, la solitude ne vous vaut rien! répondit-il. Et ici, sur le cap de l'Ifriqiya, on n'y échappe pas. Je vais demander au Hafside de vous emmener avec lui à Tunis, la prochaine fois, et de vous faire profiter des maisons de joie de la ville...

Rik ne manifesta pas d'indignation, mais lui coupa la parole d'une voix aigre :

— Je suis tout à fait capable, Kazar, de supporter l'abstinence que vous vous imposez.

— Qu'est-ce que vous en savez? répondit l'émir, ambigu. Je n'ai qu'à claquer des doigts, et Moslah remplira mon harem d'autant de *houris* que mon cœur le voudra... (Kazar observa la mine incrédule de Rik.) C'est une fleur que nous appelons Malika al-Lain, Reine de la nuit, elle ne fleurit que pour une nuit! Le lendemain matin... (Il claqua effectivement des doigts, d'un geste tellement sec et impérieux que Rik en frissonna.)... elle est morte, partie, oubliée!

Rik s'inclina légèrement, lança encore un dernier regard sur le gardien, devant la porte donnant sur le cabinet de travail de l'émir, qui avait aussi, désormais, un œil sur le coffre, et retourna vers l'escalier en colimaçon.

Extrait du manuscrit de Mahdia
Captifs de l'anneau
Récit de Rik van de Bovenkamp

Si Rik van de Bovenkamp, sur son chemin à travers l'Italie, avait encore rencontré, dispersés dans le delta du Pô et dans l'Apennin, des groupes de ses compagnons avec lesquels il avait jadis quitté l'Allemagne – et surtout retrouvé la trace de beaucoup d'entre eux morts de faim et de froid –, il ne croisa plus aucune connaissance sur le chemin qui le conduisait à Rome. La partie de la croisade à laquelle il s'était rallié paraissait s'être volatilisée ; on ne trouvait plus la moindre trace des dizaines de milliers de personnes parties pour libérer des païens le Saint-Sépulcre de Jérusalem.

Rik avait quitté Assise plus tardivement qu'il n'en avait eu l'intention. D'une part, il avait l'espoir que son compagnon Oliver von Arlon finirait par se reprendre, surmonterait sa déception et l'accompagnerait dans son voyage vers le sud. D'autre part, l'évêque d'Assise faisait constamment appel à lui. Dans la ville, c'est une véritable guerre civile qui menaçait d'éclater : d'un côté les parents voyaient, furieux, les enfants leur échapper pour suivre cet étrange Français qui avait lui-même choisi de vivre pauvre, de l'autre côté le pouvoir épiscopal qui, de manière incompréhensible, soutenait cette jeunesse dégénérée et ingrate qui se consacrait aux mendiants et aux lépreux ! Lorsque, par la suite, les jeunes filles des meilleures familles de la ville furent à leur tour contaminées par cette fièvre – et que Monseigneur l'évêque couvrit aussi ces menées-là –, les bourgeois, les marchands et les nobles se mirent rapidement d'accord pour prendre les armes et mettre un terme à cette absurdité. Le représentant de l'Église leur opposa sa garde épiscopale, les seuls hommes de la ville dont on savait qu'ils n'évitaient jamais un affrontement. Cela finit par produire son effet, et Rik put s'en aller après avoir reçu une somme rondelette puisée dans la caisse épiscopale.

Oliver avait déjà confié la bague à Rik, en mains propres et en lui demandant de la restituer à la dame Elgaine d'Hautpoul. Il rencontrerait certainement, au plus tard, la demoiselle d'honneur à Palerme, où elle était au service de la reine. Même si Oliver ne parvint pas à le formuler, son vœu était que son ami puisse glisser à la dame un mot que lui-même était trop fier ou trop blessé pour pouvoir le prononcer. Puis, devant les portes de la ville, l'évêque avait rejoint Rik et lui avait réclamé un ultime service : Rik pourrait-il assister, le dimanche suivant, à la messe de Saint-Pierre, une cérémonie solennelle au cours de laquelle le pape rendrait hommage au roi d'Aragon ? À sa suite se trouvait une personne qu'il devrait accompagner, en la protégeant, sur le lieu d'une rencontre secrète. Rik, qui n'avait encore jamais été à Rome, avait posé des questions sur le point de rendez-vous, mais aussi et avant tout sur la manière dont il reconnaîtrait cette personne dans l'entourage des Aragon. L'évêque avait alors pointé les lèvres en avant, avec un air supérieur.

— Voyons, Rik van de Bovenkamp, vous avez la bague. C'est en la voyant qu'on vous demandera. Elle témoigne de votre identité !

Sur ces mots, Rik était parti et avait chevauché tout droit vers la Ville Sainte. L'anneau le brûlait désormais comme un fer rouge, sous sa chemise, à même la peau !

L'évêque les avait-il espionnés, lui et Oliver ? Son ami – en toute connaissance de cause ou sans le savoir – avait-il été entraîné dans une conjuration par cette Elgaine d'Hautpoul ? Et si oui, contre qui et dans quel but ? Rik ne connaissait rien aux intrigues qui caractérisaient le monde de la politique.

À Rome, il demanda tout de suite la basilique du Saint Apôtre. Il laissa son cheval à l'auberge qu'il trouva à l'ombre du château Saint-Ange et parcourut à pied les ruelles du Borgo avant de se retrouver devant l'église en question. Sur le parvis grouillaient pèlerins et mendiants ; le cortège majestueux des chevaliers étrangers qui, après avoir mis pied à terre, faisaient à présent leur entrée solennelle dans la basilique, était d'autant plus remarquable. C'était le jeune roi Pierre d'Aragon, glorieux vainqueur des Maures ! Rik s'immobilisa, admiratif, comme tous les autres, jusqu'à ce que le dernier membre du cortège ait franchi le portail ; alors, il se rappela sa mission. Il se pressa à l'intérieur, avec de nombreux autres curieux, tandis que les gardes repoussaient sans pitié les mendiants. Dans le portique obscur, déjà, la foule était si dense qu'il put à peine apercevoir ce qui se déroulait devant lui, près de l'autel.

Un vieux moine parut deviner sa détresse et son ingénuité ; il l'attira dans un coin sombre, mais où des marches permettaient d'avoir une meilleure vue. Rik vit alors le roi s'agenouiller devant le pape ; son accompagnateur attentif lui expliqua qu'en signe de respect, le jeune monarque avait remis son épée au Saint-Père, et qu'il recevait à présent, en échange, une couronne de pain azyme, ce qui en faisait le vassal du Saint-Siège. Un geste symbolique à la signification profonde, commenta le vieil homme, et que tout souverain occidental devrait être prêt à accomplir ! Rik, auquel le moine inspirait confiance, lui demanda quelle serait pour lui la meilleure manière de se mêler à l'escorte du roi : il avait un message important à lui remettre. Cela ne parut pas intéresser particulièrement le vieil homme ; il accepta cependant volontiers d'apporter son aide à Rik, s'il savait qui il cherchait. Rik ne voulait pas révéler l'existence de l'anneau et se contenta de répondre :

— Nous avons un signe de reconnaissance !

Le moine hocha la tête, demanda à Rik d'attendre et disparut. Rik vit le pape Innocent III, un homme maigre dont le visage émacié trahissait autant la volonté de pouvoir que ses maux d'estomac, remettre au roi un drapeau portant les clefs croisées de saint Pierre, et entendit les gens, autour de lui, murmurer :

— Il le nomme *Alfiere*, porte-drapeau de notre Église !

Les applaudissements crépitèrent. Deux hommes en tenue sombre et sévère se campèrent des deux côtés de Rik et lui firent monter les marches donnant sur une porte qui s'ouvrit alors.

— Où est l'anneau ? demandèrent-ils.

Rik était cerné : d'autres ombres évoluaient derrière l'entrebâillement de la porte. Il devait rejoindre la nef, mais les silhouettes noires le coupaient comme un mur de la foule des pèlerins et des curieux.

— L'anneau ! exigèrent-ils, d'une voix menaçante.

Il voyait déjà des poignards briller dans leurs mains. Mais la porte s'ouvrit au-dessus de lui et des hommes en armes lui ouvrirent silencieusement le passage. Rik comprit qu'à l'extrémité de cette haie d'honneur, c'est la mort qui l'attendait s'il ne se délestait pas de la bague. Il porta lentement la main à sa poitrine et se retourna vers les deux soutanes noires, prêt à subir son destin. Mais les deux personnages avaient disparu !

Un chevalier franchit alors la porte d'entrée. Manifestement, il occupait un rang assez élevé dans la hiérarchie de son ordre.

— Rik van de Bovenkamp, fit-il avec un sourire ironique. Le chemin est long depuis la forêt de Forlat...

Rik se rappela soudainement « saint Georges ». Tout comme il était apparu, à l'époque, au jeune berger Stéphane, à deux pauvres soldats pourvus d'un cheval, saint Georges venait de sauver Rik d'un mauvais pas.

— En vérité, j'attendais Oliver d'Arlon, ajouta Armand de Treizeguet à voix basse. Mais peu importe, allez à présent jusqu'à l'autel, arrêtez-vous près de l'homme qui tient le drapeau, posez votre main autour de la hampe et prononcez un mot, un seul : « Vaucouleurs ! » C'est le mot de passe.

Rik, confus mais reconnaissant, fit un signe de tête au chevalier et se fraya, confiant, un chemin dans la foule. Il ne fit pas attention au roi ni au *pontifex maximus* que l'on était en train de porter hors de la basilique, au pas mesuré de ses laquais, entouré par son clergé aux vêtements somptueux. Rik, les yeux baissés, regardait uniquement le drapeau que tenait un chevalier de l'ordre religieux, en manteau blanc, jusqu'à ce que sa main serre la hampe.

— Vaucouleurs ! prononça-t-il d'une voix ferme.

— Vous avez la clef, lui répondit le porte-drapeau.

Rik leva les yeux et découvrit, sous des cheveux roux coupés court, le visage de Marie de Rochefort.

Sur instruction de Marie, dame d'honneur de la reine de France, Rik dut changer de gîte le jour même. Deux sergents de l'ordre des Templiers le conduisirent dans leur maison sévèrement gardée où il passa la nuit comme un prisonnier ; on le réveilla de bon matin pour les laudes et on l'escorta jusqu'à la Porta Salaria. Il y retrouva Marie de Rochefort, qui l'attendait déjà dans sa calèche. Elle connaissait manifestement leur but et le chemin qu'ils allaient prendre, il chevaucha donc en silence à côté d'elle. Les avances que lui avait faites, jadis, la femme rousse n'étaient manifestement plus qu'un souvenir. Rik avait le sentiment de n'être pour elle qu'un pion dans une partie dont il ne comprenait ni les tenants, ni les aboutissants. Il n'était plus depuis longtemps l'objet de ses désirs : ce n'était qu'une « clef », l'actuel détenteur de « l'anneau » dont la possession lui pesait de plus en plus – car il ne pouvait pas s'attendre à ce que cette bague en or lui profite encore. Il s'en serait volontiers débarrassé, mais quelque chose se hérissait en lui à l'idée de rejeter cette pièce précieuse. Il fallait qu'il le remette à la femme à laquelle l'avait envoyé son ami Oliver ; mais Rik se sentait bien plus obligé encore envers le vieux *mou'allim* Mourad de Palerme, mort dans ses bras sur les hauteurs du col de Septime.

Ils rejoignirent la Salaria, bifurquèrent, serpentèrent vers le Monte Sacro, où était censé se trouver le petit monastère que la dame souhaitait visiter. Rik ne comprenait pas pourquoi elle avait besoin, à cette fin, de la compagnie de Rik. Sa propre escorte et ses écuyers lui assuraient une bien meilleure protection contre les attaques.

Ils tournèrent dans une allée plantée de cyprès à l'extrémité de laquelle les murs du couvent se dressaient, protégés par des arbres. Arrivée au portail, elle demanda à ses protecteurs et au reste de son escorte de l'attendre. Elle ne prononça même pas un mot de remerciement lorsqu'elle descendit de sa calèche et disparut à l'intérieur du couvent. Rik van de Bovenkamp eut l'impression qu'on se moquait de lui. Mais après tout, c'est encore lui qui avait cet anneau dont elle avait parlé comme d'une « clef » – et dont la personne à laquelle elle l'avait mené avait sans doute un besoin urgent. Il fouilla sous son pourpoint pour y trouver l'objet qu'il portait autour du cou, au bout d'un épais cordon de cuir, et se rassura en le sentant sur sa peau nue. La sœur portière lui apprit que l'abbesse de ce couvent de sœurs occitanes séjournait pour l'heure en dehors du pays, dans le Languedoc. Mais lorsqu'il tenta de savoir à qui Mme de Rochefort allait rendre visite, la vieille femme ne prononça plus un mot. Rik crut en comprendre le motif : les jeunes filles qu'il voyait courir et faire les folles dans la cour venaient du Languedoc hérétique et n'étaient certainement guère appréciées, même en tant que nonnes, dans le centre du pouvoir de l'*ecclesia catholica*. On les avait vraisemblablement conduites ici pour les éduquer à la vraie foi...

Il se rappela Mélusine. Si, à Paris, jadis, elle n'avait pas échappé à Marie de Rochefort, il aurait vraisemblablement pu la retrouver ici. Où cette enfant sauvage pouvait-elle bien se trouver à présent? Mélusine pensait-elle encore à lui? Ou bien l'avait-elle oublié depuis bien longtemps?

La sœur portière l'arracha à sa méditation: on l'attendait! Elle fit traverser la cour à Rik et le conduisit dans les appartements de la mère supérieure.

Derrière la lourde table de chêne, dans le siège au dossier haut de l'abbesse, se tenait Elgaine d'Hautpoul. En guise de salutation, elle se contenta d'adresser à Rik un regard moqueur avant de se tourner de nouveau vers la femme qui était venue lui rendre visite.

— Nous sommes donc d'accord, Marie de Rochefort, reprit-elle sur un ton détendu. Que cela plaise ou non à Sa Sainteté Innocent, qui est formellement le tuteur du roi, Frédéric rencontrera, au moment et sur le lieu convenus, votre prince héritier...

«Vaucouleurs!» le mot traversa la tête de Rik, mais il se força à se taire. On ne lui avait rien demandé.

— Et vous, Elgaine d'Hautpoul, vous vous portez garante que le Hohenstaufen...

— Il est de son plus grand intérêt que cette alliance soit forgée, pour former une lame...

— ... qui tranchera nos ennemis comme les siens...

— ... mais ne les tuera pas, précisa Elgaine à Marie, qui défendait avec fougue la cour de France. Il faut juste qu'elle les endommage suffisamment et les mette pour un bon moment au moins hors de combat...

— ... et disposés à faire la paix! Telle est bien l'intention de la France! dit Marie de Rochefort tandis que son interlocutrice se levait. Vous ne le regretterez pas, Elgaine!

La dame d'honneur de Paris serra dans ses bras sa cadette, qui lui lança, taquine:

— On a bien tort, Marie, de vous reprocher votre manque de cœur.

— Le bon travail se paie! Vous ne passez pas non plus pour être bon marché, répliqua la rouquine, du tac au tac, tandis qu'Elgaine la raccompagnait à la porte.

— Je vous laisse Rik van de Bovenkamp, dont je n'ai plus besoin. Merci à vous, noble chevalier!

Et sur ces adieux assez brutaux, Marie de Rochefort quitta la salle.

À peine furent-ils seuls qu'Elgaine abandonna son allure arrogante pour celle d'une aimable hôtesse. Elle fit apporter du vin, des noix, du jambon et du fromage, mais aussi des pommes qu'elle coupa elle-même et lui servit. Pour ce faire, elle s'assit juste à côté des Allemands.

— Maintenant, vous pouvez enfin me restituer l'anneau, Rik, commença-t-elle comme un chaton ronronnant, cet anneau que vous avez fort heureusement...

— L'anneau?! s'exclama Rik, cramoisi, je l'ai... j'ai été attaqué à Saint-Pierre, on me l'a arraché du doigt...

Il regarda ses mains, soucieux, comme si elles portaient les traces de l'agression.

— Espèce de crétin! Vous le portiez au grand jour!

Le charme s'était envolé: les yeux de la demoiselle de cour ne reflétaient plus que moquerie et fureur.

— Je devrais vous chasser, vous renvoyer d'un coup de pied comme un cabot imbécile.

Mais elle se reprit et adoucit le ton:

— Comme vous ne pouvez pas passer la nuit au couvent, je vous ai fait préparer un couchage dans l'écurie. Vous pourrez y dormir! Demain matin, vous me raconterez à quoi ressemblaient les hommes qui vous ont...

Rik avait pris goût au jeu et au rôle qu'on lui avait attribué.

— Comment pourrais-je vous les décrire, chère Elgaine, je ne les connaissais pas... (Il s'accorda un bref instant de réflexion.) Mais ils savaient que je portais l'anneau.

— Nous avons de puissants ennemis, répondit Elgaine d'un ton conciliant. Malgré tout, l'anneau ne doit pas rester entre leurs mains, je préférerais, cette nuit même...

— Il me semble que vous savez en revanche qui... l'interrompit Rik.

— Si je rencontre cette nuit l'homme d'Église dans son quartier général à Rome, je saurai qu'il a trempé dans cette affaire... Je vous réveillerai avant le lever du jour, et nous irons tous deux faire parler le Monsignore...

— Gilbert de Rochefort? s'exclama Rik, sûr de la réponse. Le frère de Marie?

— L'inquisiteur travaille pour l'ennemi, dit-elle sèchement. Il ferait tuer n'importe qui... sauf sa sœur adorée. C'est notre chance!

Elle sonna pour appeler la garde de nuit et fit descendre Rik dans les écuries.

Rik attendit d'être seul, puis il bourra une couverture de paille et lui donna la forme d'une silhouette endormie. Il comprenait bien que ni Elgaine elle-même ni l'autre camp ne laisseraient passer la nuit sans s'occuper de lui. Elle n'avait aucune raison de croire à son histoire de brigands – et les brigands savaient qu'il portait encore l'anneau, au moins jusqu'au moment de son arrivée au monastère. Rik regarda autour de lui dans la pénombre de l'écurie. Hormis son propre cheval, il ne s'y trouvait qu'un moreau, sans doute la monture de la demoiselle. Il ne trouva pas d'échelle : il sella donc son vieux canasson, s'installa sur son dos et le dirigea près d'un pilier où il se hissa. Lorsqu'il eut réussi à prendre appui sur une poutre transversale, il bondit de sa monture et sauta vers le haut, dans la paille. Il avait l'intention de rester aux aguets et, depuis son perchoir, d'observer tout ce qui allait survenir...

Rik fut réveillé en sursaut, par le soleil qui dardait sur lui ses rayons. Elgaine ne l'avait-elle pas déjà, avant même le lever du soleil... Pris de soupçons, il s'élança vers l'étage inférieur. Son cheval se trouvait toujours là avec son harnachement – il avait dû le supporter toute la nuit durant. À présent, à la lumière du jour, il vit aussi l'échelle. Elle était posée contre un mur, non loin de lui. Rik traversa à grands pas la cour du couvent, bousculant de jeunes nonnes affolées. Elles le menèrent à la vaste cellule où Elgaine avait dormi.

— Une mauvaise nuit! lança-t-elle en l'apercevant.

La pièce semblait avoir été investie par des soldats pillards; tout avait été fouillé et dispersé.

— Qui? demanda Rik. Les avez-vous reconnus?

— Ils ont dû me droguer pendant mon sommeil : je viens tout juste de m'éveiller...

Rik eut envie de lui avouer, pour la consoler, qu'il portait toujours l'anneau sur lui et qu'il était intact ; mais il préféra s'en abstenir. Elgaine n'avait guère mérité de compassion.

— Nous devons quitter Rome immédiatement, expliqua-t-elle. Monsignore ne s'arrêtera pas à cette première tentative. Dans sa fonction d'inquisiteur, il dispose d'outils que j'ai sous-estimés et dont je n'aimerais pas faire directement connaissance...

— Où devons-nous aller ? demanda Rik, qui partageait totalement son opinion.

— À Palerme, décida Elgaine.

Ils descendirent le Monte Sacro à cheval. Pour contourner la ville, elle avait proposé de couper à travers champs jusqu'à ce qu'ils rencontrent la Via Appia. Mais dès l'extrémité de l'allée aux cyprès les attendaient des chevaliers lourdement armés qui s'étaient regroupés autour d'une litière noire. Ils encerclèrent les deux cavaliers et voulurent les forcer à descendre.

— Ce n'est pas nécessaire, fit la voix de Gilbert, derrière le rideau. Même si vous avez encore le sceau en votre possession, ou si vous le gardez caché, le pacte ne portera pas bonheur à tous ceux qui y participeront.

La voix de l'inquisiteur paraissait excédée. Elgaine ne se laissa pas impressionner :

— J'ai remis la bague en question à votre sœur, répondit-elle, afin d'être certaine qu'elle se trouverait entre les mains des Rochefort, puisque cet anneau semble porter la poisse !

Elgaine d'Hautpoul avait du courage. Mais c'était vraisemblablement le ton qu'il fallait adopter pour jouer à armes égales avec quelqu'un comme Gilbert de Rochefort. Il contra :

— Non seulement le bras de l'Église porte jusqu'à Palerme, Elgaine, mais il y sévit beaucoup plus durement qu'ici, sous les yeux du Saint-Père. Je vous aurai mise en garde.

Il fit un signe à ses hommes, puis laissa passer Rik van de Bovenkamp et son accompagnatrice.

Ils chevauchaient depuis longtemps sur la Via Appia lorsque Rik brida son cheval.

— Je peux à présent vous l'avouer, dit-il fièrement en se frappant la poitrine. Pendant tout ce temps, je portais l'anneau sur moi.

Il tira sur son ruban de cuir. Mais ce qui sortit de sa chemise, à l'extrémité, n'était pas une bague en or : c'était un clou de fer à cheval recourbé et martelé. Elgaine ne dit pas un mot. Ils reprirent en silence leur chemin vers le sud.

— Mais qui donc l'avait, désormais ? demanda le malin Timdal dès que Rik, épuisé, eut achevé son récit, tandis que le pauvre Daniel frottait ses doigts engourdis.

Rik leva les yeux vers le trou dans le plafond, là où, d'ordinaire, résonnait la voix de l'émir dissimulé ; mais cette fois-ci, il était assis parmi les auditeurs captivés.

— Je ne voudrais pas, dit Rik avec un sourire exténué, passer pour un plus mauvais narrateur que notre cher Alékos, qui, lui non plus, n'anticipe pas la fin et nous maintient en haleine – raison pour laquelle je lui laisse de nouveau la préséance, avec son « miracle de Marseille »...

— Mes amis allemands, répondit l'émir, vous m'avez convaincu que votre histoire mérite d'être entendue. Elle nous donne des éléments d'une toute autre nature et apporte ainsi un complément indispensable à l'émouvant destin des enfants de France.

Tous approuvèrent en hochant la tête et se réjouirent de cet éloge. Seule Armin ne put s'empêcher d'ajouter :

— Pourtant, le chemin de Rik van de Bovenkamp n'est pas du tout celui qu'avait emprunté cette troupe encore très nombreuse après avoir franchi les Alpes. Il nous a conduits à...

L'émir fit un geste énergique de la main et Armin se tut en sentant que tous refusaient de l'entendre.

— Exceptionnellement, je suis en mesure d'apporter ma contribution à ce qui vient d'être dit, ajouta Kazar Al-Mansour. Vous, mes invités et amis venus de l'Occident, vous êtes coupés des événements depuis bien longtemps. Nous, nous sommes à peu près tenus au courant, ne serait-ce que par la cour de Sicile. (Il y avait un peu de suffisance dans sa voix, lorsqu'il regarda à la ronde pour aller chercher l'approbation de tous.) Le jeune souverain Pierre II d'Aragon, auquel le pape rendit hommage à l'époque en le qualifiant de « roi très-catholique », se vit contraint, à peine un an plus tard, de franchir les Pyrénées pour venir en aide à ses vassaux, accusés d'hérésie par l'Église, et de se dresser contre l'armée d'invasion française envoyée par le pape. Il est tombé assassiné par des chrétiens, non pas pour une foi qu'il considérait lui aussi comme hérétique, mais pour la liberté de ses sujets ! (L'émir toussota.) Mais ce n'est pas tout. La même année, eut lieu près de Vaucouleurs la rencontre entre le prince héritier français, Louis VIII, et le roi Frédéric. Il fut impossible de la garder secrète, leurs adversaires y avaient veillé, mais elle déboucha sur l'alliance recherchée. Au contraire de son père Philippe Auguste, Louis ne tenait plus à négocier la paix avec les Anglais ; les conseillers qui – au contraire de Rome – ne voulaient plus avoir d'égards pour l'empereur Othon, soutenu par le pape, s'imposèrent auprès de Frédéric. Un an plus tard, les armées s'affrontèrent : d'un côté, l'alliance entre la dynastie française des Capet et Frédéric, le Hohenstaufen ; de l'autre, celles des Anglais et des guelfes. Le roi Philippe de France mena son armée à la victoire avant que Frédéric ne soit arrivé. Triomphant, il lui envoya l'aigle impériale qu'il avait prise à l'ennemi. Ce fut le début de la fin de l'empereur guelfe !

Seul Daniel voulut ajouter son mot à ce discours :

— Cela vous étonne-t-il, dans ces conditions, que la jeunesse de l'Occident, que ce soit en France ou en Allemagne, ait perdu toute espèce de confiance dans les anciens ?

— Ils ne veulent pas vivre en paix, intervint à son tour Timdal, et ils ne sont pas non plus disposés à se battre pour leur foi. Non, ce sont des chrétiens qui se battent contre des chrétiens !

— Cela se trouve aussi dans l'islam, fit Kazar Al-Mansour pour l'apaiser. La seule différence, c'est que, à supposer – qu'Allah nous en préserve ! – que les incroyants conquièrent et occupent les lieux saints de La Mecque, aucun musulman, sans la moindre exception, n'aurait plus de repos avant qu'ils n'en soient chassés et qu'ils aient purifié le sanctuaire ! (L'émir se rendit compte qu'il tenait un discours ampoulé, et ajouta plus sobrement:) Dans ce cas, tous les partisans du prophète s'uniraient sur-le-champ!

— De ce point de vue, l'islam a la tâche relativement plus facile, reprit Rik. Mohammed n'avait pas douze disciples pour fonder chacun sa propre Église...

— Mais nous aussi, nous sommes scindés, ennemis mortels, séparés en *chia* et *sunna*! l'interrompit l'émir. Pourtant, nous surmonterions même cette hostilité mortelle si la *kaaba* était en jeu! Aucun chrétien ne doit en douter!

— C'est la raison pour laquelle il faut vous envier, vous autres musulmans, dit Irmgard. Enfants, nous rêvions tous d'une foi de ce genre, et c'est parce que nous ne la trouvions pas que nous sommes partis la chercher.

— Vous devriez coucher cela sur le papier, *ya Dani el-Katib*, plaisanta l'émir, et avant que nous n'oubliions de précieux éléments, nous devrions de nouveau nous consacrer au miracle de Marseille, *al Mouajizat Marsilia*.

— Demain, dit Alékos, d'une voix ferme. Comme je dois moi-même en faire la *karia*, je vous demande votre indulgence...

Le Grec eut un sourire conquérant qui détendit l'atmosphère électrique dans la salle des livres.

— Je dois d'abord me libérer l'esprit de toutes les impressions qui m'ont assailli aujourd'hui.

Extrait du manuscrit de Mahdia
Le miracle de Marseille
Récit d'Alékos

Elle remontait à deux jours, cette tempête qui avait coûté la vie à un bon quart des enfants montés à bord; deux des barges avaient coulé. Hugo de Fer avait réussi à passer avec sa partie de la petite flotte, mais ses cinq navires voguaient désormais voiles baissées, parce que le mauvais temps les avait déchiquetées, mais aussi parce que Hugo devait attendre la dernière barge de son complice, qui avançait comme un escargot à la coquille brisée. Le navire qui avait chaviré, que les enfants avaient remis à flot par leurs propres moyens et qu'ils pilotaient eux-mêmes faute d'équipage, avançait lentement, lui aussi; la tempête l'avait sévèrement bousculé, et le capitaine choisi par les occupants, Alékos, le garçon de l'auberge du port, avait bien du mal à tenir son cap et à rester dans le groupe.

À côté de lui, Luc de Comminges faisait tout pour dégrader Alékos au rang de simple timonier, considérant que le commandement du navire lui revenait de droit. Mais il n'y avait strictement rien à commander. Le *vicarius* souffrait visiblement de s'être retrouvé sur ces planches-là. Sa place était, plus que jamais, au côté – ou à la place – de ce « prophète d'esprit mineur », comme il appelait désormais Stéphane, et surtout sur le navire de l'homme qu'ils appelaient « Hugo de Fer » et qui, manifestement, décidait de tout. Qu'il l'ait enlevé et forcé à accomplir ce travail d'esclave sur l'île aux immondices était pour Luc le fruit d'une intrigue du Monsignore. Après tout, Luc avait de la compréhension pour certaines méthodes des puissants. Il n'éprouvait donc aucune rancune envers Hugo, hormis le fait que ce misérable coupe-jarret d'Étienne s'était installé et menait la belle vie à la table abondante du négociant, tandis que lui se morfondait, loin de tout, et devait supporter l'inaltérable confiance d'Alékos dans le destin. Le Grec avait baptisé sa malheureuse coquille de noix « Le Chanceux », juste parce qu'elle avait chaviré et s'était redressée !

En réalité, le navire de Hugo était le seul à avoir sauvé ses provisions, ainsi qu'un petit fût de vin, à travers la tempête et les vagues. Son fier propriétaire, pour le reste un grossier personnage, accueillit généreusement à sa table Stéphane, son « hôte d'honneur ». À quoi bon ne pas entretenir la bonne humeur de ce prophète talentueux auquel il devait, après tout, son précieux chargement, jusqu'au jour où...

Stéphane appréciait ce traitement de faveur. Où qu'il se rende, il était accompagné par ses porteurs de baldaquin. Il se voyait déjà en futur roi de Jérusalem et promettait à son bienfaiteur qu'une fois son objectif atteint, il lui reviendrait au moins le titre de « général en chef des Légions célestes » ou de « grand amiral de la flotte du Saint-Sépulcre ». Son hôte, lui, se donnait du mal pour montrer son ravissement. Le soleil brillait impitoyablement sur la petite flotte ; dans la brume, on pouvait distinguer la côte occidentale de la Sicile. Les yeux durs d'Hugo de Fer scrutaient constamment l'horizon, non pas pour y trouver de petits nuages de pluie, mais pour y apercevoir les silhouettes de voiles d'une tout autre nature.

Son partenaire et adjoint, Guillem le Porc, se sentait bien moins allègre. De ses trois barges d'ordures, il n'avait pu sauver que celles qu'il avait réussi à sortir de la tempête, avec son savoir-faire de vieux loup de mer. Il regrettait le chargement qu'il avait perdu et espérait qu'Hugo partagerait avec lui le butin final. Ce gras du ventre commençait en outre à ressentir la faim. Il n'avait pas eu le temps d'embarquer des provisions. Il dévorait ces jeunes corps des yeux. S'il ne lui était pas resté une once de morale chrétienne, Guillem aurait tout à fait pu envisager, sinon de planter ses dents dans la chair sanglante, du moins de se remplir l'estomac avec une fesse finement grillée ou une petite cuisse tendre rôtie – la dégustation de seins moelleux ne faisait pas partie de ses fantasmes ; en revanche, il n'aurait pas refusé un cou mince ou une petite oreille. Son regard était fixé sur la peau laiteuse de Blanche.

La jeune putain était assise avec Mélusine et son galant, Paul, juste devant son nez, dans un réseau de cordages enroulés. Il les entendait glousser, sans doute s'amusaient-ils à son propos. Il se serait volontiers occupé de cette Blanche – apparemment, l'idée ne lui aurait pas forcément déplu à elle non plus. Mais où, et comment ?

Il se retourna et ne vit pas que Blanche quittait son nid protecteur afin de donner à sa maîtresse l'occasion de se retrouver seule avec Paul. Mais le fils de paysan du Languedoc fut bien embarrassé de partager cette intimité dont il n'aurait jamais osé rêver.

— Pensez-vous toujours à votre chevalier, petite Mélusine ? demanda-t-il timidement, d'un ton parfaitement déplacé.

Mélusine se passa légèrement la langue sur les lèvres :

— Je ne veux pas attendre quelqu'un éternellement, Paul, répondit-elle avec un air de défi.

Mais le garçon se contenta de lui caresser tendrement le bras et de réfléchir à voix haute :

— Le fait qu'il ne se soit pas présenté ne signifie pas qu'il ne soit pas digne de vous.

Mélusine lui lança un regard fulgurant et furibond:

— Il y a des hommes qui sont sur place lorsqu'une femme a besoin d'eux. (Elle retira brutalement son bras à Paul.) D'autres ne le remarquent pas – ou trop tard!

Blanche revint en toute hâte: le Porc s'était soudainement réveillé au moment précis où elle soulevait sa robe à côté du bastingage pour se soulager. Le manche de son gouvernail était entré dans le flanc de la montagne de viande: sa barge avait quitté son cap. Elle était la dernière de la longue flotte, et venait tout juste de passer la pointe de la Sicile.

Dans la chaleur accablante, le Porc se rendormit aussitôt. Aucun des passagers de la barge ne vit donc apparaître la première voile pointue à l'horizon.

Mais Hugo de Fer, lui, l'avait remarquée. Il voulut virer vers les voiliers légers qui progressaient rapidement, mais ce ne fut pas nécessaire: d'autres navires des Sarrasins tournaient déjà autour du cap. Les premiers cris horrifiés s'élevaient déjà dans les bateaux suivants: «Pirates! Pirates!» Les deux escadres mauresques les prirent en tenaille en se déployant assez pour qu'aucun des navires ne puisse leur échapper. Hugo alla à leur rencontre et regroupa sa petite flotte autour de lui.

— Des marchands d'esclaves!

Étienne avait immédiatement compris la situation – ce qui lui valut un coup de poing d'Hugo en plein visage. L'honorable marchand de Marseille venait de jeter le masque. Son équipage se montra tout d'un coup menaçant face aux enfants effarés. Stéphane restait assis sous son baldaquin, ahuri, certains l'appelèrent au secours, mais toute résistance parut inutile, car déjà, les premiers Sarrasins abordaient les navires et poussaient brutalement les enfants au milieu des embarcations.

— Cette racaille se comporte comme s'ils attaquaient pour de bon! chuchota Alékos, à la barre de son «bateau de la chance», à l'attention de Luc qui, accroupi à côté de lui, tremblait comme une feuille. Tout était convenu à l'avance! ajouta-t-il. Ces marchands d'ordures de Tauris nous ont vendus!

Cela remit le *vicarius* sur ses jambes, il bondit vers les Sarrasins qui escaladaient le bastingage.

— Enchaînez-les tous! ordonna-t-il d'une voix qui ne souffrait pas de réplique, en désignant d'abord le barreur, puis le reste des passagers. Ils l'ont bien mérité! ajouta Luc. Ils sont à vous!

Les pirates étaient ahuris, mais ils respectèrent les instructions. Aucun ne porta la main sur Luc.

Guillem le Porc, en revanche, joua à ses passagers la comédie de l'innocence, avec une telle outrance qu'il faillit être la victime de ses propres jérémiades. Il se jeta aux pieds des Sarrasins en gémissant, il implora la grâce, ce qui faillit lui valoir un coup de sabre définitif: sur aucun marché aux esclaves du monde on n'aurait pu vendre cette vieille panse boursouflée. Seule l'arrivée d'Hugo mit un terme à cette scène absurde, qui avait tout de même permis à Mélusine et à Paul de se réfugier sur le bord non surveillé.

— Ils n'auront pas une Cailhac vivante! dit-elle d'une voix ferme. Allons à la mort ensemble, Paul!

Le jeune homme hésitait, mais Mélusine avait déjà passé une jambe au-dessus du bastingage. Blanche accourut et lui attrapa le pied pour l'empêcher de sauter. Cela suffit à attirer l'attention de quelques pirates sur le groupe. Ils se jetèrent sur eux, les séparèrent et les rouèrent de coups. Puis ils répartirent hommes et femmes chacun sur des bateaux différents, tous solidement arrimés aux coques. On n'entendait plus qu'un effroyable hurlement. C'est à coups de bâtons que l'on chassait les enfants du bord – ils n'étaient même plus un millier –, les cris de douleur de ceux que l'on frappait, les hurlements de rage et de désespoir, les larmes et les supplications résonnaient de toute part. Le transbordement se déroula pourtant très vite. Pour les cas de rébellion, les marchands d'esclaves disposaient de moyens de persuasion divers, entre autres des cages à animaux. Stéphane ne fit pas la moindre difficulté: il s'y rendit au contraire à quatre pattes. Mais malgré le déroulement très satisfaisant des événements, Hugo ne voulut même pas lui témoigner sa reconnaissance.

— C'est le roi de Jérusalem! cria-t-il aux Sarrasins. Le plus dangereux de tous les infidèles! Mettez-le en cage, que tous puissent l'acclamer!

Guillem le Porc, debout à côté de lui, aperçut Blanche, que l'on poussait derrière. Cette fois, elle ne devait pas lui échapper. Il tendit la main, mais elle se déroba, aperçut la porte de la cage, encore ouverte, et s'y précipita avant de se jeter aux pieds de Stéphane, toujours en larmes. Hugo de Fer claqua avec volupté la porte de la cage devant le nez de Guillem. Il se sentait sincèrement soulagé.

Paul s'était retrouvé sur le plus grand des navires du marchand d'esclaves ; Luc s'y agitait toujours avec frénésie, et non sans succès. Les pirates considéraient ce croque-mitaine en soutane comme une sorte de garde-chiourme de leurs partenaires commerciaux, qui remplissait simplement sa mission avec un peu d'exagération. Le *vicarius* hurlait aux oreilles des enfants qui s'étaient accroupis depuis longtemps et, comme on le leur avait ordonné, restaient immobiles sur les planches ; il invoquait la vengeance furieuse de Jéhova, les atrocités du Jugement dernier, il leur promettait toutes les tortures de l'enfer. Il était enfin devenu le Grand Inquisiteur ! Emporté par l'ivresse de son pouvoir et ses tirades haineuses, il ne remarqua pas Paul avant que celui-ci ne se tienne devant lui et lui envoie son poing en pleine figure.

— Le sang de ces innocents retombera sur toi ! lança Paul en pensant à son père pendu. Le malheur que l'Église a provoqué ne te suffit-il pas ? demanda-t-il au *vicarius*, auquel la violence du coup avait fait perdre quelques dents et coupé la parole, mais pas les capacités de réaction.

Il se tenait le dos au bastingage.

— Tu oses te rebeller contre ton maître ? hurla-t-il en crachant du sang.

Il l'attrapa des deux mains, se laissa basculer à la renverse sur le bastingage, fermement agrippé à Paul qui tomba avec lui, sans rien pouvoir faire. Luc savait nager, Paul non – et il le savait. Le duel fut sans pitié : Paul se moquait bien désormais de savoir s'il se noierait ou non ! Il entraînerait ce traître avec lui dans les profondeurs. Il serra Luc si solidement que celui-ci fut incapable de remuer les bras : il ne pouvait que craindre pour sa survie. Les Sarrasins, au début, n'avaient fait qu'observer cette lutte haletante ; à présent, ils finirent par attraper leurs rames et taper sur les deux lutteurs, d'abord avec le plat, puis avec le tranchant, sur les mains, sur les épaules, puis sur l'un des crânes qui disparut dans les flots rouges de sang. C'était celui de Paul.

Dans la mêlée et les hurlements, Mélusine, dans son navire, n'avait rien perçu de la bataille. Elle était entassée avec beaucoup d'autres jeunes femmes, mais on les avait laissées presque sans surveillance. Elle ne reconnut le visage ensanglanté de Paul qu'à l'instant où il coula. Sans réfléchir, elle plongea vers le point où elle supposait que le corps de Paul était descendu. Les pirates n'avaient pas eu le temps d'anticiper son geste – comment auraient-ils pu s'imaginer qu'une femme prendrait de tels risques ? Comme Mélusine ne reparaissait pas, ils pensèrent qu'elle s'était elle aussi noyée. Les Sarrasins n'eurent d'ailleurs pas le temps de se soucier d'elle plus longtemps : les silhouettes des bateaux longs des Normands tant redoutés apparurent tout d'un coup derrière eux, en provenance de Palerme. L'armada était encore assez éloignée et ne paraissait pas avoir aperçu les pirates, ou bien n'était pas particulièrement intéressée par leur activité. Personne, pourtant, ne voulut risquer un affrontement. On avait hissé Luc sur le pont, et il reprit immédiatement son rôle de garde-chiourme.

— Ce rat a voulu m'assassiner, lança-t-il d'une voix vibrante, comme si cela avait pu atténuer votre destin bien mérité...

Hugo de Fer mit un terme aux péroraisons du vicaire dégoulinant. Il l'attrapa par le cou et le secoua un jeune chien.

— L'Église vous devra toute sa reconnaissance pour l'assistance spirituelle que vous apportez à vos compagnons de souffrance ! (De l'autre main, Hugo ouvrit la cage.) Mais comme il n'est nullement dans son intérêt que vous alliez réclamer votre salaire en Occident chrétien, mieux vaut que vous ne le revoyiez plus ! *Inch Allah* !

Il fit entrer le *vicarius* dans la cage, d'un coup de pied, verrouilla la porte et s'essuya ses grosses mains.

Entre-temps, Guillem le Porc avait encaissé en toute hâte le prix de vente convenu avec les Sarrasins. La flotte des pirates leva les voiles avec son butin, et mit le cap sur la côte mauresque, toute proche. Hugo et Guillem mirent deux canots à l'eau, y firent descendre des rameurs, et se dirigèrent au plus vite vers les côtes rocheuses de la Sicile.

La flotte des Normands était lentement arrivée sur les lieux. Elle constituait l'escorte d'honneur du vizir qui, venu faire allégeance au roi Frédéric à Palerme, n'avait pas rencontré le jeune monarque. On arrima les navires vides des deux habiles marchands. Les marins normands découvrirent Paul, la tête ensanglantée par une grave blessure, agrippé au gouvernail de l'unique barge restante, et le sortirent de l'eau. Comprenant qu'il avait un urgent besoin de soins médicaux, ils le firent immédiatement conduire à terre. Les membres de l'équipage encore à bord furent rapidement ligotés aux mâts, avant d'être livrés sur le plus proche port de l'île.

L'escorte prit cette interruption imprévue comme prétexte pour saluer le vizir, qui poursuivit sa traversée dans les eaux mauresques. Ses marins égyptiens avaient auparavant discrètement repêché Mélusine dans l'eau, et l'avaient prise à bord sur ordre de leur maître. Ils crurent d'abord que la jeune fille, qui dérivait sur le dos, était morte ; puis ils la prirent pour une sirène, lorsque Mélusine, d'un seul coup, attrapa la corde qu'ils lui avaient lancée et, sans leur aide, grimpa sur le pont du navire d'apparat. Les larmes qui lui échappèrent alors émurent le vizir, un vieil homme, mais encore très solide. Le fait qu'elle ait en outre parlé un arabe rudimentaire et se soit présentée comme la cousine du roi tout juste réchappée d'une attaque de pirates acheva de le séduire et épargna à l'ingénue le destin qui l'aurait attendue, l'entrée au harem.

Le vieux monsieur proposa aussitôt à Mélusine de la reconduire immédiatement à terre – ils étaient encore en vue de la Sicile. Mais la belle sortie de la mer étonna une nouvelle fois le dignitaire lorsqu'elle lui indiqua que Jérusalem était le but de son voyage et que, jusque-là, elle accepterait volontiers son hospitalité. Cette perspective enthousiasma le vizir ; Mélusine de Cailhac serait donc son hôte de marque, même s'il n'avait pas la moindre idée de ce qu'il en ferait. Pour l'heure, il lui suffisait bien qu'elle le regarde de ses yeux brillants comme des étoiles. Autant elle était certaine que son blond chevalier l'avait oubliée, autant elle savait désormais que Paul n'était plus de ce monde et qu'elle se trouvait toute seule ; il lui fallait donc donner un nouveau sens à sa vie.

— En réalité, c'est sur ces mots que je voulais achever mon « Miracle de Marseille », fit Alékos d'une voix posée. L'espoir et l'invincible courage de vivre d'une jeune fille me paraissaient à l'époque constituer la conclusion adaptée pour une entreprise aussi fatale que celle que j'espère avoir décrite de manière éloquente.

Le silence oppressé fut rompu par les applaudissements adressés à l'auteur. L'émir avait bondi et franchi à grands pas la *sala al-koutoub*. Il s'arrêta devant des fenêtres qui ne donnaient pas sur l'extérieur du palais. Il était bouleversé, et ne tentait pas de le dissimuler.

C'est Rik qui, le premier, se reprit et murmura quelque chose comme « Merci » à l'intention d'Alékos, avant d'ajouter :

— Nous ne sommes pas encore au bout du voyage...

— Oh ! non, Dieu sait que non !

Armin était entrée pendant la lecture du Grec, mais l'assistance était tellement captivée que nul n'avait fait attention à elle. Et puis Irmgard von Styrum avait pris l'habitude d'entrer ou de sortir de Mahdia comme bon lui semblait. Ni les gardes installés aux portes du Bab Zawila, ni les portiers du palais ne la retenaient plus. Armin expliqua immédiatement pourquoi elle était revenue.

— Notre chemin fut rude, jusqu'au Golgotha...

Kazar Al-Mansour interrompit immédiatement ce discours sur le destin des enfants allemands, devenu inévitable avec l'entrée de cette dame énergique.

— Nous avons aujourd'hui un invité attendu depuis longtemps, fit-il, et dont l'apparition vous surprendra tous. Il s'agit d'un ambassadeur spécial du roi Frédéric, venu de Palerme...

Timdal, fort de la liberté du bouffon dont il jouissait, contra à son tour l'émir :

— Nous connaissons les contacts étroits entre Mahdia et le Palazzo dei Normanni.

Rik enfonça le même coin, notamment pour soutenir Irmgard :

— Je me demande en quoi vous voyez quelque chose d'extraordinaire. À moins qu'il ne s'agisse de nouveau d'une belle femme…

— Ne suis-je pas assez belle pour vous, Rik ? demanda Armin en guise de remerciement. Cela ne peut pas être Elgaine, ajouta-t-elle.

Cet échange avait amusé l'émir, qui prit un air très mystérieux.

— C'est pour moi un plaisir que de mettre votre patience à l'épreuve. Je me dois en revanche d'ajouter, fit-il en changeant de sujet, à la déception de tous, un détail qui concerne mon oncle vénéré, le défunt vizir – *Allay yarhamouhou* ! À l'époque, il avait déjà compris l'importance de la compréhension mutuelle, base de toute bonne relation ! Son beau-fils et successeur Fakhr ed-Din, qui conseille aujourd'hui le sultan El-Kamil, a prolongé et approfondi la politique d'entente cordiale avec le Hohenstaufen. Car depuis que l'unité du sultanat, établie par le grand Saladin, a de nouveau été mise à mal par l'ancienne querelle entre Le Caire et Damas, il paraît plus important que jamais d'avoir établi avec le futur souverain de l'Empire romain cet accord qui rend inutiles des invasions aussi cruelles qu'absurdes et coûteuses, je veux parler des croisades !

La fin de son sermon valut à Kazar Al-Mansour des applaudissements déclenchés par le Maure, auxquels il ne prêta pas d'attention, d'autant plus que tous n'étaient pas d'accord avec lui.

— L'islam jouit, depuis l'Hégire, c'est-à-dire depuis près de six siècles, de la possession absolue de La Mecque, objecta Daniel. La Sainte Jérusalem, en revanche, a toujours fait l'objet de combats pour la rendre accessible à l'unique Église chrétienne, l'*ecclesia catholica*, et pour qu'elle le demeure. Montrez-moi le chemin qui pourrait être emprunté sans guerres ?

— Vous devriez laisser cela aux juifs ! répliqua Timdal du tac au tac, ce qui provoqua le rire de l'émir.

— Cela ne nous avancera pas beaucoup, répondit-il avant que l'un des portiers ne vienne lui chuchoter quelques mots. Le navire transportant mon invité est arrivé dans le port ! annonça-t-il avant de se laisser un bref instant de réflexion. Ce soir, je vous attends pour un repas solennel en l'honneur de l'ambassadeur. (Il se dirigea vers la porte.) Pendant ce temps-là, continuez, je vous prie. Pour ma part, je ne veux pas faire semblant d'éprouver de l'intérêt pour la partie allemande de cette croisade !

Rik avait bondi sur ses jambes et couru derrière lui.

— Si vous le permettez, je veux vous accompagner. (Il se mit à murmurer.) Moi aussi, les étapes du calvaire d'Armin von Styrum me laissent froid.

Kazar Al-Mansour dévisagea son ami avec amusement.

— Par contre, fit-il, vous êtes curieux de connaître l'identité du nouveau venu ?

Rik ne put que hocher la tête. Dans ce genre d'occasions, il continuait à avoir l'air d'un écolier pris sur le fait. L'émir, réjoui, ferma derrière lui la porte de la bibliothèque avant que le portier ne puisse les rejoindre.

— Je vous prie d'aller chercher Karim, mon fils. Il doit s'habituer à être présent, dans la dignité, pour ce genre d'occasions !

À peine la porte s'était-elle refermée derrière l'émir et Rik que Timdal constata sèchement :

— Leur manque d'enthousiasme ne tient pas forcément au fait que votre Mélusine ne se trouve plus du côté allemand, mais au fait que ces hordes d'enfants sont considérablement en retard sur la suite rapide des événements...

— Nous ne nous laisserons pas découvrir ! s'exclama Armin.

— Alors soyez brève ! gémit Daniel, auquel revint le soin de rédiger.

Alékos, le poète, resta certes présent, mais ne fit pas mine de vouloir l'aider, et l'on considérait que Timdal était incapable de tenir la plume. Une fois de plus, tout reposait sur ses épaules ; Daniel lissa ses pages en soupirant.

Extrait du manuscrit de Mahdia
Dans les griffes du diable
Récit d'Irmgard von Styrum

La section avancée des Allemands, sous la direction de Niklas, avait franchi presque sans dommage la chaîne des Alpes. Ses gardes avaient immédiatement reconstruit sa charrette et escortaient le « Sauveur », sous les acclamations de la population, à travers le Piémont et le Montferrat. La population accueillit à bras ouverts les premiers jeunes croisés. Ils descendirent donc rapidement vers la côte ligurienne et se dirigèrent vers Gênes.

Avant même d'atteindre la ville portuaire, ils rencontrèrent le *legatus Domini*, Daniel, qui avait guidé ses hommes à travers la Provence septentrionale et, de là, remontait la côte. Lui aussi avait mis le cap vers la République génoise, qui était le point de rencontre convenu. Mais eux suivaient leur chef à la file indienne, la chaîne s'étirait de plus en plus, et les derniers retardataires ne trouvaient quant à eux ni bras ouverts, ni tables dressées.

Dans le sud de la France, le Maure Timdal avait déjà rejoint Daniel ; après le départ des navires, il avait déjà quitté Marseille avec les enfants français et se donnait l'air d'un grand seigneur dans sa calèche, si bien qu'il lui était possible d'offrir au légat une possibilité de voyager confortablement. La calèche appartenait certes, à l'origine, à Marie de Rochefort, mais elle l'avait laissée à Mélusine, et le Maure accepta volontiers de considérer celle-ci comme sa nouvelle maîtresse. Seulement, Mlle de Cailhac avait ensuite plongé dans la mer et laissé Timdal tout seul. Revenir au service de Marie de Rochefort lui paraissait être un piètre objectif. Un temps, il caressa l'idée de se rallier aux enfants allemands ; mais ce qu'il vécut peu après à Gênes lui rappela fâcheusement la situation à Marseille.

Niklas était ravi d'avoir de nouveau son légat auprès de lui. Sa première question concerna cependant la masse des enfants, auxquels Ripke devait faire franchir le col juste derrière lui. On n'en avait encore aucune nouvelle, ce qui alarmait Daniel au plus haut point : lui les avait vus partir en direction du Mont Cenis.

Niklas, le « Sauveur », accepta tranquillement cette perte. Il s'abstint soigneusement de faire au reste de la troupe, assemblé autour de lui – ils étaient tout de même encore quelques milliers, joints à la troupe de Daniel – des prophéties analogues à « La mer s'ouvrira devant nous ! », contre lesquelles Timdal l'avait mis en garde après le désastre de Marseille. Il s'en servit tout de même comme icône à l'intention de ses partisans : il avait déjà envoyé ses ambassadeurs, avec le commandement de la flotte de la « Superba », négocier la mise à disposition de navires.

Mais les Génois étaient habitués – même les multiples croisades n'avaient rien pu y changer – à ne céder leurs précieux navires que contre monnaie sonnante et trébuchante, ou contre des monopoles commerciaux encore plus lucratifs. Les enfants ne pouvant offrir ni l'un, ni l'autre, les Génois n'avaient aucune intention de faire une exception. Mais Daniel se révéla être un négociateur coriace et habile.

La « Superba », la fière – c'est le nom que s'était donné cette puissance maritime, par opposition à la « Serenessima » vénitienne – souffrait, en raison de sa participation active à diverses guerres commerciales, d'une pénurie considérable d'hommes d'équipages pour sa flotte ; la ville n'avait plus assez de jeunes hommes. Le doge proposa donc un échange : pour chaque garçon qui se déclarerait disposé à rester à Gênes et à s'y marier, on embarquerait en toute sécurité, à destination d'Acre, la capitale du royaume de Jérusalem, dix enfants de sexe masculin, et trente filles. Le *legatus Domini* jugea que c'était une proposition bienvenue, il la présenta au « Sauveur » comme un pont d'or pour assurer la poursuite de sa progression : s'il n'acceptait pas, les portes de la ville lui resteraient fermées. Niklas, par peur de perdre la face – ceux qui campaient devant Gênes commençaient déjà à gronder, car même l'accès au port leur était interdit –, accepta avec gratitude, il demanda seulement que l'on fournisse immédiatement des vivres supplémentaires à ses protégés. Tout se déroula pour le mieux, les autorités établirent des listes pour tous les enfants disposés à devenir des citoyens de la République, avec tous les droits et devoirs afférents. C'est alors qu'arriva, dans une situation de détresse totale, la masse gigantesque de ceux qu'Armin avait guidés à travers les Alpes.

Des milliers d'enfants avaient péri : ceux qui étaient sortis vivants de la tempête de neige, des avalanches et du froid glacial avaient été exposés, pendant leur marche à travers la Savoie encore hivernale, au verglas, aux coulées de boues et, surtout, à la faim. Lorsque les survivants aperçurent pour la première fois le scintillement de la mer au lointain, ils avaient perdu plus de la moitié de leurs camarades, morts de froid, noyés, tombés dans des précipices. Beaucoup, par désespoir, s'étaient donné la mort.

Armin avait été totalement dépassée par le rôle de chef qui lui était revenu. Elle se contenta de mener à bon port son plus proche entourage : Randulf, l'infirme, surmonta son handicap et lui fut d'un grand secours, et Miriam, devenue la tendre accompagnatrice d'Armin.

Surgies de l'arrière-pays, les premières hordes déchaînées rejoignirent près de Gênes cette mer qu'ils attendaient avec tant de ferveur. En découvrant ce spectacle, les autorités de la ville interrompirent immédiatement les négociations et verrouillèrent les portes. Malgré l'évidente impression de misère que donnaient ces êtres en haillons et affamés, les habitants craignirent une feinte des Allemands pour s'emparer de Gênes. Ils furent confortés dans cette évaluation par un représentant de la curie romaine, qui venait d'arriver dans le port avec l'un de ses navires.

Mgr Gilbert de Rochefort, qui venait de Marseille et se dirigeait vers Rome, comprit immédiatement qu'il pouvait jouer ici un rôle de régulateur ; il s'agissait avant tout de faire aboutir l'accord entre Niklas et la république. L'arrivée inopinée d'Armin favorisa son projet ; mais il devait d'abord remettre en route cette légion amassée devant la cité, lui faire quitter Gênes et se diriger vers une ville portuaire mieux à même de les accueillir. Il s'agissait de Pise : c'est là qu'il avait donné rendez-vous à Hugo de Fer et Guillem le Porc, pour y toucher la deuxième partie des honoraires récompensant ses services d'intermédiaire. Il était désormais en mesure de proposer un autre marché du même type à ces habiles marchands. Il était en outre nécessaire de les prévenir à temps pour qu'ils prévoient un nombre de navires suffisant. L'inquisiteur pensait encore avec désolation à la quantité de fret qu'on avait dû laisser sur le quai à Marseille.

À peine débarqué, il choisit sans hésiter le blond Jacov dans la file des garçons qui demandaient leur naturalisation, et l'entraîna sur le côté. Timdal fut le seul à observer la scène.

Compte tenu de son arrivée seigneuriale, le Maure n'était pas considéré comme l'un des croisés allemands auxquels on avait interdit l'accès du port. Il avait immédiatement remarqué, l'œil vif, l'arrivée de l'inquisiteur. Il connaissait depuis plusieurs années le frère de son ancienne maîtresse, Marie de Rochefort, savait qu'il s'agissait d'un agent de la curie, d'un intrigant qui nourrissait le plus souvent une hostilité dissimulée à l'égard de sa sœur tout aussi affairée, dame d'honneur de la reine et familière du prince héritier dont le goût pour les intrigues n'avait d'égal que le sien. Mais il ne parvint pas à épier la rencontre entre Gilbert de Rochefort et le jeune garçon blond. Il vit seulement que l'on pourvoyait Jacov d'un cheval et qu'on l'envoyait en mission. Le Maure entendit seulement les mots mielleux que le religieux prononça au moment de son départ :

— … ainsi, le destin tournera en votre faveur, au nom de notre Seigneur Jésus-Christ, et parce que vous êtes si blond, et allemand… (Il lui remit une lettre scellée.)… les destinataires vous accorderont une récompense rondelette. À présent, mettez-vous en route aussi discrètement que possible, n'allez pas éveiller la jalousie de ceux auxquels pareille chance n'est pas accordée…

Timdal ne parvint pas non plus à arrêter le cavalier et à lui arracher de plus amples informations sur sa mission. Mais il était sur le qui-vive. Notamment lorsque, peu après, Gilbert rejoignit le « légat » Daniel, son représentant, et Niklas. Armin se trouvait déjà avec eux. C'est à ce moment seulement que le « Sauveur » apprit la mort de Ripke, son colonel.

— Je ne verserai pas une larme sur lui, dit Niklas. Il voulait me contester la direction de la marche miraculeuse sur Jérusalem, laquelle va à présent, à l'aide de nos amis génois, connaître une issue glorieuse.

— Que Dieu bénisse votre louable entreprise, mon cher Niklas, commença Monseigneur, mielleux. Mais le com-

portement aussi insensible que cupide des Génois lui
répugne. (Il prit un ton de grande tristesse et de très profonde consternation.) Vous aussi, ils vous trompent, ils veulent juste prendre les meilleurs exemplaires parmi votre
échantillon de jeunes gens courageux et pleins d'espoir, mais
ils n'ont pas la moindre intention de vous transporter sur
leurs navires en terre promise. Ils vous chasseront! C'est
par la force des armes qu'ils vous feront partir d'ici!

— Mais enfin, nous nous sommes mis d'accord avec
eux! protesta Daniel.

— Le contrat est-il signé? demanda aussitôt Armin. La
seule chose que je vois, moi, c'est que même les portes de
la ville ne nous sont pas ouvertes, et que mes troupes crèvent de faim!

Elle avait ainsi involontairement apporté de l'eau au
moulin de l'inquisiteur.

— Vous avez ici la preuve, cher Daniel, que votre accord
ne vaut pas même le parchemin sur lequel il est écrit! (Il
se tourna vers le « Sauveur » à la triste mine.) Mais la Sainte
Église n'abandonne pas ses enfants, ajouta-t-il. Je me fais
fort de mettre à votre disposition à Pise autant de navires
que nécessaire – et ce pour la seule gloire de Dieu –, car je
connais là-bas de pieux marins qui accordent plus d'importance au sort de leur âme qu'au sac d'argent sur lequel
s'assoient les Génois! Descendez donc la côte pour
rejoindre cette ville où l'on aime les Allemands. (Gilbert de
Rochefort nota l'indécision de son assistance : il fallait à présent apaiser leur déception et leur indignation.) Pour le
reste, fit-il en s'adressant de nouveau à Daniel, je me propose d'arracher à ces avares, sans délai, les provisions dont
vos bouches affamées ont besoin, afin qu'elles ne souffrent
plus pendant ce bref trajet.

Ce fut l'argument décisif. Niklas décida que le départ
aurait lieu dès le lendemain matin, Daniel fut chargé d'arrêter immédiatement le processus d'inscription en faisant
courir le bruit que tous les gamins qui faisaient porter leur
nom sur les listes se retrouvaient en réalité esclaves sur
les galères des Génois. L'inquisiteur se rendit auprès des
autorités de la ville et leur proposa de les débarrasser de
toute cette vermine. Outre les provisions nécessaires à la

marche, il obtint une somme substantielle en argent liquide, comme l'apprit Timdal.

Le Maure se douta que le messager blond avait été envoyé à Pise et que dès leur arrivée, les enfants connaî-traient un sort analogue à ceux de Marseille, ville où Mon-signore avait vraisemblablement aussi joué un rôle. La seule différence, c'était que Timdal n'avait pas parmi les Alle-mands d'amis dont le sort aurait dû le préoccuper. Il était aussi absurde de s'opposer au cours des choses; s'il avait dénoncé ici, en public, l'influent agent de la curie, nul ne l'aurait cru, et encore moins protégé. Le Maure vendit donc la calèche à laquelle il avait pris goût, avec ses chevaux et ses valets. Il utilisa le contenu de sa bourse bien remplie pour acheter un passage sur un voilier des Templiers, sans demander longtemps quelle était la destination. Tout lui allait, il n'avait plus rien à faire ici – en réalité, seul un désir l'animait encore : celui de revenir au service de sa chère maî-tresse Mélusine de Cailhac. Comme la jeune dame était par-tie pour Jérusalem, le navire des Templiers lui paraissait constituer un bon moyen de la rejoindre.

Il cherchait justement une place sur le pont – l'équi-page était déjà en train de lever l'ancre – lorsqu'il vit Mes-sire l'inquisiteur remonter à bord du voilier qui l'avait porté jusqu'ici. Daniel, le *legatus Domini*, accompagna son supé-rieur sur le quai. Monsignore Gilbert de Rochefort lui annonça qu'à Pise, deux négociants qu'il connaissait bien viendraient lui parler. Lui, Daniel, devrait faire en sorte que leurs ordres soient respectés par les enfants – et surtout que Niklas, le « Sauveur », ne soit pas affligé par de nouvelles visions. Daniel fit ses adieux au religieux. Le légat, qui venait ainsi d'être confirmé dans ses fonctions, était empli de fierté et de gratitude. Il promit de tout faire pour satisfaire Mes-sire l'inquisiteur. Le seul qui aurait pu le mettre en garde était le Maure. Mais il ne voyait aucune raison de sauter du bord des Templiers sur la base de vagues soupçons, d'au-tant plus qu'on était déjà en train de larguer les amarres. Si Timdal avait eu le moindre pressentiment de qui les atten-dait à Pise, il aurait certainement agi d'une manière plus responsable. Il garda donc ses suspicions et ses craintes pour lui-même et tourna le dos à Gênes et aux Allemands. Le départ des enfants allemands était prévu pour le lendemain matin. Timdal n'avait aucune obligation d'y assister, et ne tenait pas à charger sa conscience inutilement.

À peine Rik van de Bovenkamp eut-il pénétré dans la bibliothèque avec le seigneur étranger que la voix de l'émir résonna dans le plafond. Kazar Al-Mansour se donna du mal pour rester courtois.

— Je ne peux pas attendre les Allemands aussi long-temps, plaisanta-t-il. Je viens tout juste de me débarrasser enfin de Rik, qui a laissé la dame Elgaine, venue de Rome, l'entraîner dans les profondeurs méridionales... (Sa voix laissa percer son agacement.)... et voilà que je dois encore subir les errances des derniers retardataires en attendant patiemment leur départ pour Pise...

Le visiteur, un homme mince et de haute stature, mani-festement l'ambassadeur annoncé, leva les yeux vers le pla-fond et sourit, amusé.

Timdal se rappela qu'il avait déjà rencontré plusieurs fois, dans des rôles différents, ce chevalier silencieux, du temps où il était encore au service de Marie de Rochefort ; seul le nom ne lui revenait pas à l'esprit. Il était même pos-sible qu'on ne l'ait jamais prononcé. L'invité, que les autres ne connaissaient pas, lança un clin d'œil amical au Maure, qui prit cela comme prétexte pour répondre à l'émir, en haut.

— Noble Kazar Al-Mansour, lança Timdal, vous ne pou-vez pas aller plus vite, dans le récit sur cette personne véné-rée, que ne peut voyager l'unique témoin !

Le Maure se frappa fièrement la poitrine.

— Eh bien ! je vous prie de vous dépêcher ! grogna la voix dans le plafond.

Timdal s'inclina profondément.

— Pour vous, je volerai au-dessus de la mer, comme un blanc pigeon voyageur porté par le vent...

L'émir n'apprécia pas ce ton moqueur.

— J'aurais aimé que vous puissiez vous faire pousser des ailes ! répliqua Kazar Al-Mansour. Je ne peux donc que vous donner de plus grandes jambes pour arriver sur le lieu où, pour la première fois...

Timdal rassembla tout son courage de bouffon et interrompit l'émir.

— Vénéré Kazar Al-Mansour, si vous vouliez raconter vous-même la suite, vous m'ôteriez de l'esprit un poids immense... (La voix au plafond se tut, le Maure soupira profondément et reprit son élan.) Et si vous ne m'épargnez pas le récit des événements, à moi, pauvre fou, vous pourrez peut-être, tout de même, me soulager considérablement...

Timdal avait parlé dans le vide : un instant plus tard, l'émir entrait déjà dans la salle des livres, au moment précis où Rik présentait le chevalier Armand de Treizeguet, plénipotentiaire de la cour royale de Palerme, et Alékos, moins respectueux et qui posa immédiatement une question directe sur l'anneau.

— Son existence n'a pas pu vous échapper, vénéré seigneur, votre intervention à Rome le prouve ! (Le Grec ne manifestait ni curiosité, ni peur.) Qui l'avait ? demandat-il, pour apporter aussitôt la réponse : Je le dis, c'était vous !

Armand de Treizeguet eut un sourire discret.

— Bon raisonnement, mauvaise conclusion !

Le chevalier se tourna vers son hôte :

— Vous avez fait entrer dans votre maison de très habiles chroniqueurs qui ne capitulent pas devant les incohérences de l'histoire, même s'il leur reste à apporter la preuve de leurs thèses audacieuses.

L'émir eut un sourire flatté, mais Alékos n'accepta pas ce reproche.

— Dans ce cas, l'attaque contre Elgaine d'Hautpoul, au couvent, était une machination, et ce serait elle-même qui, dans l'écurie...

Rik, auquel s'adressaient ces mots, en resta coi : auraitil lui-même été, pendant son sommeil, victime d'une agression ? Il se rappela l'échelle, qui n'était pas encore dressée pendant la soirée.

Messire Armand, homme subtil, répondit en souriant :

— Vous l'apprendrez si l'illustre Kazar Al-Mansour vous autorise à accompagner les suspects en question plus loin sur leur chemin...

— Cela pourrait bien leur convenir ! fit l'émir, indigné, avant de faire venir le Maure auprès de lui, d'un geste sévère. Timdal, vous savez ce que j'attends de vous, et sans détours ! (Il observa successivement tous les visages consternés de l'assistance.) Ma parole vaut toujours : aucun de vous ne se verra reprocher par moi les propos qu'il aura tenus, quels qu'en soient la forme ou le fond.

— Une sorte de sauf-conduit à la libre parole ! plaisanta l'ambassadeur. Je peux désormais le revendiquer pour moi-même !

Il prit l'émir par le bras et le fit sortir de la *sala al-kou-toub*.

— Passons dans mes appartements ! proposa Kazar Al-Mansour au chevalier, on ne nous y dérangera pas.

— Pas de trous au plafond, personne pour écouter aux murs ?

Armand de Treizeguet savait manier les situations difficiles.

L'émir secoua la tête, mais il n'en était pas aussi certain que cela. Ils s'assirent face à face dans la spacieuse tour d'angle dont les hautes fenêtres tombaient sur le cimetière en pente, la *makbara*, et, derrière, sur le bassin portuaire protégé et taillé dans le roc.

— Il est bon de savoir pour mon seigneur, le sultan, dans Le Caire lointain, qu'il a toujours en votre roi un ami fiable, même si Frédéric porte prochainement la couronne de roi.

Armand de Treizeguet se cala sur sa chaise, plongea les lèvres dans un thé brûlant et attendit que le serviteur se soit retiré.

— Il devrait en être ainsi, répondit-il, ambigu, mais le couronnement au titre de souverain de l'*Imperium Romanum*, que seul le pape peut mettre en œuvre, fait courir le risque de voir se transformer le *statu quo* entre le sultanat et l'empire. (L'émir le laissa poursuivre.) Le *pontifex maximus* a posé une condition *sine qua non* au couronnement : que l'empereur, une fois sacré, se place immédiatement à la tête d'une puissante armée, qui corresponde à son pouvoir et à sa dignité, et parte libérer le Saint-Sépulcre…

— Mais cet homme d'honneur ne va tout de même pas…

— Pourquoi pas ? fit l'ambassadeur, sarcastique. C'est

le plus grand honneur et le devoir d'un souverain très-chrétien : mener une croisade contre les méchants païens !

— C'est-à-dire contre nous, conclut amèrement l'émir, qui regretta aussitôt d'avoir parlé ainsi. Oubliées, tout d'un coup, toutes ces lettres spirituelles dans lesquelles on invoquait la tolérance entre nos religions, la fraternité à toute épreuve...

Kazar Al-Mansour sentit que l'indignation n'était pas de mise face à celui qui lui apportait cette nouvelle peu réjouissante, d'autant plus que l'ambassadeur lui-même n'en semblait pas heureux. Il se contenta donc de montrer sa tristesse et sa profonde déception.

— Comme tous ses prédécesseurs peu cultivés, bornés et obstinés à la tête de l'Occident chrétien, le Hohenstaufen, cet homme raffiné et ouvert à notre culture, accepte de devenir le valet de cet évêque de Rome et de sa démesure... Je ne veux pas, je ne peux pas y croire ! s'exclama l'émir. Son fidèle admirateur, l'éminent grand vizir du Caire, sera horrifié lorsque je lui apprendrai cette nouvelle. (Kazar reprit son souffle.) Le puissant *Amir Al-Mouminin*, notre sultan El-Kamil – qu'Allah lui donne longue vie –, m'accusera d'avoir calomnié un ami ! Cela ne peut pas, cela ne doit pas être vrai !

Le chevalier laissa son hôte épancher son indignation. Puis il dit :

— Mon seigneur, Frédéric, partage votre opinion. C'est la raison pour laquelle il m'a envoyé en éclaireur pour que nous trouvions ensemble une solution tenant compte de son engagement, auquel il ne se dérobera pas : rien ne doit faire obstacle entre nos peuples ni entre leur foi. Et cet engagement permettra surtout aux deux souverains concernés de garder la face, car on trouve dans les mosquées des musulmans tout autant de fanatiques de la doctrine pure et de l'intolérance à l'égard d'autrui que dans les églises de Rome ! Il faut aussi tenir compte de leurs réactions si ce que je vous ai révélé aujourd'hui en confiance débouche sur un appel officiel à une nouvelle croisade...

— Celle-ci est-elle vraiment inévitable ?

L'émir ne put s'empêcher de prendre une petite voix. Armand de Treizeguet ne chercha pas à en profiter.

— Le verdict tombera, bruyamment, dans le fracas des armes! Dites-moi, Kazar Al-Mansour, depuis quelque temps… (L'ambassadeur baissa le ton et regarda autour de lui, puis fixa les yeux vers la porte.)… je ne me débarrasse pas de l'impression que quelqu'un nous épie?!

L'émir fronça les sourcils mais se leva lentement et glissa dans la salle comme une panthère. Il ouvrit la porte d'un seul coup: Moslah, le gras *baouab*, se trouvait sur la plus haute marche de l'escalier, et fit comme s'il venait péniblement de s'y hisser.

— M'avez-vous appelé, Monseigneur? fit-il en haletant.

L'émir le laissa frétiller, si bien que le pauvre homme ne savait pas s'il devait entrer ou repartir.

— Ne te montre pas, demanda-t-il à son majordome, regardant sa tête chauve avec l'intérêt glacé d'un médecin, si personne ne t'a réclamé! (Moslah se tourna aussitôt pour repartir.) Si tes oreilles te trompaient, si un regrettable mal les frappait, Hakim te les percerait avec une épingle incandescente, ce serait secourable…

Le triton manqua dévaler l'escalier, tant il descendit les marches rapidement.

L'ambassadeur de Sicile se tenait au seuil de la porte lorsque l'émir se retourna.

— De toutes façons, on ne le dissimulera pas, fit-il pour apaiser Kazar Al-Mansour, fou furieux. L'important, c'est que nous trouvions à ce défi une réponse à laquelle nul ne puisse rien opposer…

— … à tous ces intrigants contre lesquels nous devons nous défendre, approuva l'émir, condamnés à l'impuissance!

Il raccompagna son hôte à l'étage inférieur, lorsqu'il songea qu'il pourrait lui accorder une petite attention.

— Si vous voulez entendre ce que notre cher Maure Timdal est déjà en mesure de raconter, je vous accompagnerais volontiers dans le lieu d'où je pourrai écouter tout ce qui se passe dans la bibliothèque…

C'était aussi un geste de confiance, et l'invité sut l'apprécier.

— Mieux vaut bien écouter les autres qu'être soi-même mal espionné! fit Armand en riant, et il laissa l'émir le précéder.

Extrait du manuscrit de Mahdia
Les faveurs du grand vizir
Récit du Maure

La barque officielle du grand vizir du Caire était en réalité une trirème pourvue d'une gigantesque voile d'apparat; trois rangées d'esclaves, disposés les uns au-dessus des autres, déchiraient simultanément les flots de la Méditerranée avec leurs rames, au rythme sourd des battements de tambour. Le navire des hauts dignitaires était escorté par des voiliers armés, tandis que des galères assuraient ses flancs. L'armada se dirigeait vers la petite île de Linosa, où le grand vizir avait pris rendez-vous avec la flotte égyptienne pour le diriger vers Alexandrie.

Mélusine avait fait à son hôte la joie de prendre le déjeuner avec lui sous la voile qui le protégeait du soleil. Pour ne pas être embarrassée par des questions désagréables sur son père et sur la cour de Palerme, elle s'était déjà imaginé une autre origine, dans la maison des Aragon. Elle pouvait en parler avec éloquence: dans son Languedoc natal, elle avait recueilli bon nombre de renseignements sur le roi Pierre, alors qu'elle aurait été totalement incapable de donner des informations sur le roi Frédéric, le Hohenstaufen. Elle savait au moins que son épouse, Constance, venait de Catalogne: après tout, sa sœur aînée, Elgaine, servait dans cette cour – ce qu'elle passa naturellement sous silence. Même une fille bâtarde devait rester crédible!

Il y avait suffisamment d'histoires de femmes autour du jeune roi d'Aragon. Mais le digne vieillard lui épargna toute espèce d'interrogatoire gênant. Il l'informa que l'austère rocher qui constituait l'île de Linosa servait de point d'appui fortifié à la flotte de l'ordre des Templiers. Mélusine, qui ne savait pas grand-chose des Templiers, sinon que l'étrange chevalier Armand de Treizeguet se présentait parfois comme un des leurs, prit l'air naïf et inquiet: ces chevaliers étaient tout de même des ennemis jurés du sultan. Le grand vizir répondit par un sourire: entre Le Caire et l'ordre existait depuis longtemps une amicale entente, même si, pour des raisons évidentes, le pacte était gardé secret.

Mélusine s'étonna, mais fut assez intelligente pour ne pas s'en montrer indignée. En vérité, elle n'avait jamais pu éprouver d'hostilité, ni même de haine, contre les « païens » – ces aimables Égyptiens ne pouvaient pas avoir été plus terribles que les sbires de l'Église catholique sur sa terre natale ! Le grand vizir, pour sa part, considérait son attitude souveraine comme véritablement « royale » et lui fit immédiatement remettre une précieuse œuvre de ferronnerie en guise de cadeau. La petite flottille avait ainsi atteint l'îlot de Linosa, qui était effectivement dominé par un gigantesque château. Les fortifications, flanquées de deux grandes tours rondes, intégraient aussi le port.

C'est sûrement cette vision impressionnante qui incita le vizir à rester à l'extérieur, ancré devant le môle plutôt que d'entrer dans ce trou de souris. Le commandeur de la garnison des Templiers se vit ainsi forcé de sortir par bateau pour présenter ses hommages à l'hôte de marque. C'était un guerrier taciturne, au regard sombre. La visite des Égyptiens – et surtout la flotte que l'on pouvait s'attendre à voir surgir – lui inspirait une méfiance mal dissimulée. La « fille du roi d'Aragon », que l'émir lui présenta fièrement, n'y changea rien. Il prit sobrement connaissance de son existence et de son désir de gagner la Terre Sainte. Pour préserver les apparences, il proposa au plus haut fonctionnaire du sultan et à Mélusine d'échanger les planches branlantes de la galère d'apparat contre la sécurité du sol ferme, et il parut ravi que le vizir lui oppose un refus courtois mais définitif. Ils se mirent d'accord pour que l'on fasse à l'Ordre le très grand honneur de pouvoir réapprovisionner la flottille ancrée devant le port en tout ce dont elle avait besoin, et notamment en eau potable fraîche.

Les seigneurs échangeaient encore des formules de politesse, lorsqu'un navire rapide de l'Ordre passa à leur hauteur devant l'entrée du port avec, à son bord, un Maure trop richement habillé qui tira une révérence, et se mit à sautiller d'une jambe sur l'autre en leur faisant des signes de la main. Le vizir et le commandeur, étonnés, regardaient Mélusine, à laquelle était sans doute destinée cette salutation. Timdal l'avait immédiatement reconnue, elle aussi, mais bien que son cœur à elle fît aussi des bonds de joie, elle fit semblant de ne pas le reconnaître. La mine impassible, elle laissa le petit homme avancer sans le saluer jusqu'à ce qu'il ait disparu entre les tours, dans l'espoir silencieux que le Maure comprendrait ainsi sa situation particulière.

Le commandeur prit congé. Le grand vizir se tourna vers Mélusine.

— Je voulais nous éviter, plaisanta-t-il, de devoir coucher notre tête sur les rudes lits de camp des Templiers et de partager leur pitance austère devant les longues tables du réfectoire ! Quelle idée effroyable !

Mélusine l'approuva.

— Ils chantent vraisemblablement avant le repas, et prient pendant la nuit...

Le vizir lui lança un regard étonné.

— Nous aussi, nous nous agenouillons pour prier lorsque le jour décline, la reprit-il doucement. À propos, qui était ce petit Noir avec son turban beaucoup trop grand ? demanda-t-il immédiatement après en reprenant son ton taquin.

Mélusine comprit que nier n'aurait aucun sens.

— Il me semble que c'était l'un de mes pages, admit-elle, l'air songeur. J'étais certaine qu'il était mort entre les mains des pirates, ou qu'il s'était noyé.

— Dans ce cas, qu'il se remette immédiatement à votre service ! demanda le grand vizir.

Mais avant que son souhait n'ait pu être exaucé, Timdal apparaissait déjà avec le navire de ravitaillement suivant. Il avait entendu parler, dans le port, de la «fille du roi» ; lorsqu'il arriva à bord, il se lança au sol devant sa maîtresse et remercia Allah avec enthousiasme pour la grâce qu'on lui faisait en le laissant servir à nouveau Mélusine. On attribua aussitôt au Maure une place à bord, à proximité immédiate de la tente de Mélusine, afin qu'il puisse marcher à côté d'elle. Une grande partie de la nuit s'écoula avant que tous deux ne finissent de se raconter ce qui leur était arrivé depuis Marseille.

Le lendemain, de très bonne heure, des voiles apparurent à l'horizon – c'était précisément le type de voiles qu'utilisaient les pirates auxquels Mélusine venait d'échapper. Mais l'agitation ne gagna ni chez les Égyptiens, ni dans la citadelle des Templiers : les navires qui se dirigeaient pacifiquement vers Linosa n'étaient que l'avant-garde de la flotte égyptienne, que l'on vit sortir, peu après, de la brume du petit jour. Les silhouettes noires des hautes galères militaires se découpaient dans la lumière dorée et scintillante. Les voiliers rapides qui les précédaient étaient commandés par le jeune émir de Mahdia, un neveu du grand vizir, venu saluer son puissant oncle. Kazar Al-Mansour, sur le poste extérieur reculé du royaume ayyubide, faisait office de gouverneur du Caire. L'intérêt stratégique du sultan pour ce cap austère et qui débordait largement sur la mer était relativement faible, comme put le déduire Mélusine lors de la discussion matinale qu'elle eut avec l'oncle : il s'agissait sans doute plus de la valeur symbolique de la forteresse de Mahdia, puisque le légendaire El-Mahdi s'y était fixé après sa fuite de La Mecque et y avait fondé la fameuse dynastie des Fatimides.

Mélusine entendit tout cela comme à travers un voile : les regards ardents de l'émir la placèrent tout d'abord dans un état de profonde confusion. Dès que Kazar Al-Mansour l'avait vue, il avait certes continué à écouter son oncle et à lui répondre, mais ses sens tournaient autour de la jeune femme, il la dévorait des yeux – il ne pouvait ni l'empêcher, ni le dissimuler ! Mélusine, d'ordinaire tellement hardie, se tut, intimidée, les yeux baissés, ne serait-ce que pour ne pas avoir à observer le visage de cet homme. Kazar, lui non plus, ne s'adressa pas à elle, même si chacun de ses mots semblait fait pour entourer cette femme d'un cocon, l'enfermer dans un fin réseau de liens argentés. Ils lui découpaient la chair, lui tiraillaient le cœur, l'empêchaient de respirer, elle finit par se sentir mal, car derrière l'homme qui la convoitait ne pouvaient que se cacher de lourdes chaînes qui lui raviraient sa liberté – ce serait, dans le meilleur des cas, une cage dorée. Et pourtant, cette créature tellement étrangère la fascinait. Mélusine ne voulut pas s'exposer à cet assaut. Elle demanda au vizir l'autorisation de se retirer. Timdal la suivit.

— Cet homme me fait peur, chuchota Mélusine à son confident dès qu'elle eut atteint la tente. Sa sauvagerie ne recule devant rien ! Mais si je cherchais refuge, ce serait dans ses bras !

Timdal réprima un sourire.

— Sa virilité sans frein vous a fait peur...

Il s'apprêtait à ajouter que ce fils du désert n'avait rien de comparable avec les personnes qui lui avaient rendu hommage jusqu'ici, mais Mélusine se jeta tout d'un coup sur son lit en damas et tapa du poing dans les coussins.

— C'est un animal! fit-elle en haletant de fureur. Sans mœurs ni éducation!

Timdal la contredit:

— L'émir me donne l'impression d'être un grand seigneur!

Mélusine se cabra sur ses coussins.

— Je ne me sens plus en sécurité: je vais demander l'asile aux Templiers!

— Ne faites pas cela! lui conseilla le Maure avec virulence. Vous blesseriez profondément le vizir! (Il vit qu'il ne parviendrait à rien face à l'obstination de la jeune femme.) Il nous a proposé son hospitalité; la refuser sous prétexte que vous ne lui faites plus confiance serait aussi grave que de gifler le vieil homme.

Mélusine n'en démordait pas: la rencontre avec l'émir lui accaparait l'esprit. Et la foudre avait frappé Kazar Al-Mansour au moment où il avait découvert Mélusine.

— Je pourrais déclarer au commandeur que j'ai changé d'avis et que je veux revenir dans ma patrie occitane?

— Dans votre royaume d'Aragon? demanda Timdal, moqueur. Vous devriez aussi tenir compte du fait que le commandeur ne réagirait pas en votre faveur, car il est très vraisemblable que les Templiers ne gâteraient pas pour vous leurs relations avec Le Caire – et que la garnison de Linosa ne se brouillerait certainement pas avec l'émir de Mahdia, la ville voisine...

Mélusine se laissa retomber dans les coussins.

— Vous non plus, Timdal, vous n'avez aucun conseil à me donner qui puisse me sortir d'affaire. Laissez-moi seule à présent, je vous prie.

Le Maure suivit cette invitation et quitta la tente de la princesse.

À la fin de l'après-midi, lorsque l'ombre eut enfin rafraîchi l'atmosphère et que la brise fraîche se leva, le vizir avait invité le commandeur de l'ordre des Templiers à bord de son navire pour lui offrir un cadeau, en reconnaissance de l'hospitalité dont ils avaient joui, et pour prendre congé de lui. Le commandant de la flotte égyptienne était là, lui aussi, tout comme l'émir de Mahdia. L'émir avait personnellement demandé au vizir d'honorer la petite société de sa présence, car le vieux monsieur avait tout à fait noté à quel point Mélusine avait réagi avec effarement à la convoitise affichée de son neveu, raison pour laquelle il jugea nécessaire de blâmer Kazar Al-Mansour. En tant qu'oncle, il était certes capable d'éprouver de la compréhension pour l'ardeur de son jeune sang. Mais en tant que premier serviteur de l'État, il était forcé de blâmer pareil manque de maîtrise. Ces messieurs s'étaient déjà installés pour prendre le thé lorsque Mélusine fit son apparition. Le grand vizir avait préparé son départ aux premières lueurs de l'aube pour avoir à subir le moins possible le soleil brûlant de la journée.

Mélusine, sans rien dire, plongeait les lèvres dans son thé à la menthe ; elle avait brutalement refusé les sucreries qu'on lui avait proposées. Elle évita soigneusement de regarder l'émir, mais se déroba aussi aux regards du vizir inquiet – par honte ! Lorsque le commandeur se releva, elle lui barra le chemin et dit d'une voix forte et claire :

— Je me place sous la protection de l'ordre chrétien du Temple de Jérusalem !

Un silence glacial se fit aux alentours. Le grand vizir était piqué au vif – ou plus exactement touché au cœur, puisqu'il avait envers Mélusine les sentiments d'un père. Mais il fit preuve de sang-froid. Tandis que le commandeur très agacé lançait à Mélusine qu'elle confondait sans doute un ordre de moines guerriers, une communauté purement masculine, avec un couvent pour jeunes femmes de la noblesse – ce que l'on ne trouvait cependant pas sur l'île de Linosa –, le grand vizir faisait venir le commandant de sa flotte et lui transmettait ses instructions à voix basse. Décontenancée, Mélusine vit quelques marins démonter sa tente et la transporter avec tout leur contenu, y compris son divan damassé, vers une barque où ils les entassèrent avant de se diriger vers le port. Aucun de ces seigneurs n'échangea un mot supplémentaire avec elle. Elle suivit, sans volonté, l'invitation muette du chef des gardes et se laissa conduire, sur un deuxième bateau, en compagnie de Timdal qui l'avait suivie sans mot dire. Le navire resta cependant dans le bassin portuaire jusqu'à ce que la tente soit de nouveau dressée sur le quai. Alors, on déposa à terre, sans la moindre cérémonie, la princesse et tous ses serviteurs. Mélusine se réfugia sous la tente, ne serait-ce que pour échapper aux regards des badauds qui s'étaient retrouvés dans le port. Elle constata avec honte que le grand vizir ne s'était pas contenté de leur laisser à tous bijoux et vêtements précieux, mais y avait ajouté de nouveaux cadeaux. Elle manqua hurler de rage, mais l'apparition du commandeur la força à se contenir.

Le commandeur l'informa brièvement qu'elle était *persona non grata* à Linosa et que l'Ordre n'assurerait ni sa sécurité, ni ses autres besoins. Fait regrettable, le navire sur lequel son Maure avait payé son voyage en Terre Sainte était déjà reparti à la voile.

— Dans ce cas, nous attendons le prochain navire ! avait répliqué Mélusine avec un air de défi qui déplut encore plus au commandeur.

— Jusqu'à nouvel ordre, les Templiers ne sont pas une entreprise de transports publics au service des jeunes dames piquées par l'envie de partir pour Jérusalem. Nos navires sont les éléments d'une flotte de guerre ! expliqua-t-il d'un ton sans appel avant de tourner les talons.

Pour le soir, Timdal trouva dans le port du poisson et du fromage. Il dénicha même un bon vin que Mélusine ne refusa pas non plus de goûter. Ils allèrent se coucher tardivement, lorsque l'activité du port se fut totalement éteinte et que l'on n'entendit plus que le cliquètement du pas des gardes sur les murs. Mélusine regarda une fois encore au loin, vers la mer où la flotte égyptienne attendait dans l'obscurité le moment de partir. Puis elle ferma la tente et se coucha dans son lit. Timdal dut s'installer à ses pieds, car elle ne trouvait pas le sommeil.

— Je crains une attaque, et pour cette nuit même ! avoua-t-elle au Maure, bouleversée. J'en suis totalement certaine.

Mais sa voix parut de plus en plus déçue au fur et à mesure que la nuit progressait et que rien de tel ne se produisait. À un moment, elle s'endormit...

Aucune des personnes présentes dans la bibliothèque n'avait remarqué que la porte s'était entrebâillée et que l'émir les observait. Le curieux s'éloigna cependant en toute hâte avant que son nom ne soit prononcé – seul Timdal avait remarqué l'instant où Kazar referma doucement la porte derrière lui. Cela retira une épine au pied du Maure : il pouvait désormais, pour ce qui concernait la mémorable première rencontre, creuser sans la moindre limite les sentiments des personnes intéressées. Et Timdal aurait volontiers poursuivi son récit sur sa lancée si Armin ne s'était pas placée en travers de son chemin.

— Le Maure est un terrible bourreau ! se moqua-t-elle d'une voix rauque. Il veut nous écarteler parce qu'il n'ose pas passer les poucettes à l'émir, craignant que celui-ci ne le renvoie à Tunis remplir les fonctions de grand eunuque...

— Je trouve Timdal très courageux, intercéda Rik en faveur du petit homme. Il témoigne ici pour sa maîtresse Mélusine, il atteste du caractère contradictoire de ses sentiments. (Rik cherchait les mots qui convenaient. Lui aussi avait du mal à digérer ce qu'il venait d'entendre.) Après tout, c'était l'un des traits de caractère essentiels de cette jeune femme hors du commun que Kazar Al-Mansour n'a certainement pas connue sous ce jour.

Armin éclata d'un rire rauque.

— Ne serait-ce que dans le but de permettre aux protagonistes masculins d'avoir les idées claires, nous devrions à présent tourner de nouveau notre regard sinon sur tous les Allemands, du moins sur notre Rik van de Bovenkamp...

— Il n'en est pas question !

L'émir avait ouvert brutalement la porte ; derrière lui se dressait la silhouette d'Armand de Treizeguet, l'ambassadeur du royaume de Sicile.

— Je ne tolérerai aucune interruption !

Kazar Al-Mansour ne se montra ni courtois, ni diplomate. Le récit était arrivé à un point où des flèches incandescentes le perçaient de toute part, lui passaient sous la peau, se fichaient dans sa chair d'où des crochets acérés les empêchaient de sortir. Il se précipita dans la *sala al-koutoub* et apostropha Timdal :

— Désormais, vous restez à Linosa !

Son regard se posa sur Daniel, qui plongeait déjà sa plume dans l'encrier, mais regardait fixement la porte, où se déroulait une sorte de mêlée silencieuse. Des hommes en habit brun à capuche repoussaient l'ambassadeur resté en arrière, tandis que les gardiens de la porte tentaient en vain d'empêcher les *oulémas* barbus d'entrer dans la bibliothèque. Puis Luc, dit Saifallah, puisque c'était le nom qu'il se donnait depuis sa conversion à l'islam, parvint, par le truchement d'Armand de Treizeguet, à entrer dans la salle en trébuchant sur le seuil de la porte.

— *Aar ed-Din !* lança-t-il en haletant à l'émir. Honte de la foi ! Combien de temps encore épargnerez-vous ces chiens de chrétiens ? (Les gardiens l'avaient fait reculer et le tenaient par son froc miteux.) Lorsque vous ne recevez pas des espions de l'île (Il pointa son index en direction d'Armand, qui ricanait), vous ne pouvez pas vous empêcher, Kazar Al-Mansour, de faire consigner ces vieilles histoires mensongères comme si elles étaient les véritables paroles de Dieu ou celles du prophète, *aleihi salam* !

Le chef des gardes se jeta sur lui ; Saifallah se retrouva au sol, ils l'attrapèrent par les bras et les jambes, tandis qu'il continuait à bêler :

— Vous pouvez bien m'empêcher de parler, cela reste une collaboration avec l'ennemi...

Le front de l'émir s'était peu à peu assombri. Une veine de colère enflait à présent sur son front, sa main se leva, impérieuse, et les gardes s'immobilisèrent, sans lâcher le ballot qui gigotait entre leurs bras.

— Ligotez-le, fit-il, et jetez cette canaille dans le...

— Contre-proposition ! lança l'ambassadeur en lui coupant la parole. Fourrez-lui un bâillon dans le bec et forcez-le à écouter !

Cette variante plut à l'émir.

— Allez chercher la cage à chiens ! ordonna-t-il aux gardiens. Accrochez-le de sorte qu'il ne puisse ni bouger, ni aboyer. Ensuite, mettez-le dans le coin !

Les gardiens tirèrent Saifallah à l'extérieur et expulsèrent aussi ses compagnons à coups de canne. Alors seulement apparut le majordome, excité.

— Quand on a besoin de vous, Moslah, lui lança Kazar Al-Mansour, vous n'êtes jamais là. À moins que ce soit vous qui ayez lancé cette bande à nos trousses ?

Le *baouab* rondouillard leva les mains vers le ciel.

— Comment pouvez-vous, précieux seigneur…

— Jetez-moi ces lascars au cachot ! fit l'émir pour couper court au lamento. Qu'ils y dansent, se saoulent et prient jusqu'à ce que la présence de Saifallah leur devienne insupportable. (Il lança à son majordome un regard rigoureux.) Vous répondrez sur votre tête de l'exécution de mon ordre !

Moslah était ainsi congédié. Kazar Al-Mansour s'adressa à Rik.

— Compte tenu de la présence de notre nouvelle auditeur, je tiens à ce que vous continuiez en racontant le destin des enfants allemands… (Il dévisagea son ami avec un sourire ambigu.) Je serais aussi content, Rik, d'en savoir plus sur vos sentiments. Ceux de l'époque, je veux dire.

Et il ajouta, à l'intention d'Armand de Treizeguet :

— Il n'est pas question que le rusé Timdal étale ici mes peines de cœur devant toute l'assistance si d'autres se retirent dans leur coquille…

L'ambassadeur sourit.

— Vous verrez, Kazar Al-Mansour, que la roue de l'histoire à laquelle nous sommes attachés n'épargne personne !

Si cette terrible image était censée servir d'encouragement, Armand de Treizeguet avait surestimé la résistance de ceux qui étaient rassemblés dans la salle des livres : l'apparition de Luc de Comminges leur avait déjà, à tous, porté sur l'estomac, et la perspective de l'avoir à présent assis dans un coin en témoin muet ne paraissait réjouir personne. L'émir et l'ambassadeur avaient de nouveau quitté la *sala al-koutoub*.

— Je parierais, lança Armin à Rik avec une mine de

conjurée, que si nous laissons rapidement Pise derrière nous et que nous expliquons que nous devons absolument revenir à Linosa, le noble Kazar Al-Mansour va très vite nous libérer de cet *ouléma* qui nous importune jusque dans sa cage!

— De toute façon, je n'ai rien à ajouter à propos de Pise. Je n'y étais pas, je faisais route vers Palerme. Mais je vous approuve : nous devrions trancher le plus vite possible le nœud de Linosa, afin que cette chère âme trouve enfin le repos...

— ... et puisse serrer Mélusine dans ses bras! ajouta finement Daniel.

— Rik veut seulement échapper à la dissection de son cœur amoureux! reprit Armin. Palerme ne vous sera pas épargné! Là-bas, au plus tard, vous vous retrouverez sur la froide table de marbre, et on vous l'arrachera vivant!

Rik se tut, désagréablement surpris par cette image, mais Timdal n'en resta pas là.

— Et que se passera-t-il, demanda-t-il en s'adressant moins à la personne concernée qu'aux autres membres de l'assistance, que se passera-t-il si le chirurgien n'y trouve pas d'amour?

— Ou s'il n'y trouve qu'un cœur de lapin? ajouta Armin.

Elle aurait volontiers retourné le couteau dans la plaie, mais ne put poursuivre sa besogne : Daniel venait de faire signe que désormais, il devait écrire en même temps que lui. Au même instant, on apporta dans la pièce la cage qui contenait Rik et on la déposa sous le trou du plafond. Le fanatique bâillonné ne grogna même pas, et l'assistance ignora sa présence.

Extrait du manuscrit de Mahdia
La bonté du Monsignore
Récit de Daniel

R anduIf, l'ingénieux estropié, avait déterminé, à la demande de Daniel, à qui le Maure avait vendu sa calèche lorsqu'il se trouvait à Gênes. Car le *legatus domini* avait, lors du départ de l'inquisiteur, reçu une belle bourse afin de pouvoir remplir convenablement sa mission. Le vendeur, un marchand de poisson, flaira l'affaire de sa vie. Armin

dut ajouter quelques pièces d'or sorties de sa ceinture avant
qu'ils n'entrent en possession du véhicule, de ses chevaux
et de ses valets. Elle exigea en revanche de la place pour elle,
sa Miriam et l'infirme. Daniel convainquit Niklas qu'il devait
les précéder à Pise afin d'y assurer une réception digne du
« Sauveur ». En vérité, le *legatus* en avait assez du spectacle
misérable qu'offraient les enfants, qui allaient à présent descendre la côte ligurienne pour rejoindre la ville portuaire
la plus proche. En revanche, ceux qui arriveraient les premiers profiteraient de la généreuse bienveillance des paysans encore enthousiasmés : ils accordaient une pitance
abondante et une hospitalité cordiale. Armin, elle aussi, se
sentait désormais toute prête à réduire sa vocation de Sama-
ritaine à l'attention qu'elle portait à Miriam et Randulf. Le
rôle de commandeur du cortège, qui lui était revenu depuis
la « chute » du colonel Ripke, que nul ne regrettait, ne lui
paraissait plus depuis longtemps un objectif à atteindre. À
Gênes, elle prit le temps d'organiser un départ ordonné, de
telle sorte que le « Sauveur » soit forcé de se considérer
comme le chef du cortège une fois qu'il serait parti à sa tête,
dans sa charrette entourée de gardes. Et avant que la masse
des enfants ne se mette en marche, la calèche fila vers le sud.
Daniel, Armin et ses protégés atteignirent Pise sans
autres difficultés. Le *legatus Domini* les logea dans une
auberge au bord de l'Arno, mais prit lui-même ses quartiers
chez l'évêque local et fit immédiatement en sorte que la nouvelle de son arrivée et celle des enfants croisés venus d'Allemagne se propage. À son grand agacement, Daniel vit
pourtant deux jours plus tard Randulf lui amener deux messieurs qui s'étaient adressés à Armin, à l'auberge, de la part
de Monsignore Gilbert, et avaient demandé à le rencontrer
en personne – exactement ce que Daniel voulait éviter. Le
légat demanda aussitôt à inspecter les navires qui devaient
être fournis par les deux marchands pour le transport. On
lui répondit que le gros de leur flotte n'était pas encore arrivé,
mais qu'il entrerait en toute certitude dans le port d'une
heure à l'autre. Sur ce, ils trouvèrent un prétexte pour s'éloigner, mais prirent rendez-vous pour le lendemain avec Messire le légat. La vérité était, comme Randulf l'apprit
rapidement dans le port, que tous deux tentaient encore de

louer aussi rapidement que possible des navires qui pourraient les emmener. Guillem le Porc était certes parvenu à
faire mettre en route ses propres barges depuis la Sicile, mais
il n'y en avait que cinq et l'on ne ferait pas grand-chose avec
elles – d'autant plus qu'elles n'étaient pas encore arrivées.

Cela, et ce que l'on murmurait à propos des deux négociants, incita Armin à freiner le légat dans ses ardeurs.

— Quand les Pisans, que même les marins n'appellent
jamais que les « rats de la mer », appellent quelqu'un « Le
Porc »…, commença-t-elle.

— Cela signifie seulement qu'ils le respectent et qu'ils
le craignent, fit Daniel en lui coupant la parole.

— Pour ma part, fit Armin, je ne tendrais même pas
mon petit doigt à ces honnêtes commerçants. Ils empestent !

— Monsignore Gilbert de Rochefort s'est personnellement porté garant de leur probité ! fit Daniel, fou de rage.
Sa parole vaudrait-elle moins, tout d'un coup, que celle d'un
estropié qui traîne dans le port ? (Il comprit qu'il était allé
trop loin.) Allons, ces informations, Randulf lui-même ne
les a que de deuxième main, fit-il, conciliant.

Mais Irmgard von Styrum n'en démordait pas.

— Ce qui me paraît essentiel, c'est ceci : l'état des
navires ! J'aimerais en faire dépendre mon jugement définitif. Si cela vous agrée, légat, vous pourrez m'accompagner
sur-le-champ à l'endroit où est censée accoster la flottille
de transport !

Daniel n'en avait aucune envie. Si le gras Guillem était
un porc, alors la Styrum était au moins une chèvre, ou plus
exactement : un bouc !

Comme ils étaient tous deux propriétaires de la
calèche, ils durent attendre le lendemain pour se mettre d'accord et aller faire l'inspection. Mais entre-temps, l'avant-
garde de l'armée des enfants qui avançait le long de la côte
tyrrhénienne était arrivée au bord de l'Arno, suivie par la
charrette de Niklas. Le légat et Irmgard von Styrum rencontrèrent ainsi le « Sauveur » sur le quai, avec les deux
marins – mais il n'y avait pas la moindre trace des navires !
Hugo de Fer avait eu la bonne idée de ne rien montrer du
tout plutôt que de donner une mauvaise impression. Sa flotte
ne pouvait pas rester sur place à ne rien faire, expliqua bru-

talement Hugo. Il voulait désormais que la direction de cette louable entreprise qu'était la croisade lui indique clairement combien de navires étaient nécessaires, et à quel moment ils le seraient. C'était en tout cas ce dont on était convenu avec Messire l'inquisiteur !

— Je pourrai vous donner ces chiffres par écrit aujourd'hui même ! proposa immédiatement le légat, mais Niklas, un homme respecté de tous, le démentit devant tous les autres.

— J'ai décidé, fit-il savoir à Daniel, de commencer par aller en délibérer à Rome, avec le pape ! Sans la bénédiction du Saint-Père, rien ne sera décidé ici et maintenant !

Les deux marchands, qui avaient espéré réussir en menaçant de manière à peine voilée de refuser le transport, se voyaient déjà privés de leur belle affaire. Mais Daniel leur fit comprendre qu'il parviendrait certainement à se mettre d'accord avec eux dès qu'ils auraient éloigné ces « bêleurs » de Pise. Armin comprit trop tard qu'elle avait fait le jeu de Daniel. On ne pouvait plus désormais changer la répartition des tâches, car le « Sauveur » avait immédiatement apprécié la calèche et l'idée de passer devant Saint-Pierre à l'intérieur de ce véhicule. Elle oublia sa déconvenue, serra dans ses bras le légat ahuri, l'embrassa et lui jura de ne rien entreprendre en son absence qui contredise les souhaits déclarés du vénéré inquisiteur. Puis elle monta dans la calèche avec Miriam, car Niklas avait insisté pour n'être accompagné que par ses « deux Marie ». Randulf dut par conséquent rester à Pise.

Le « Sauveur » demanda au cocher de remonter le long du môle de Pise, sous les acclamations des enfants qui lui firent une haie d'honneur, bien que beaucoup d'entre eux aient à peine tenu sur leurs jambes. Tous puisaient leur énergie dans l'espoir que leur chef serait reçu par le pape à Rome et attirerait ainsi la bénédiction de Dieu sur leur croisade. La calèche disparut vers le sud, sous les vivats.

6

L'anneau se referme

— Oh non, pas Rome, en plus du reste ! gémit Daniel avant de jeter sa plume par terre, en signe de désespoir.

Comme pour souligner sa protestation, on entendit du coin où se trouvait la cage une plainte informe et étranglée : Luc ne pouvait pas produire d'autre son que celui-ci, avec l'épais bâillon qu'on lui avait coincé entre les dents. Personne ne le regardait, mais sa présence était désagréable à tous.

— Ne vouliez-vous pas revenir aussi vite que possible à Linosa, auprès de Mélusine ? chuchota Rik à Irmgard von Styrum qui avait mené seule le dernier récit – mis à part quelques incises de Daniel – et qui semblait prête à reprendre son récit sans la moindre gêne.

— Vous aimeriez sans doute passer Palerme sous silence, répliqua Armin, venimeuse. Je vous laisse juste le temps de remettre votre rôle d'aplomb, ensuite allez vous faire foutre !

— Seul peut parler ainsi quelqu'un à qui cela n'arrive guère, crailla insolemment Timdal, mais qui aime à porter la culotte !

— Le Maure sait de quoi il parle, glissa Daniel. N'avoir qu'un trou à l'entrejambe ne peut que provoquer une profonde jalousie ou une aigreur dévorante ! (L'esclave du pupitre prenait sa revanche sur la Styrum, qui ne lui avait pratiquement rien épargné, à lui, le *legatus Domini*.) Et tout cela sent le poisson mariné dans la pisse ! ajouta-t-il en lançant son écritoire au sol.

Irmgard von Styrum était blême de rage. Rik s'interposa au moment où elle allait se précipiter sur le petit scribe.

— Avez-vous tous deux oublié quelles règles nous a fixées l'émir ? demanda-t-il à Daniel, furibond.

Timdal intervint à son tour :

— Quelles que soient les horreurs que l'on nous raconte, le secrétaire doit le coucher sur le papier. Les idées qui viennent à ce propos à celui qui écrit, il les ajoute en silence ! Ainsi, l'émir et l'islam auront un aperçu très complet de l'état d'âme et de la constitution spirituelle de ceux dont on parle ici et de ceux qui s'expriment, que nous représentons en symboles du christianisme occidental.

— Voilà de la bave de crapaud ! répliqua Irmgard von Styrum avec fureur. Pourquoi dois-je supporter cela ?

— Demandez-vous plutôt, Armin, pourquoi vous vous l'infligez !

— Votre vanité dépasse les limites ordinaires de la douleur humaine, fit Daniel, moqueur.

Rik lui demanda de se remettre à son pupitre et s'adressa à Irmgard :

— Soyez brève ! fit-il.

C'est alors que Moslah se glissa dans la salle des livres. Il portait un rouleau de parchemin, noué et scellé, qu'il remit du bout des doigts à Rik van de Bovenkamp.

— Le noble Kazar Al-Mansour ordonne que ce document soit intégré à votre chronique !

Il n'adressa de regard ni à Rik, ni à qui que ce soit. Tout juste balaya-t-il en haussant les sourcils la cage contenant Saifallah, puis il ressortit.

Rik défit le sceau et déballa un paquet de feuilles couvertes d'une écriture serrée.

— L'écriture semble être celle d'une femme ! crut pouvoir affirmer le Maure.

— Dans ce cas, il est tout à fait normal, reprit Daniel, que l'unique représentante de la gent féminine, Armin von Styrum, nous en expose le contenu.

Rik hocha la tête, Armin lui arracha les pages de la main et lut le titre d'une voix hésitante.

Extrait du manuscrit de Mahdia
Considérations d'une jeune juive face
à la Grande Putain de Rome
Récit de Miriam Melchsedek

Lorsque la main grossière du goï chauve passa la lame de son poignard sur la courbe du cou de ma sœur, et que son sang jaillit sur le bras nu de son bourreau, lorsqu'il me fut donné de fermer les yeux devant cette horreur, je n'avais certainement pas à l'esprit que je franchirais un jour le seuil de la maison où loge « l'animal », le monstre qui occupe le siège de saint Pierre.

J'étais à Rome, le repaire de la pieuvre aux tentacules innombrables et tachés de sang, celle-là même qui avait mis un terme aux jours de ma sœur Esther.

Moi, la survivante, la juive Miriam, j'étais entrée dans le temple de marbre de la putain des chrétiens, mille fois coupable et seule coupable.

Le pape n'habitait ni à Saint-Pierre, comme le découvrit Niklas avec déception, ni dans l'un des palais qui entourent cette basilique à l'extérieur des murs de Rome. Mais le Saint-Père s'y rendait quotidiennement pour prier et pour assister à la messe. On ne pouvait pas non plus s'y rendre en calèche ; il fallut descendre bien avant et se frayer un chemin à pied à travers les ruelles étroites, comme le font les pèlerins du monde entier. Les deux dames et le « Sauveur » prirent ainsi leurs quartiers dans une auberge du port, sur le Tibre, où vivaient aussi beaucoup de juifs, comme le constata Miriam avec plaisir. Elle ne se fit cependant pas reconnaître en tant que juive, mais préféra se faire passer pour la concubine de Niklas, bien que celui-ci n'ait jamais fait le moindre geste pour l'approcher. Sa « très chère » Armin y veillait, car elle vivait en état de péché avec elle depuis qu'elle avait envoyé pour elle le colonel Ripke à la mort.

— Espèce de vipère ! lança Armin, furieuse, en entendant cette partie du texte, après avoir dû ravaler sa salive à plusieurs reprises. Cette grenouille hypocrite dont une douzaine de gaillards n'auraient pu satisfaire la lubricité... (La Styrum avait du mal à retrouver sa contenance.) Je me refuse à lire plus longtemps ces mensonges et ces calomnies...

— Voulez-vous être relayée ? demanda Daniel, glacial, pour interrompre ce lamento. Je suis tout à fait prêt à...

— Cela vous irait bien ! feula Armin en reprenant le parchemin.

Extrait du manuscrit de Mahdia
Visions d'une jeune juive face à la Grande Putain de Rome
Récit de Miriam

Il faisait encore nuit lorsque Niklas réveilla ses deux Marie : il avait entendu dire que le Saint-Père se rendrait dès les premières heures de la matinée à la basilique Saint-Pierre. Mais il n'était pas seul, des centaines de croyants en étaient eux aussi informés et se serraient autour du bâtiment, si bien qu'il n'existait aucune possibilité d'arriver ne serait-ce qu'à proximité du pape. Ils eurent bien de la peine à l'apercevoir sur son trône, à côté de l'autel, une zone dans laquelle on ne laissait manifestement passer que des personnalités triées sur le volet. Ils s'apprêtaient déjà à renoncer lorsque des soldats pontificaux les repoussèrent dans une chapelle latérale.

C'est là qu'apparut un jeune homme en froc noir, qui demanda à Niklas s'il était le chef des enfants allemands de Cologne, celui qui se faisait nommer « le Sauveur ». Niklas se mit à transpirer et à bredouiller, Irmgard tenta de sauver la situation en expliquant que Niklas ne se serait jamais attribué ce surnom lui-même et que d'autres le lui avaient appliqué contre sa volonté. Le moine en noir lui fit remarquer que ce n'était pas à elle qu'il avait posé la question, et il ordonna à Niklas de le suivre. On interdit aux deux Marie de l'accompagner, ils ne purent que suivre de loin, comme le lui expliqua Niklas devant le pape.

L'entretien fut bref et le verdict rapide, comme dut, plus tard, le reconnaître le « Sauveur ». Le Saint-Père semblait être au courant de tout. Il ne laissa pas le pauvre Niklas prendre la parole, mais refusa rigoureusement qu'il poursuive cette entreprise insensée. Il devait, lui dit-il, faire en sorte que les âmes innocentes qu'il avait réussi à capter reviennent chez elles saines et sauves s'il ne voulait pas s'exposer aux pires tourments de l'enfer. Niklas ne put que s'agenouiller et reconnaître humblement ses péchés, que le jeune moine lui énuméra. Il n'en manquait presque aucun, mais le pire paraissait être, pour l'accusateur, l'arrogance dont il avait fait preuve en usant de fonctions sacerdotales sans avoir même informé les organes compétents de l'Église. Tout cela avait un fâcheux parfum d'hérésie !

Le Saint-Père, dans sa bienveillance, s'en tint à un avertissement, et le « Sauveur », totalement brisé, fut raccompagné à la sortie de la basilique. Lorsqu'il revint à l'air libre, soutenu et consolé par les deux Marie, Monsignore Gilbert l'attendait sur le parvis.

L'inquisiteur se montra paternel à l'égard du malheureux, et extrêmement galant envers les dames, même s'il mit aussitôt Irmgard von Styrum à la question. Il lui demanda d'abord si son légat, comme il le lui avait demandé, ne l'avait pas laissée monter dans les navires qui se trouvaient au port – il posa la question tout en scrutant le corps de Miriam, ce qui déplut encore plus à Irmgard. Ces barges, répondit-elle, elle les avait bien vues, mais elle ne les avait trouvées ni suffisantes, ni adaptées : c'étaient des épaves malodorantes qui, une fois chargées, atteindraient difficilement l'embouchure de l'Arno, et encore moins la haute mer !

Cela ne pouvait pas plaire au Monsignore, qui sut désormais qui était son adversaire. Il commença donc par parler très amicalement à la Styrum, à laquelle il s'adressa en tant que générale de ce cher Niklas. Celui-ci avait bien entendu commis une bévue en se présentant ainsi devant le Saint-Père, sans introduction ni recommandation. Avec un peu de protection et d'habiles préparatifs, le souverain pontife aurait eu une réaction exactement inverse et béni la louable entreprise de Niklas ! Il fallait à présent renouer le fil ! Il tendit une main secourable à Niklas. Et le « Sauveur » y déposa un baiser reconnaissant.

Le bienfaiteur invita ensuite la petite délégation dans son palais : une auberge à Trastevere n'était pas, expliqua-t-il, le cadre adéquat pour le chef d'un magnifique mouvement religieux qu'il fallait à présent placer sous la lumière adéquate. Niklas s'installa dans de superbes appartements, les deux Marie furent elles aussi généreusement logées dans des chambres séparées et décorées à l'orientale, tendues de soie, avec de larges lits qu'enveloppaient les nuages odorants de l'ambre et de la myrrhe, un souffle torride de luxe, tel que ne l'avaient connu jusqu'ici ni l'âpre Styrum, ni la timide Miriam. Chaque espace disposait aussi d'un gigantesque caldarium en marbre blanc, et de l'eau chaude jaillissait des robinets de bronze dans la baignoire. De jeunes nonnes entouraient les dames, répandaient les pétales de rose, diffusaient de précieuses essences, les enveloppaient, après le bain, dans des draps moelleux, et les rhabillaient.

Au cours du dîner qui suivit, Daniel fut symboliquement mis à mort. D'une entaille bien nette, l'inquisiteur ouvrit le ventre du légat ; Monsignore l'accusa froidement d'avoir eu une attitude hésitante et méfiante qui avait blessé ces commerçants attentionnés. Ceux-ci, désormais, n'avaient plus aucune envie de produire le moindre effort pour permettre à des milliers d'enfants étrangers de se rendre en Terre Sainte.

Le chirurgien en habit de prêtre évida minutieusement le corps de sa victime : le cœur de Daniel, estimait-il, avait été rongé par l'envie de pouvoir, son foie était pourri par la jalousie et l'égoïsme. Lui, le Monsignore affligé, devait à présent chercher un moyen ou bien de se concilier ces deux braves hommes, ou bien de leur procurer un succédané. Car même avec la bénédiction du pape – ces mots-là étaient destinés à Niklas –, il fallait disposer de navires bien réels pour mener à bien un transport de ce type. L'Église n'avait encore jamais puisé dans ses caisses pour mener les croisades ! Les hommes disposés à accepter ce type de sacrifices au nom de la grande cause étaient rares, il ne fallait pas les écarter sans bien réfléchir. Il replaça finalement les intestins dans le corps ouvert de Daniel. Quand on proposait son aide pour l'amour de Dieu, on devait au moins pouvoir s'attendre à des louanges et des honneurs, pas à une pure ingratitude !

Le « Sauveur » était consterné par les manigances de son légat, auquel il avait fait une confiance aveugle. Dieu savait que la Styrum n'était pas un partisan du légat, mais elle avait la volonté de ne pas faire porter toute la faute sur Daniel, cette victime sacrificielle. Quelles que soient les fautes qu'ils avaient commises, les deux marchands qui s'étaient présentés à Pise n'étaient ni des anges, ni des hommes d'honneur ! Il fallait que cela soit dit ; mais la Styrum n'eut pas le temps de prononcer le moindre mot, de la sueur froide goutta sur sa peau, qui se recouvrit de taches rougeâtres, elle haleta, perdit haleine, de l'écume lui sortit de la bouche. Gilbert de Rochefort bondit, feignit l'effroi et appela un médecin qui, par pur hasard, arriva immédiatement. Entre-temps, Miriam s'efforçait de réconforter la malheureuse, lui tapotait le front avec des serviettes humides, tandis que Niklas, pris d'une sourde excitation, énumérait toutes les maladies qui pouvaient avoir atteint la jeune femme, depuis la peste bubonique jusqu'au choléra, de la rougeole commune au typhus – la seule hypothèse qu'il ne mentionna pas était la plus évidente : le poison !

Miriam, en revanche, se demandait seulement s'il avait été mélangé à l'eau du bain de la Styrum, ou s'il lui avait été administré à table, avec la première boisson servie. Lorsque Armin avait exprimé spontanément le vœu de partager sa baignoire avec son amie, on le lui avait refusé au motif oiseux que l'eau de celle-ci avait déjà été versée et qu'elle était à la bonne température. Miriam en avait été très satisfaite : elle avait ainsi pu se laisser envelopper dans l'eau chaude sans avoir à craindre en permanence le contact des doigts agiles d'Armin. L'inquisiteur, en tout cas, portait une responsabilité dans cette affaire. Miriam crut se rappeler qu'elle s'était sentie observée au moment où elle s'était retrouvée seule dans sa baignoire, sous des pétales de roses – et les jeunes nonnes étaient arrivées dès qu'elle était sortie de l'eau.

On transporta sur une civière Irmgard von Styrum, qui sortit de la salle en gémissant et que l'on transporta jusqu'à l'hôpital le plus proche. L'homme aux cheveux blancs, un érudit juif qui l'avait auscultée, la mine soucieuse, et avait notamment observé sa gorge et ses pupilles, marmonna une cascade d'expressions latines effrayantes avant de parvenir au diagnostic : tout cela n'était pas si grave, mais il faudrait un certain temps pour qu'elle guérisse. Monsignore avait ainsi écarté de son chemin, pour une période assez longue, celle qui s'était mise en travers de ses plans.

On poursuivit le dîner à peine commencé. Niklas avait peine à manger. Gilbert de Rochefort incita Miriam à se servir au moins en fruits glacés et en friandises sucrées. Il lui fit aussi passer du malvoisie et des gâteaux aux noix jusqu'à ce que la courtoisie finisse par la faire céder.

Lorsqu'elle eut regagné sa chambre, Miriam tomba immédiatement sur son lit et sombra dans un profond sommeil. De terribles cauchemars l'agitèrent. Une gigantesque chauve-souris se détacha des lambris et déploya ses ailes noires au-dessus d'elle. Elle ne sentit pas le poids du monstre peser sur elle : juste une brûlure entre les cuisses, un feu que le vampire avait allumé en elle et qui n'avait rien à voir avec les flammes que faisaient courir en elle les petites dents pointues de la Styrum. Miriam voulut crier, mais les sons inaudibles ne provoquèrent qu'un tremblement de son bassin. Les ailes noires montaient et descendaient, impassibles. L'animal aspirait toute la vie du corps blanc de Miriam, qui s'immobilisa et pensa : voilà donc à quoi ressemble la mort. Elle voyait tout, mais ne pouvait pas bouger, et aucun mot ne parvenait à sortir de sa bouche. À la lueur d'une bougie, l'inquisiteur, assis à une petite table à côté de son lit, feuilletait son bréviaire. Puis il le referma lentement, la regarda, les yeux brûlants, et elle l'entendit dire que la prochaine fois, il espérait la voir habillée en nonne, mais vêtue uniquement de sa coiffe amidonnée et du *cingulum* autour des hanches. Puis il souffla la bougie et sa chambre replongea dans le noir.

Il fallut du temps pour qu'elle comprenne que ses membres recommençaient à lui obéir. Une forte odeur de musc pénétra dans le nez de Miriam, mêlé à de l'encens et de la myrrhe, elle discerna la pièce à la pâle lueur de la lune, et bondit sur ses jambes. La cire de la bougie était encore chaude. Elle avança à tâtons jusqu'au mur et laissa ses ongles glisser lentement sur le lambris. Elle trouva ce qu'elle cherchait : la porte qui y était intégrée céda sans bruit. Miriam se retrouva entre les murs glacés du palais. Elle suivit les voix qu'elle percevait encore, non loin d'elle. Une mince lueur la dirigea vers un œilleton situé en hauteur, sur le mur qui donnait vers le bureau. Elle dut se hisser sur la pointe des pieds pour saisir une partie de l'image.

Le visage de la dame qui faisait face à Monsignore Gilbert de Rochefort paraissait décalqué sur celui de l'inquisiteur, et en partageait l'expression supérieure, pour ne pas dire arrogante. Miriam entendit confusément le contenu de la conversation, incapable qu'elle était de comprendre les arguments que les deux protagonistes échangeaient avec virulence. Mais lorsque l'inquisiteur eut prononcé, à sa manière sarcastique, « Marie, ma très chère petite sœur », Miriam fut en mesure de donner un sens à ce qu'elle entendait :

« MARIE : *Je suis tout à fait consciente que votre activité véritable se dissimule derrière le froc de l'inquisiteur, que le* honteux *cache le monstrueux.*

GILBERT : *L'ecclesia catholica ne mesure pas les moyens de sa survie à l'aune de votre morale d'hérétique ! Ces milliers de déracinés instables, de vagabonds, ne mettent pas seulement en péril l'ordre social, ils courent aussi le risque de se laisser prendre aux insinuations de vos amis, les cathares et les vaudois. Imaginez-vous que l'on n'ait pas dirigé la légion de Saint-Denis vers Marseille et la mer, mais qu'elle soit arrivée à Carcassonne ou à Toulouse ! Quel triomphe pour les ennemis de l'Église !*

MARIE : *Mais quelle infamie acceptez-vous en échange ! Ce sont les deux larrons, et non le Christ sur sa croix, qui semblent être les véritables patrons de l'Église officielle romaine ! Hérode, qui fit étrangler les enfants pour sauver son règne, est assis aujourd'hui sur le siège de saint Pierre !*

GILBERT : *Vous présentez une petite saignée comme un gigantesque épanchement de sang ! Le sage chirurgien a, à deux reprises, posé des ventouses pour apaiser la pression et soulager le corps. Et vous voilà qui poussez des cris de douleur ! Depuis quand votre cœur bat-il pour les poux, les tiques et les puces ?*

MARIE : *Je sais que dans certains cercles de la curie, toute vie qui ne sert pas l'Église en habit de prêtre, de moine ou de nonne, toute personne qui, au moins, ne paie pas sa dîme et ne se montre pas corvéable et obéissante, est considérée comme parfaitement superflue et sans valeur, et doit donc être éliminée! Ces hommes de l'ombre, corbeaux noirs de la mort, se trouvent derrière vous, Gilbert, et c'est vous qui leur fournissez cette affaire sordide!*

GILBERT: *Attendez-vous une confession de ma part?*

MARIE: *Une expiation immédiate! Disparaissez de Rome cette nuit même, réfugiez-vous dans un monastère de votre choix et priez pour que les sbires, ces oiseaux noirs et mortifères sortis du même essaim, ne vous y trouvent pas. Car vous avez fait votre temps! Pourquoi croyez-vous que l'on vous a laissé la vie sauve? On vous hachera au moins le bec et le crâne!*

GILBERT: *Je vous connais, petite sœur, vous aimez toujours à me terroriser! Mais soyez certaine que votre frère n'a pas seulement l'âme blindée. Son plumage, lui aussi, est d'acier! Et il connaît ses corbeaux!*

MARIE: *Dans ce cas, vous savez aussi ce que sont devenus les deux hommes d'honneur qui, la nuit dernière, à la même heure, étaient assis sur ces chaises? En tant qu'inquisiteur, vous savez comment on fait parler même les plus entêtés. Que croyez-vous que ces malheureux vont cracher sur vous et votre rôle? Ces cigognes qui ne seront bientôt plus que des épouvantails ne considéreront pas que ce sont les corbeaux qui souillent le nid. C'est vous qu'ils rendront responsable!*

GILBERT: *Lorsque la pie voleuse ne trouve pas de petite cuiller, elle s'en prend aux œufs! Si ces deux-là étaient tombés dans le filet que vous-même et Armand de Treizeguet aviez tendu, vous seriez en train de leur exposer vos exigences au lieu de tenter de m'envoyer au diable! Mais voilà, vous avez perdu leur trace – une trace qui s'égare dans le fumier et qui, vous mise à part, n'intéresse personne: on n'a jamais vu un coq crier pour appeler les vers.*

MARIE: *Vous surestimez l'intérêt qu'a un paysan à attirer l'attention sur son tas de fumier; vous sous-estimez l'autour qui tourne au-dessus de vous. Je vous aurai mis en garde!*

Ainsi s'acheva la conversation des deux Rochefort. Miriam se dépêcha de revenir dans son lit. Elle vit en rêve des vols de corbeaux s'abattre sur un fier coq, mais à chaque fois qu'ils s'abattaient pour achever l'animal déchiqueté, un rapace majestueux déployait ses ailes tout en haut du ciel, et son rêve parvenait à échapper à cette hideuse réalité.

Au petit matin, Monsignore appela ses deux invités l'un après l'autre dans son bureau, à commencer par le « Sauveur », dont le visage était encore verdâtre. Miriam ne put résister à la tentation de reprendre son poste d'écoute après que l'on eut verrouillé la porte de sa chambre à coucher. Elle ne prit pas le risque de passer la tête par le trou à la lumière du jour, et se contenta de noter comment l'inquisiteur réagissait aux remontrances de sa sœur.

Monsignore Gilbert annonça sèchement à Niklas qu'il était parvenu à faire de nouveau changer d'avis aux deux commerçants secourables, et qu'ils avaient finalement accepté d'acheminer en Terre Sainte les navires qui transporteraient les Allemands menés par Niklas. L'ordre avait déjà été transmis à son légat, Daniel, de se diriger vers Pise, de s'y installer dans les navires sans autre discussion et, pour toute la suite, de faire confiance à l'expérience qu'avaient leurs propriétaires en matière de navigation. Comme Niklas ne pouvait plus prendre sa place à la pointe du cortège, à Pise, on avait fait en sorte qu'il rencontre tout de même la flotte au sud de l'État du Vatican, lorsqu'elle ancrerait une dernière fois pour renouveler ses réserves d'eau douce. Mais Niklas devait se hâter s'il ne voulait pas manquer ce rendez-vous. Il pouvait utiliser la calèche, les valets étaient très précisément informés de son chemin et de son objectif. Il avait préparé une lettre aux deux marchands, qu'il devrait leur remettre en mains propres. La bénédiction de Dieu – et celle du pape – les accompagnerait pendant leur voyage à Jérusalem. Niklas était manifestement si reconnaissant de ce tournant inattendu qu'il ne songea même plus à poser une question sur le destin de ses accompagnatrices, les deux Marie.

Miriam ne parvint pas, naturellement, à revoir le « Sauveur » avant son départ précipité. Elle revint dans ses appartements et se retrouva bientôt devant le rigoureux inquisiteur. Armin von Styrum, lui dit-il, avait retrouvé la santé aussi vite qu'elle l'avait perdue ! Elle crut percevoir un regret dans la voix indifférente de Gilbert. Pour son amie et elle, lui annonça-t-il, il avait réservé un passage en bateau qui leur permettrait de revenir à Pise : il ne voulait pas infliger à la convalescente un exténuant voyage par les terres. Daniel, *legatus domini* et homme compétent, attendrait l'arrivée des deux dames pour prendre la mer. Miriam commit l'erreur de mettre en doute le fait que la flotte des deux marchands se trouvait effectivement encore à Pise. Mais l'inquisiteur ne manifesta pas le moindre soupçon. Si tel ne devait pas être le cas, le navire qu'il mettrait à leur disposition aurait pour mission de rattraper la flotte. Miriam commit une deuxième erreur en remarquant avec prudence qu'il serait bien plus rationnel de mettre le cap vers le sud et d'y attendre la flotte. Monsignore, qui voulait tout verrouiller, donna son accord. Miriam, cette juive maligne, craignait peut-être de manquer le point où l'on chargerait pour la dernière fois de l'eau potable, demanda-t-il. Miriam hocha vivement la tête, confirmant ainsi entièrement le soupçon de l'inquisiteur. Mais il se contenta de sourire, et pour dissiper les soucis de la jeune femme, il paria avec elle qu'en tout cas, elle et son amie Armin atteindraient leur objectif à temps. Elle ne l'interrogea pas sur le destin du « Sauveur », ni sur celui de la calèche disparue. Cette discussion l'avait de toute façon épuisée.

Le transport en civière de la Styrum, que Miriam fut autorisée à accompagner, depuis l'hôpital jusqu'au port d'Ostie, se déroula comme un transport de prisonnier, avec une escorte nombreuse. Miriam l'accepta sans protester : toute autre solution, et notamment celle consistant à rester dans la Ville Éternelle, lui paraissait beaucoup plus malsaine pour sa jeune vie. Le destin de la Styrum était un avertissement suffisant.

Le navire les emporta effectivement à Pise, mais elles n'y rencontrèrent que Daniel, tout seul sur le quai du port. Il parut heureux de revoir les deux Marie : il les rejoignit aussitôt à bord du voilier. Mais il ne restait plus la moindre trace des enfants allemands. Les deux marchands, qui ne s'étaient pas présentés personnellement, avaient, disait-on, envoyé une flotte gigantesque et fait monter à bord, sans le moindre palabre, la croisade des Allemands. Ils n'avaient laissé que Randulf, l'estropié ! Lui, Daniel, avait considéré comme son devoir de rester et, le cas échéant, de témoigner auprès des plus hautes instances religieuses contre les manigances de Gilbert de Rochefort. Randulf, qui s'approchait clopin-clopant, pour saluer les deux dames, confirmerait son témoignage sous serment. Ce furent les derniers mots que prononça le *legatus domini* en liberté : des hommes armés poussèrent le petit groupe dans un réduit situé sous la poupe, tandis que l'équipage détachait les cordes et que le voilier, comme l'avait annoncé l'inquisiteur, rattrapait la flotte à temps. Tout le fret était désormais réuni et prêt à être remis aux marchands d'esclaves. Mais tout ce que la juive Miriam allait vivre par la suite lui paraîtrait préférable à la perspective de jamais revoir la Grande Putain de Rome.

Vers Jérusalem, dans le bonheur,
En l'an 4981 selon le décompte de notre peuple !

— Mais c'est une grossière falsification ! lança Armin d'une voix rauque. Et un faux stupide, par-dessus le marché !

Sa protestation agacée fut soulignée par un long hurlement de loup : Saifallah, toujours dans sa cage, rappelait son existence. Mais tous deux furent recouverts par une voix aiguë.

— La vérité n'est jamais stupide, dit la jeune femme dans l'embrasure de la porte. Celui qui l'est, tout au plus, c'est celui qui la manie grossièrement !

Miriam, dont tous ne savaient qu'une seule chose – qu'elle s'était mariée à Jérusalem – se tenait à côté de l'énergique Madame Blanche, venue en compagnie de Marius, son bibliothécaire et jardinier.

Armin, effarée, resta les yeux fixés sur cette apparition. Puis elle se reprit.

— Miriam, quelle heureuse surprise ! s'exclama-t-elle en trébuchant plus qu'elle ne marchait vers son ancienne amante, les deux bras ballants comme les ailes d'une poule.

Miriam supporta cette embrassade avec un frisson d'effroi en sentant les os durs de la Styrum, qui n'avait pratiquement plus le moindre trait féminin.

La *sajidda* Blanche prit le cahier en main – derrière elles, l'émir venait de rentrer dans la pièce.

— Le chevalier Armand de Treizeguet vous adresse à tous ses salutations. Ses obligations d'ambassadeur de Sicile l'ont forcé à nous quitter précipitamment. Il m'a cependant demandé en passant de veiller à ce qu'ici, tout se déroule selon les règles.

Marius profita de l'occasion pour constater, d'un regard dérobé, la situation de Saifallah dans sa cage.

— L'ambassadeur a notamment considéré que Daniel était mûr pour être remplacé, raison pour laquelle je suis venu avec Marius von Beweyler, un personnage de grande compétence.

Contre toute attente, Daniel répondit avec indignation :

— C'est tout au plus à la « Grande Faucheuse » de porter un jugement sur ma maturité ! Tant qu'elle me laisse la vue, l'usage de mes doigts et une bonne oreille, personne ne me remplacera à mon poste !

Madame Blanche éclata de rire en lisant le soulagement sur le visage de son jardinier.

— C'est la raison pour laquelle le chevalier m'a laissé un document que Marius pourra au moins lire à voix haute avant qu'il ne soit intégré à la chronique, si la chose est souhaitée.

C'est l'émir, cette fois-ci, qui perdit patience :

— Nous avons véritablement le temps pour cela ! s'exclama-t-il. Que Timdal achève enfin la partie de l'histoire à laquelle je m'attache !

Le Maure hocha la tête en signe de docilité.

— Il s'assemble, carreau après carreau, pour former une grande mosaïque, fit-il d'un ton recueilli. Ni vous, Kazar Al-Mansour, ni nous n'avons une vision complète des choses.

— Commencez donc, Timdal, là où vous vous étiez arrêté, intervint Rik en voyant une ride de colère se dessiner sur le front de l'émir.

Le Maure se montra rétif :

— Plus facile à dire qu'à faire ! lança-t-il au *murabbi al-amir*, et il donna à Daniel le signe du départ.

Extrait du manuscrit de Mahdia
La malveillance des Templiers
Récit du Maure

À Palerme, Paul avait été remis aux médecins arabes du Hohenstaufen. Ils avaient immédiatement commencé à soigner, avec dévouement et savoir-faire, les graves blessures qu'il portait à la tête. Sa guérison progressait. À peine avait-il repris conscience qu'en dépit de sa mémoire, il s'était présenté comme un croisé tombé entre les mains des pirates. Les docteurs, même si c'étaient tous des musulmans croyants, étaient avant tout fidèles à leur roi Frédéric, et c'étaient des adversaires résolus de la racaille qui, depuis Mahdia, faisaient régner la peur sur la mer et les côtes de la Sicile. Paul apprit ainsi que ses compagnons de souffrance avaient très vraisemblablement été conduits au célèbre marché aux esclaves de Bejaia, le plus gros de son espèce sur la côte berbère, près du djebel al-Tarik et du désert libyen de Benghazi. Cela valait donc aussi pour Mélusine, dont il ignorait qu'elle avait tenté de se sauver et qu'elle avait été admise à bord de la galère du grand vizir. La retrouver et la libérer serait désormais le mobile secret de sa guérison rapide. Les médecins étaient fiers de leur patient.

Seul le soutien de son Maure dévoué, Timdal, permit à Mélusine de Cailhac de conserver son campement au milieu du môle de Linosa, malgré les Templiers et leur commandeur. Une fois épuisée la querelle initiale, l'Ordre ignora la présence de la jeune dame, espérant que le temps serait le meilleur moyen de ramener l'insurgée à la raison. Le calcul fut fait plus rapidement que les deux camps ne le pensaient. Kazar Al-Mansour, le jeune émir de Mahdia, avait accompagné la flotte de retour d'Égypte aussi longtemps que son puissant oncle, le grand vizir, l'exigeait. Puis il avait remis les voiles au plus vite en direction de Linosa. Mélusine vit l'homme dont elle espérait et redoutait qu'il ne l'enlève pendant la nuit passer devant sa tente sans lui adresser un regard. Kazar Al-Mansour présenta ses hommages au commandeur, lui tendit en cadeau deux lames de Damas soigneusement forgées et un pectoral finement ciselé, avant de demander courtoisement la permission d'emporter les marchandises disposées sur le quai. Cette solution convenait parfaitement au commandeur, il le remercia pour ce précieux cadeau et lui laissa carte blanche. Incapable d'imaginer le moindre système de défense, Mélusine vit les hommes démonter sa tente et la charger dans le bateau. Qui aurait-elle pu appeler à l'aide ? Les Templiers arrogants qui montaient la garde sur les chemins de ronde du port fortifié avaient un cœur de pierre. La population locale était intégralement composée de Sarrasins issus de la même tribu que ceux de Mahdia. Pourquoi se battraient-ils en faveur d'une chrétienne, d'une jeune femme qui vivait seule sous sa tente ? Sans un mot de protestation, elle laissa s'accomplir le déménagement et accepta qu'on l'emmène à bord du voilier, où celui qui lui volait sa liberté n'avait même pas pris la peine de venir l'accueillir. On l'informa en revanche qu'il n'était pas prévu qu'elle soit accompagnée de serviteurs. Mélusine se plia aussi à cet ordre. Elle se détourna lorsqu'elle constata que le Maure pleurait. L'émir monta à bord d'un pas souple et rapide, et le voilier leva l'ancre. Timdal resta seul à l'arrière, avec sa douleur impuissante, sur la plus solitaire de toutes les îles de la Méditerranée.

Si Mélusine avait deviné à quel point son blond chevalier était proche d'elle, si elle s'était doutée que son ami Paul vivait encore, elle se serait peut-être comportée autrement. Mais Palerme était à des univers de distance, alors qu'un bond de chat sauvage suffisait pour rejoindre la corne d'Ifriqiya.

Paul put quitter prématurément, à sa demande, l'hôpital de la capitale sicilienne. Il portait encore des bandages sur la tête, ce qui incita les médecins attentionnés à les lui nouer en un turban. Et comme les pirates avaient tout pris au brave et jeune chevalier, ils le pourvurent aussi d'un précieux armement sarrasin, avec cimeterre et bouclier rond. Deux d'entre eux, avec lesquels il s'était particulièrement lié d'amitié, le docteur égyptien Soufian el-Iskanderi et le docteur syrien Taufiq Almandini, l'accompagnèrent jusqu'au port, où ils lui avaient déjà négocié un passage sur un navire templier. Ce bateau ne le mènerait certes que jusqu'à la forteresse de Linosa, mais de là, avec l'aide de l'ordre militaire, il trouverait bien le moyen de parvenir jusqu'en Terre Sainte. Paul n'indiqua pas aux bons docteurs que sa seule volonté était d'atteindre la côte berbère et de partir à la recherche de sa Mélusine. Sa tenue de Sarrasin lui paraissait tout à fait bienvenue pour mener cette entreprise ; mais en *terra sancta*, cela ne lui aurait pas valu beaucoup de sympathie.

Elgaine d'Hautpoul, la demoiselle de cour de la reine, et Rik van de Bovenkamp, arrivèrent à Palerme après s'être copieusement disputés. Ils observèrent, intéressés, le départ du « Sarrasin » sur le voilier à la croix pattée. Ni l'un ni l'autre ne connaissait Paul : ils ne l'avaient jamais rencontré.

L'émir Kazar Al-Mansour s'était retiré dès le début du récit de Timdal. Mais s'il ne souhaitait pas que les présents le considèrent comme un voleur au cœur glacial – un rôle dans lequel, même après coup, il ne se voyait pas du tout –, l'essentiel, pour lui, était de retrouver le moindre petit grain de tendresse que Mélusine avait pu lui offrir à l'époque, de retrouver les fils les plus ténus d'un lien qu'elle avait noué d'elle-même et, pour finir, cette petite étincelle qui avait déclenché le feu de l'amour.

Dans le coin, sous le trou, Saifallah, bâillonné, laissa échapper un gémissement. La *sajidda* Blanche, qui avait aussitôt reconnu Luc de Comminges, le *vicarius Mariae*, et lui vouait toujours la même haine, chargea Marius de jeter un drap sur la cage pour que sa vision lui soit épargnée.

— Il semble que je sois la seule de tous à jamais avoir atteint l'objectif recherché, la sainte Hierosolyma, déclara Miriam en prenant le document apporté par l'ambassadeur. Il est donc tout à fait normal que je propose au moins mes services de lectrice, d'autant plus que, admettons-le, je brûle de savoir si le monstre qui est né de la grande putain de Rome a enfin reçu la punition qu'il méritait.

Comme même Irmgard von Styrum n'élevait aucune objection, elle brisa le sceau.

Extrait du manuscrit de Mahdia
Les couteaux affûtés du chirurgien
Récit d'Armand de Treizeguet

En règle générale, le compte rendu d'une opération – réussie ou non – concerne un « cas » et il est moins destiné aux patients qu'aux collègues intéressés par le grand art de la médecine. Mais nous sommes ici face à l'un des rares cas où une maladie étrange aux multiples symptômes a affecté un groupe de personnes, les a tellement liées, nouées, intriquées les unes dans les autres qu'un scalpel ne suffit pas à effectuer l'entaille indispensable. Même les règles éprouvées de la mélothésie ne servent pas à grand-chose, quant aux bonnes vieilles mathématiques iatriques, ces faits effarants les mettent hors jeu. Je prends pourtant la liberté de rédiger ce récit, pour qu'il serve aux futurs *studiosi* d'exemple instructif sur les conséquences que peut avoir une maladie mentale qui a débuté par une possession relativement anodine.

La demoiselle de cour Elgaine d'Hautpoul, qui était revenue à Palerme et en avait plus qu'assez de son accompagnateur, Rik van de Bovenkamp, retourna au palais pour saluer sa reine. Elle expliqua son départ abrupt et sa longue absence par le fait qu'elle avait été enlevée et séquestrée par l'Inquisition – elle lança à cette occasion de très lourdes accusations, notamment contre Monsignore Gilbert de Rochefort. Elle passa soigneusement sous silence l'histoire du deuxième anneau, d'autant plus qu'elle soupçonnait Rik van de Bovenkamp de le garder par-devers lui. Cela lui permit au moins d'obtenir que la reine Constance, une fille obéissante et fidèle de l'*ecclesia catholica*, écoute attentivement ce qu'elle avait à lui dire sur les manigances des « services secrets » de Rome. Car Elgaine considérait à juste titre que le Monsignore la suivrait certainement jusqu'en Sicile pour reprendre possession de cet anneau susceptible de le trahir.

Rik van de Bovenkamp était conscient du fait que l'énergique Elgaine avait désormais retrouvé, depuis leur arrivée à Palerme, des moyens et des relations qui ne lui laisseraient aucun répit : elle demeurait profondément persuadée qu'il savait au moins qui tenait réellement l'anneau entre ses mains. L'objectif de Rik était de quitter la Sicile aussi rapidement que possible, car il ne voyait plus aucun sens à sa vie s'il ne parvenait pas à atteindre la Terre Sainte, après avoir déjà fait si pitoyablement défaut à ses devoirs de chevalier auprès de Mélusine, sa dame bien-aimée. Il lui sembla que chercher ouvertement un navire serait faire preuve d'une extrême légèreté d'esprit : il se sentait observé depuis son arrivée. Même à l'hospice chrétien où il avait trouvé refuge, il ne pouvait en aucun cas se sentir à l'abri des recherches. Il se jura de rester sur ses gardes, mais le souvenir de la jeune châtelaine du Languedoc, dont il portait toujours l'image dans son cœur, vint une fois encore lui bouleverser l'esprit.

Niklas, le Sauveur de Cologne, chef de ce malheureux convoi d'enfants allemands qu'il avait abandonné à lui-même, sur l'instigation de Monsignore Gilbert de Rochefort, s'était rendu avec sa calèche de Rome jusqu'au cap de Circé, au sud, un relais apprécié par les pirates et la vermine, afin de faire le plein d'eau potable dans les sources abondantes qui jaillissaient entre les roches ravinées, dans les criques silencieuses. C'est là qu'il devait être embarqué par la flotte des deux marchands – du moins, c'est ce que l'inquisiteur lui avait laissé entrevoir. Niklas se posta donc sur la falaise avec sa calèche, visible de tous, en faisant signe avec la lettre qu'il devait remettre, à chaque navire à portée de vue. Mais personne ne prit garde à cette silhouette solitaire. Niklas avait un comportement tellement ostentatoire que ceux qu'il attendait auraient flairé un piège s'ils l'avaient aperçu. Lorsque l'impression d'avoir été dupé ou d'avoir manqué la rencontre convenue prit le dessus, le « Sauveur » se retira dans sa calèche et ouvrit la lettre. Son contenu lui parut très confus, il lui sembla avoir affaire à un texte de comploteurs ; mais il put tout de même comprendre qu'une rencontre secrète devait avoir lieu entre l'inquisiteur et les deux marchands – cette fois, ce serait près d'un « temple de Zeus émergeant fièrement de la mer ». Le « Sauveur » fourra nerveusement la lettre sous son pourpoint : ce lieu ne lui disait rien du tout, il ne voyait donc aucun moyen de rejoindre « sa » croisade. C'est alors qu'il entendit un piétinement de chevaux, et que l'on ouvrit brutalement la porte de sa calèche. Il était cerné par des Templiers. Mais leur chef prit un ton très amical pour lui demander ce qu'il venait faire ici. Niklas ne dit pas un mot sur la lettre, même lorsqu'on lui eut demandé explicitement s'il n'avait pas un message à transmettre ; il nia posséder ce texte, et se contenta de raconter, ce qui était vrai, qu'il attendait ici un navire censé l'emporter vers la Sainte Jérusalem. Le chef des Templiers le crut et proposa à Niklas d'atteindre son objectif à bord de l'un des navires de l'Ordre. Il accepta avec reconnaissance et ne s'étonna pas non plus que l'on charge aussi sa calèche sur le voilier lorsque celui-ci mit, dans un premier temps, le cap sur Palerme.

Sans que nul ne l'ait remarqué – sans doute aussi parce que nul ne l'attendait ni ne déplorait son absence –, Oliver von Arlon était, entre-temps, arrivé dans la capitale sicilienne. Ce qui l'attirait n'était ni la splendide cour des Normands, ni l'agitation du port : il voulait exclusivement se rendre au prestigieux hôpital royal, avec ses fameux médecins arabes, et voulait apprendre auprès de ces médecins l'art de la chirurgie. Ils acceptèrent de bon cœur ce stagiaire zélé, son talent lui valut bientôt d'être traité comme leur élève, et ils l'initièrent tout de suite aux règles et aux gestes de leur artisanat. Les docteurs Soufian el-Iskanderi et Raufiq Almandini lui parlèrent volontiers de ce jeune chevalier du Languedoc auquel, malgré de très sévères blessures à la tête, ils avaient si bien sauvé la vie qu'il avait bondi de son lit afin d'atteindre la Terre Sainte sans perdre de temps. Le nom de Paul de Morency ne disait strictement rien à Oliver, mais cette histoire aiguillonna sa soif de savoir, d'autant plus qu'ils lui promirent de le laisser assister à leur prochaine trépanation, le *nec plus ultra* de l'art chirurgical.

Le voilier de l'ordre des Templiers qui transportait ostensiblement sur son pont la calèche du « Sauveur » se rapprochait de l'ouverture du port de Palerme. Niklas ne revit plus l'aimable chevalier auquel il devait ce voyage. Il vit en revanche sortir de la cabine de poupe, peu avant l'arrivée, un haut dignitaire de l'Ordre teutonique – visière baissée, comme tous ceux qu'avait rencontrés Niklas. La voix lui paraissait certes être la même que celle du Templier, mais il se garda bien de le dire. Il était heureux que personne ne lui ait imposé une fouille au corps et n'ait découvert la lettre qu'il portait toujours sur la poitrine. On débarqua la calèche, et le chevalier de l'Ordre teutonique conduisit Niklas dans le grand hospice du port, l'abri le plus connu des marins et des pèlerins, mais dont les initiés savaient aussi parfaitement qu'il s'agissait d'un point de rencontre pour les hommes de l'ombre du monde entier, les espions de Chypre et de Byzance, les suppôts du sultan, les services secrets de la Curie, de l'Aragon et de la France. Les sbires de Venise fréquentaient ces lieux, tout comme les hommes de main des Hohenstaufen. Le chevalier teutonique n'eut donc qu'un bref instant d'étonnement en apercevant dans la foule Rik van de Bovenkamp. Il confia Niklas aux Frères de la Miséricorde, qui dirigeaient ce foyer, et rencontra l'Allemand dans un coin sombre, sans se faire reconnaître de lui.

Il se contenta de dire à voix basse : « L'anneau », et fit signe à Rik de le suivre, ce que celui-ci fit à contrecœur.

— L'anneau, répéta le chevalier teutonique lorsqu'il se fut assuré que nul ne les espionnait, vous sera restitué à temps lorsque vous quitterez cette ville.

Rik n'apprécia pas du tout cette manière de disposer de sa personne. Et puis il crut reconnaître la voix de l'inconnu.

— Qui vous dit, chevalier, répondit-il brutalement, que je vais quitter Palerme aussi vite que cela ? Et puis une chose est sûre : je ne veux plus rien avoir à faire avec cet anneau !

L'inconnu se mit à rire doucement à travers les trous de son casque en forme de seau.

— Ni l'un ni l'autre ne dépendent de vous, Rik van de Bovenkamp ! (Il se mit à chuchoter.) Ici, vous avez plus besoin de protection que jamais, et vous feriez bien de donner suite à ma demande. D'autres pourraient avoir moins d'égards pour votre personne. (Il tira Rik vers lui, d'une poigne puissante.) Vous voyez là-bas Niklas, l'ancien chef de la croisade des enfants allemands, dont vous avez vous aussi fait partie. (Rik céda à la pression et aperçut le « Sauveur » qui cherchait justement une place pour dormir dans la grande salle, pourvu d'une couverture que lui avaient remise les moines.) Vous le suivrez pas à pas, vous me rapporterez tout ce qu'il raconte, et surtout vous veillerez à ce que rien ne lui arrive, car cet individu stupide est encore plus menacé que vous.

— Et si je m'y refuse ? s'insurgea Rik alors que le chevalier de l'Ordre teutonique avait déjà ouvert une porte pour repartir.

— Vous voulez revoir Mélusine de Cailhac, oui ou non... ?

Rik était certain, à présent, d'avoir rencontré Armand de Treizeguet ; mais si le chevalier ne voulait pas montrer son visage, il avait ses raisons, et lui-même ferait bien de les respecter. Rik se rendit donc auprès de Niklas, qui fut très heureux de revoir après tant de temps l'un de ses premiers partisans. Rik retrouva aussitôt sa place dans son cœur d'idiot.

Rik réfléchit à la situation d'Armand de Treizeguet – si c'était vraiment lui qui se cachait derrière le masque de fer. Le chevalier à la vie agitée devait savoir que son adversaire était dans la ville. D'ailleurs, Rik, lui aussi, sentait littéralement la présence du Monsignore : le parfum de musc et de myrrhe qui caractérisait Gilbert de Rochefort s'infiltrait à travers toutes les exhalaisons du dortoir, toute l'odeur de sueur qui montait des chausses en chiffon des pieux pèlerins.

Rik et son protégé, Niklas, avaient accepté avec reconnaissance l'autorisation que leur avait donnée le chevalier : échapper deux fois par jour à l'atmosphère étroite et puante de l'hospice, et traverser la ville en calèche, jusqu'à ce que Rik comprenne que cette exposition n'avait qu'un but : faire sortir l'ennemi invisible de sa réserve, le lancer sur le « Sauveur ». Il le comprit au moment où Niklas se tourna vers lui en toute confiance et lui demanda ce que pouvait bien désigner une expression où l'on parlait d'un « temple de Zeus émergeant fièrement de la mer ». Rik apprit, sous une forme un peu confuse, qu'il s'agissait du point de rencontre secret sur lequel Messire l'inquisiteur avait pris rendez-vous avec les deux commerçants qui avaient mis à sa disposition les navires destinés à transporter les enfants. S'il connaissait ce lieu, lui avoua le « Sauveur », il s'y rendrait immédiatement pour embarquer lui aussi à bord de l'un des navires. Une fois à Jérusalem, il retrouverait tous ceux qui avaient dû accomplir ce voyage sous son autorité. Rik hocha la tête et promit de se renseigner.

Elgaine d'Hautpoul ne vit certes pas personnellement le serviteur de la curie, mais fit l'expérience concrète de son pouvoir. En plein jour, au milieu du palais royal, on lui glissa un sac sur la tête. Une odeur puissante – était-ce du musc ? de la myrrhe ? – lui coupa le souffle sans qu'elle puisse se défendre. On la traîna jusqu'aux caves, par des escaliers secrets, comme une marionnette. On ne lui ôta le sac qu'au moment où un gémissement indiqua qu'elle avait repris conscience.

Le tribunal de l'inquisition siégeait dans une salle sombre qu'Elgaine n'avait jamais vue auparavant. À la lumière vacillante des torches étaient assis des hommes vêtus de noir, le visage masqué par de longues capuches pointues où l'on ne distinguait que de minces fentes pour les yeux. Avec ses esprits, elle avait aussi retrouvé son insolence habituelle. Et la demoiselle de cour partit aussitôt à l'attaque.

— *Monsignori !* lança-t-elle. Quoi que vous puissiez croire : ce n'est pas moi qui détiens l'anneau ! (Ses mots se heurtèrent à un cercle glacial et silencieux.) Vraiment pas ! répéta Elgaine, d'une voix déjà un peu moins ferme. Je le jure sur la Sainte Vierge Marie !

Alors, celui qu'elle reconnut immédiatement, par sa voix, comme Gilbert de Rochefort, se décida enfin à prendre la parole

— Qui demande donc l'anneau ? fit-il, moqueur. Nous savons parfaitement qui le porte à l'heure actuelle.

Il respecta un instant de silence pour laisser ses paroles agir sur la jeune femme, puis ajouta de but en blanc :

— Ce palais abrite un traître à la foi chrétienne, invité de la reine catholique, qui ne se doute de rien...

Elgaine comprit aussitôt qu'il s'agissait du chevalier Armand de Treizeguet. Mais elle fit l'ingénue et laissa l'orateur continuer.

— Elgaine d'Hautpoul, nous attendons que vous vous pliiez sans condition à notre exigence : ledit invité de la reine doit...

— Pourquoi devrais-je faire du tort à ma reine ? s'exclama la jeune femme, indignée.

La réponse fut tranchante :

— Vous l'avez déjà fait au cours de cette nuit, devant Constance !

La voix du porteur de capuche resta glaciale.

— Par comparaison, nous attendons aujourd'hui bien moins de votre part. Écoutez bien, Elgaine d'Hautpoul : à chaque fois que ledit invité quittera ses appartements sévèrement gardés pour s'échapper du palais, vous accrocherez un drap blanc immaculé à votre fenêtre ! Jetez donc l'un de vos beaux yeux sur ce seigneur. Ses allées et venues ne vous échapperont certainement pas.

On lui repassa, par derrière, le sac sur la tête et elle se retrouva sur un escalier isolé qui menait au cellier de la cuisine. Elgaine savait qu'elle n'avait pas le choix – sauf à accepter de perdre sa position à la cour, dans la honte et l'infamie !

Rik dut s'habituer à ce que son commanditaire détermine le lieu et le moment où il le rencontrerait. C'était le plus souvent devant les autels latéraux et ténébreux des églises, parfois aussi au confessionnal. Il ne se demanda pas longtemps non plus de quel parti relevait le chevalier et ce qui l'animait, hormis une hostilité manifeste à l'Église officielle et à ses officines, dont Monseigneur Gilbert était un élément déterminant. Tous deux n'étaient sans doute que des éclaireurs : des puissances occultes tiraient les fils en coulisse. On ne pouvait pas expliquer autrement les moyens considérables qu'ils avaient engagés. Rik se garda bien de poser cette question au chevalier. Mais il l'interrogea tout de même sur la morale, à propos du destin de ses enfants. À son grand étonnement, le chevalier lui répondit en détail.

— Reprocher à l'*ecclesia catholica* le crime d'avoir « épuré » l'Occident de plusieurs dizaines de milliers d'en-

fants vagabonds en vendant ces hordes errantes aux marchands d'esclaves, par l'intermédiaire de ses hommes de
main, ne touche qu'une seule face de l'Église. Car la papauté
romaine affronte actuellement des mouvements qui remet-
tent fortement en cause l'idée qu'elle a d'elle-même et même
sa pérennité, c'est-à-dire le cadre tout entier de l'Occident
chrétien. Dans le sud de la France, il faut éliminer dans le
sang l'hérésie des cathares ; au cœur même du *Patrimonium
Petri*, François d'Assise donne bien du souci à la curie parce
qu'il refuse de pourvoir sa « libre fraternité » de règles mona-
cales qui la soumettraient formellement à l'*ecclesia*, comme
l'a fait Dominique, l'Espagnol. Les activités des ordres de
chevalerie, à commencer par les Templiers, visent plus, elles
aussi, à transformer durablement les rapports de pouvoir
qu'à exercer leurs fonctions originelles, celles de protecteurs
de la Terre Sainte ! On peut en dire autant des républiques
maritimes et des « villes libres ». Sous cet aspect, on peut
attribuer certains comportements et la position de principe
de certains cercles de la curie à une situation d'urgence politique ; mais la fin, surtout celle de l'auto-conservation, ne
justifie pas tous les moyens. Ce que l'on pratique ici, sous
le manteau de l'Église, et pas forcément avec son accord,
n'est ni chrétien, ni susceptible de plaire à Dieu. C'est un
crime épouvantable, une immense manifestation du
mépris de l'être humain !

Le chevalier acheva ainsi son exposé. Il s'était plus énervé
qu'il ne l'aurait voulu. Il pensait vraisemblablement que Rik
van de Bovenkamp, avec son esprit simple, était incapable
de comprendre tout cela et avait raison de se fier à la direction de cet homme auquel il posa encore une fois à voix basse,
dans le chœur – tandis que le « Sauveur » vaniteux contem-
plait les fresques qui montraient Jésus entrant à Jérusalem
– la question que lui avait soumise Niklas un peu plus tôt.

— Un temple de Jupiter qui émerge fièrement de la
mer ?... Il ne peut s'agir que de ces ruines imposantes, au
sud de la Sicile, répondit le chevalier, qui avait aussitôt compris la situation. Un lieu que les pêcheurs appellent « Sélinonte » !

Il entraîna Rik dans la sacristie de l'église, dont la porte
était ouverte et où il trouva du parchemin et de quoi écrire.

— Je donnerai cette réponse au « Sauveur » par écrit, expliqua-t-il tout en inscrivant le mot qui donnait la solution de l'énigme. Avec cet ajout : « C'est là que la récompense méritée attend l'ami ! »

Le chevalier roula la feuille et la glissa sous le pourpoint de cuir de Rik.

— Remettez-le à Niklas et continuez à ouvrir l'œil, plus que jamais !

Rik pouvait ainsi disposer. Le « Sauveur » avait déjà quitté l'église ; il attendait vraisemblablement à l'extérieur, dans le véhicule qui le protégeait du soleil et qu'ils utilisaient tous les deux. Rik sortit sur le parvis : effectivement, la calèche s'y trouvait. Il se dirigea vers elle, ouvrit le portillon et glissa la tête à l'intérieur de l'habitacle. Il ne put se rappeler le coup qu'il reçut, seule la bosse douloureuse à l'arrière du crâne lui expliqua à peu près ce qui lui était arrivé lorsqu'il se réveilla dans le fossé de la route qui menait de Palerme vers le sud de l'île.

Le cône rocheux de Linosa, avec son château des Templiers, vu depuis le sud de la Sicile, n'était pas particulièrement éloigné des côtes ; mais il était beaucoup plus proche de celles d'Ifriqiya, et notamment de la forteresse imprenable de Mahdia.

Dans le port de Linosa, Paul de Morency rencontra Timdal, qu'on avait abandonné là. Tous deux n'aspiraient qu'à une chose : libérer Mélusine des mains des Sarrasins. Les médecins miséricordieux avaient déjà habillé Paul en seigneur maure. Quant au Maure lui-même, il disposait toujours de la cassette de voyage bien remplie. Qu'y avait-il donc de plus tentant que de continuer à jouer son rôle et de se présenter à Mahdia sous l'identité d'un maître et de son serviteur ? Il suffisait de trouver un navire, car faire entrer les Templiers dans le jeu, le Maure en avait fait l'expérience, était non seulement absurde, mais aussi suicidaire. Ils ne laissèrent donc rien percer de leurs intentions véritables et attendirent patiemment que vienne leur chance.

Dans un premier temps, Elgaine réagit sans la moindre contenance en voyant Rik, blessé, surgir dans le palais du roi et demander le chevalier. Celui-ci ne s'y trouvait plus : accompagné d'une forte troupe, il escortait le sénéchal du royaume au sud de l'île. Plusieurs éléments de la flotte étaient également sortis du port afin de verrouiller le passage du côté de la mer, si le piège devait se refermer devant le temple de Sélinonte. À la dernière minute, on avait confié au chevalier le commandement des navires : il était le seul à avoir vu de face les deux criminels recherchés. Armand de Treizeguet demanda avec insistance au sénéchal de bien traiter l'Allemand Niklas qui, naïf et vaniteux comme il l'était, surgirait sans aucun doute avec sa calèche au beau milieu de l'action. Puis le chevalier monta à bord du navire le plus rapide, car les deux seigneurs de Marseille, qu'il connaissait bien sous le nom d'Hugo de Fer et de Guillem le Porc, ne devaient pas échapper à leur juste punition. Dans son ardeur, il ne tint pas compte du fait que *Guglielmus Porcus*, jadis amiral de la flotte sicilienne, mais renvoyé dans le déshonneur, était toujours extrêmement apprécié parmi les hommes des équipages.

Rik et Elgaine se jurèrent mutuellement qu'ils ne possédaient pas ce maudit anneau, puis se racontèrent tout ce qu'ils savaient – ou ce qu'ils pensaient que l'autre devait savoir – et se jurèrent de s'accorder désormais une confiance mutuelle. Car leur décision commune était prise : ils s'enfuiraient de Palerme, aussi vite que possible. Ils risquaient de ne plus rien contrôler dans l'histoire où ils étaient intriqués. Ils n'avaient pas la moindre idée du coup que le chevalier préparait pour les libérer tous. Et même s'ils en avaient eu connaissance, ils n'auraient vu aucun motif de repousser une décision recherchée par les deux partis en présence.

L'avertissement de sa sœur avait plus profondément marqué l'inquisiteur qu'il n'était disposé à l'admettre : il voulait, une dernière fois, recevoir un salaire terrestre pour ses pieux efforts, puis renoncer à cette vie fatigante qu'il avait consacrée au seul bien de la *sancta ecclesia*. Celle-ci ne le remercierait pas pour autant, par exemple en lui accordant une mitre de cardinal. Il pouvait donc envisager en toute

quiétude une retraite tranquille sans aucune charge religieuse. Il irait profiter de ses richesses dans un pays où personne ne le connaîtrait. Le mieux serait Byzance. Mais
Damas pourrait aussi lui plaire !

Le chevalier en avait assez de ne jamais agir que dans
la clandestinité, de toujours devoir se tenir sur la défensive
et de reculer pourtant pas à pas. *Libertad o muerte*, avait-
on coutume de dire dans le Languedoc hérétique : mieux
valait mourir avec les honneurs que se cacher en permanence. Il pourrait épouser son amour de jeunesse, Marie
de Rochefort – ou se retirer dans un monastère, à la lisière
des Pyrénées. Dans les appartements qu'il avait jusqu'ici
habités dans le palais, Elgaine cachait Rik et soignait sa blessure d'une main experte.

À Linosa, Paul, qui se faisait désormais stupidement
appeler Ali Baba, et son garde du corps, Timdal, avaient du
mal à saisir leur bonheur. Dans le petit port des Templiers,
quelques pirates sarrasins arrivèrent toutes voiles dehors et
relatèrent une violente bataille maritime qui avait eu lieu
sur la côte méridionale de la Sicile. Les marchands d'esclaves
d'Ifriqiya n'étaient pas en odeur de sainteté auprès des Templiers, mais tant qu'ils n'importunaient pas les navires de
l'Ordre, on les laissait en paix. On leur interdisait juste de
séjourner longtemps dans le port, entre autres pour éviter
les problèmes avec les Siciliens. Le commandeur de l'Ordre
venait justement de les autoriser à recoudre leurs voiles et
à refaire leurs réserves d'eau potable. Ce délai suffit à Timdal pour se mettre d'accord avec les pirates, d'autant plus
qu'il avait appris que, d'ici, ils comptaient mettre le cap droit
sur Mahdia afin d'y lécher tranquillement leurs blessures.

Une activité intense régnait à l'hôpital de Palerme. Les
grands blessés de la bataille de Sélinonte venaient d'être
admis. Armand de Treizeguet avait vite compris que les deux
négociants de Marseille lui avaient échappé, et avait renvoyé la flotte sicilienne à son port. Il n'était pas utile de la
maintenir sur place pour couler quelques pirates de plus.
La plupart des Maures avaient fui sur leurs navires agiles

lorsqu'ils avaient compris qu'Hugo de Fer et Guillem le Porc étaient tombés dans un piège. Le chevalier laissa au sénéchal ceux qui avaient déjà débarqué et n'avaient pas réussi à reprendre la mer.

Oliver, qui avait espéré pouvoir enfin participer à une opération complexe à crâne ouvert, dut se faire la main sur des jambes cassées, des côtes entaillées et des bras coupés. Étant donné le nombre des blessés et l'urgence des soins, le docteur Taufiq et son collègue Soufian el-Iskanderi, si fiers d'ordinaire de leurs anesthésiants qui bloquaient presque totalement la douleur de leurs patients, coupaient, perçaient et sciaient cette fois-ci sans la moindre anesthésie : on glissait un bloc de bois entre les dents du blessé, dans les cas graves on leur assénait sur la tête un coup de marteau de bois enveloppé de tissu – Oliver ne savait plus qui il devait le plus admirer, des hommes à la peau mate dont le visage devenait vert olive ou gris cendre sous l'effet de la douleur, mais qui n'émettaient pas le moindre son, ou des médecins auxquels leurs tabliers imbibés de sang donnaient l'air de bouchers, mais dont les moindres gestes étaient d'une extrême précision. Ils ne donnaient jamais un coup de scie inutile dans la chair déchiquetée, mais amputaient en un clin d'œil lorsqu'il n'était plus envisageable de sauver le membre ou lorsque la gangrène apparaissait déjà. Oliver s'escrimait, serrait les membres qu'il lui fallait traiter, pesait sur les corps qui se cabraient, cousait au fil de cordonnier et au boyau fin les marges des blessures béantes, calmait d'une caresse ceux qui tremblaient et les épuisés, tendait les fers affûtés, les scalpels et les ciseaux qu'il ne cessait de purifier de toutes les humeurs malsaines, en les passant au-dessus d'une flamme.

— Avez-vous toujours l'intention de choisir ce métier ? demanda le docteur Taufiq Almandini, en plaisantant et sans lever les yeux.

Oliver hocha la tête, l'air courroucé.

— Vous m'aviez promis une tête, fit-il d'une voix grave, mais vous ne me servez que des omoplates, quelques flèches brisées dans les parties molles et des ventres désespérément ouverts.

Le vieux docteur Soufian se mit à rire et se lava les mains. La plus grande partie du travail était accomplie.

— Vous vous êtes battu courageusement, *medicus chirurgicus Oliverus*.

— Il a bien mérité sa trépanation, approuva Taufiq.

Il fit signe à Oliver de le suivre dans une pièce voisine. Plusieurs têtes enveloppées dans des draps étaient posées sur une longue table de marbre, chacune sur un plateau où s'amassait le sang qui filtrait des draps.

— Une utile *materia demonstrationis*, expliqua Soufian, satisfait, avec le meilleur souvenir du sénéchal !

— Que leur reprochait-on ? demanda Oliver.

— Ils faisaient partie de la bande des tristement fameux Hugo de Fer et Guillem le Porc !

— On dit que tous deux, intervint le docteur Taufiq, auraient tenté de commettre un acte de haute trahison, une insurrection des Sarrasins de cette île contre le jeune roi Hohenstaufen. Une entreprise démentielle, qui a valu leur tête certes pas aux chefs, mais à bon nombre de membres de leur escorte. (Il montra la première tête.) Commencez par préparer celle-là. Dégagez le cuir chevelu, coupez les cheveux sur la surface d'une double tonsure !

Oliver prit avec allant son bandeau imprégné de sang pour le dérouler jusqu'à la naissance du front. Mais il tira trop vivement et c'est tout le bandage qui tomba du crâne. Oliver sentit le contenu de son estomac remonter, il tremblait comme une feuille. Les yeux écarquillés du « Sauveur » le regardaient fixement.

Il serra les dents, sa bouche était sèche, il dit seulement :

— Je crois que j'en ai assez eu pour aujourd'hui !

Et il sortit de la pièce en titubant.

Armand de Treizeguet se promenait, tête nue, sur le chemin de ronde, le long du môle portuaire de Palerme. Il n'était parvenu ni à punir comme ils le méritaient les deux margoulins de Marseille, ni à anéantir son ennemi juré, le Monsignore, le principal responsable, mais il avait pu lui faire subir une perte douloureuse. Même s'il ne s'était pas encore débarrassé d'eux, le chevalier se sentait pour la première fois en sécurité – d'autant plus qu'un homme corpulent se tenait à son côté. Abdal le Hafside n'était pas un marchand d'esclaves ordinaire, ce n'était pas seulement non plus un puissant négociant et propriétaire terrien, mais une puissance politique en Méditerranée, entre les Colonnes d'Hercule et la Cyrénaïque. Même là où il n'entretenait pas de concessions, on faisait appel à lui comme juge et comme intermédiaire. Il venait juste d'arriver à Sélinonte au moment où son ami, le sénéchal, avait fait *tabula rasa* et sonnait le retour à Palerme. Abdal confirma les craintes du chevalier en lui révélant ce qui avait coûté sa tête à Niklas. Les deux porcs de Marseille avaient échappé au sénéchal, mais c'est sur le corps de leur jeune complice que l'on avait trouvé, bien dissimulé, le plan de l'insurrection. Interrogé sous les coups, ce Niklas, pour dissimuler ses véritables intentions, avait bredouillé des propos incohérents pour dissimuler ses véritables intentions, avait parlé « des enfants de Dieu qui devaient libérer la sainte Jérusalem des mains des incroyants », « ce qui ne pouvait avoir qu'une seule signification », Abdal en était encore certain : « que les Sarrasins allaient arracher la Sicile aux Hohenstaufen ! » Le sénéchal voulait ramener à Palerme le témoin de ce complot, mais un prêtre qui accompagnait l'armée plongea son poignard dans le cœur de ce gamin avant que les gardes ne puissent abattre l'assassin. C'est ainsi que l'on décida de décapiter Niklas, afin de pouvoir au moins montrer sa tête à Palerme, en même temps que la lettre qui le trahissait.

Le chevalier était à peine ébranlé – il aurait pourtant pu avoir des remords.

— Je n'ai aucune responsabilité dans cette mort, expliqua-t-il au Hafside, qui ne lui avait rien demandé, mais je ferai brûler un cierge pour la paix de son âme. Au bout du compte, ce crime ira s'ajouter au tas de braise incandescente qui attend Monsignore Gilbert en enfer !

— Ce sera son dernier ! répondit Abdal, amusé de voir comment les chrétiens pouvaient s'empêtrer dans la faute et l'expiation, la vengeance et le rachat. Le sénéchal m'a conduit dans une grotte, sur la côte. C'est là que les derniers pirates avaient résisté jusqu'au bout après la fuite de leurs deux chefs. Lorsque nous sommes passés au-dessus du corps de ceux qui avaient protégé leur fuite – apparemment, il y avait dans la flotte suffisamment de mains secourables pour que l'ancien amiral puisse s'éclipser discrètement, ajouta le Hafside avec un malin plaisir –, bref, lorsque nous sommes entrés dans la grotte, nous avons trouvé le Monsignore, adossé à la paroi. Son front avait été transpercé par une pointe de flèche à laquelle était accroché un bref message, un fragment déchiré de parchemin : «... la récompense méritée attend l'ami ! ».

Le chevalier s'immobilisa, pétrifié. Il ne s'était pas attendu à cette nouvelle. Désormais, les milieux responsables au sein de l'Église pouvaient attribuer aux manigances de l'inquisiteur, sans que nul ne puisse les contredire, toute la responsabilité du crime que l'on avait commis à l'égard des enfants.

— Ce fut le comportement extrêmement regrettable d'un individu qui avait outrepassé ses pouvoirs. Amen ! (Abdal posa sa lourde main sur son épaule.) Et pourtant, vous devriez aussi allumer un cierge en l'honneur de ce Gilbert de Rochefort, il a été un adversaire de votre niveau.

Armand de Treizeguet déglutit. Le Hafside reprit son récit :

— Comme il était aussi un homme important à l'intérieur ou à l'extérieur de la curie, comme sa mort pitoyable n'aurait posé que de désagréables problèmes si elle avait été connue, le sénéchal a fait murer avec des pierres l'entrée terrestre de la grotte. La mer et ses poissons devraient avoir suffisamment de temps pour éliminer les moindres traces.

Le chevalier se signa ; il ne pouvait qu'être reconnaissant à son seigneur d'avoir pris cette disposition. Mais il ne lui restait pas grand-chose à faire.

— Vous me faites honte à chaque fois, précieux Abdal, ne serait-ce que par la manière dont vous intervenez dans mon destin... (Le Hafside sourit et fit un geste de modestie, mais Armand reprit aussitôt :) Il y a encore dans cette ville deux jeunes gens dont la sécurité ne me paraît pas assurée durablement, car de nouvelles têtes repousseront à cette hydre, et son giron immonde ne fera jamais qu'accoucher du mal et du sang noir. Je compte sur vous !

— Vous le pourrez toujours, Armand de Treizeguet, j'ai

une inexplicable faiblesse pour les gens qui défendent des causes perdues.

Le chevalier n'avait pas attendu cette dernière remarque, formulée par un observateur attentif de la situation autour de la Sicile, pour être certain que ses soucis étaient justifiés. Le roi Frédéric était toujours détenu dans la lointaine Allemagne. Ici, à Palerme, la reine Constance, seule avec son fils d'un an, devait tenir la position et la défendre contre les prétentions de l'Église. Constance, une catholique rigoureuse, n'avait pas grand-chose à opposer à cette mise sous tutelle permanente. On ne tarderait pas à réclamer le sacrifice d'un pion. Le Hafside avait raison : lui-même devait rester aux aguets s'il ne voulait pas être livré à ses ennemis. C'est sur ces réflexions que les deux hommes se séparèrent.

Oliver ne tenait pas du tout à prolonger son étude sur l'objet que l'hôpital avait mis à sa disposition. Mais il s'avéra que le docteur Taufiq Almandini eut une occasion d'aller revoir son village natal dans le Maghreb. Il proposa à son assistant de l'accompagner et lui fit comprendre que l'ami influent qui lui permettait de franchir la Méditerranée assurerait sans doute sur place, à Ifriqiya, le séjour d'Oliver et la suite de ses études en *medicina generalis*. Tous deux se préparèrent donc à quitter Palerme sur le navire du Hafside.

Elgaine et Rik, ce couple disparate, décidèrent au même moment de tourner le dos à la Sicile – incités par le chevalier qui ne leur fit cependant que quelques brèves allusions et ne se montra plus par la suite au palais. Le seul conseil qu'il leur donna fut de garder l'œil bien ouvert dans le port.

La méfiance qu'ils éprouvaient l'un pour l'autre suffisait pour que Rik et Elgaine soient liés comme des frères ennemis, toujours disposés à se débarrasser de l'autre. Ils avançaient donc discrètement, se surveillant plus l'un l'autre qu'ils n'observaient les bateaux ancrés, à proximité immédiate du quai animé. Elgaine fut la première à apercevoir le voilier du Hafside : elle venait de voir Oliver monter à bord en compagnie du docteur Taufiq. Une joie immense s'empara d'elle, mais elle eut la présence d'esprit de détourner aussitôt l'attention de Rik en dirigeant son regard dans le sens opposé, où Armand de Treizeguet les surveillait.

— Le chevalier vous a fait signe ! mentit-elle insolemment. Courez le rejoindre, pendant que j'attends ici.

Rik partit sans le moindre soupçon. Le chevalier avait disparu derrière les entrepôts, ce qui était normal : il choisissait toujours des endroits discrets. Lorsque Rik tourna dans la sombre ruelle, il se retrouva entouré de personnages qui se serrèrent autour de lui, menaçants. Ils ne le battirent pas, mais le tinrent solidement pendant qu'on lui pressait un chiffon sur la bouche et sur le nez...

Une vague d'eau froide, projetée depuis un seau, lui claqua au visage. Rik avait dans la gorge la sensation d'avoir avalé de l'huile rance. Mais il ne se rappelait plus rien. Devant lui se tenait le chevalier, qui riait, le seau à la main

— Secouez-vous, Rik van de Bovenkamp, sans quoi le navire prendra la mer sans vous !

Rik se redressa en titubant, mais eut la présence d'esprit de répondre au chevalier :

— Et où est l'anneau que vous m'aviez fermement promis pour mon départ ?

Armand de Treizeguet rit encore plus fort :

— Ne craignez rien, je tiendrai ma parole !

Et il alla jusqu'à montrer à Rik le navire qui avait déjà levé les voiles. L'opération Palerme avait ainsi trouvé une conclusion provisoire.

Mais l'auteur de ce compte rendu n'est pas sûr du tout que tous ceux qui ont survécu aux attaques et aux autres mesures médicales peuvent déjà être considérés comme guéris et libérés.

— Magnifique !

Armin avait bondi et faisait mine de serrer la lectrice contre sa maigre poitrine.

— Ce qui m'ahurit, Miriam, c'est l'ardeur avec laquelle

vous savez exprimer le jeu cruel des paroles révélatrices et des actes malveillants.

Miriam parvint à tenir à distance l'impétueux androgyne.

— Moi, pareil langage me serait resté coincé dans la gorge !

L'émir la poussa doucement sur le côté.

— J'admire le talent d'Armand de Treizeguet, qui est parvenu à avoir un si clair aperçu des circonstances de l'époque... (Comme il avait Rik dans son champ de vision, il ne put s'empêcher de prendre une position qu'il aurait en réalité voulu éviter.)... et de les avoir exposées d'une manière aussi flatteuse pour sa personne et pour son rôle !

— On peut s'y attendre, de la part d'un seigneur aussi roué que le chevalier.

Madame Blanche intervint à son tour :

— Adressons aussi nos félicitations à Marius, qui a tellement amélioré son style dans son rôle de *katib*, et a ainsi apporté une contribution décisive au résultat que vous avez célébré. (Elle adressa à Kazar Al-Mansour un sourire innocent.) Car c'est à lui que l'ambassadeur a dicté, dans le silence d'El-Djem, ce qui a été dit, avant qu'il ne reparte auprès du roi Frédéric.

Elle avait ainsi fait la lumière sur son rôle d'hôtesse et, surtout, d'épouse du puissant Hafside. Marius, confus de tant d'éloges, froissait son chapeau de paille entre ses mains, ce qui donnait une allure presque sympathique à sa gaucherie. Mais la *sajidda* Blanche n'avait fait allusion à son bibliothécaire que pour introduire ses propres ambitions littéraires.

— Je me suis permis – et j'ai eu le loisir – d'apporter moi aussi ma petite pierre à cette chronique aussi louable que nécessaire...

Sans attendre une réponse ni même une approbation, elle se fraya un chemin jusqu'au pupitre de Daniel, qui lui laissa bien volontiers sa place, et étala les feuilles qu'elle avait apportées. L'émir haussa les épaules, résigné, et s'installa sur un *kanaba*. Les autres suivirent son exemple.

Extrait du manuscrit de Mahdia
Le grand marché aux esclaves de Bejaia
Récit de la sajidda Blanche

Depuis des semaines déjà, les enfants venus de France sont enfermés dans des cachots souterrains. Avec des Noirs qui ont été capturés dans les lointains royaumes de l'Ifriqiya et que l'on a conduits sur la côte berbère en leur faisant traverser le Sahara, avec de tout jeunes soldats, de la piétaille venue de Castille et de Leone, tombée entre les mains des conquérants mauresques dans les tourbillons de la *reconquista*, novices blafards, moines mendiants de toute sorte d'ordres qui, lors de leur pèlerinage, se font régulièrement prendre par les pirates de la Méditerranée.

Bejaia est la grande plaque tournante du monde connu ; elle fournit sa marchandise humaine depuis Marrakech, au sud, jusqu'à Wisby et Kiev, depuis la superbe Córdoba jusqu'à la légendaire Samarkand. Seul celui qui est jeune et puissant arrive jusqu'ici. Chez les hommes, on requiert aussi l'art de la lecture et de l'écriture.

Stéphane, dont les belles visions ont mené les enfants dans cette situation, tourne dans sa geôle comme un djinn halluciné, il prend la pitance immonde que leur jettent les gardiens pour une manne céleste, l'eau puante qu'ils doivent lécher sur les murs pour le vin de la Révélation. Le petit berger et prophète fantasme, l'œil toujours plus fou, toujours plus brillant, délire à propos de la mer qui se scindera pour tous ceux qui l'ont suivi. En réalité, elle s'est depuis longtemps refermée sur eux. Des centaines d'enfants sont morts noyés, les survivants leur envient leur fin, maintenant qu'ils sont terrés dans ces trous obscurs, attendant un avenir qui leur inspire angoisse et terreur. Le « prophète mineur » continue à s'exalter sur la splendide Jérusalem qui leur est promise. Et l'on en trouve encore beaucoup pour voir en lui le Messie et pour s'efforcer, coûte que coûte, de rendre cette vie austère aussi agréable que possible à Stéphane.

Étienne, l'ancien voleur de Saint-Denis, n'est plus des leurs. Il a commencé par s'isoler, puis il est comme rentré en lui-même, il a rencontré un autre Jésus, qui ne promet rien et n'exige rien. Étienne a compris son destin comme une passion qui lui montre le chemin du Christ, un parcours de souffrance porté par l'espoir en la vraie vie, l'espoir du paradis.

Luc de Comminges, en revanche, le *vicarius Mariae*, a ôté de sa tenue tout signe indiquant qu'il était un fidèle disciple de Dominique. La facilité avec laquelle il se met au service de chaque nouveau maître le fait aussi changer de foi comme de chemise. Devenu un partisan zélé et ardent de l'islam, il tente immédiatement de se faire bien voir auprès du chef de la prison de Bejaia. Sur le navire aux esclaves, il est bien parvenu à convaincre les pirates qu'un cabot mordeur comme lui n'a rien à faire dans la cage où l'a mis Hugo de Fer! Ce chien de garde se rend déjà utile pendant la traversée – la seule chose qu'il ne puisse plus vraiment faire, c'est menacer en retroussant ses babines : il lui manque les dents que Paul lui a fait tomber!

Dès que Luc a mis le pied sur le sol d'Ifriqiya, il se débarrasse de son vieux froc de moine et se glisse dans la tenue d'un soufi. Le nouveau zélateur du prophète Mohammed s'appelle désormais « Saifallah ». Le prix qu'il paiera désormais sera la trahison quotidienne de ses frères emprisonnés. Même les gardiens, qui en ont pourtant vu d'autres, montrent plus de compassion que lui pour le lamentable destin de ces pauvres enfants...

— Il me manque la consolation de la Sainte Vierge! s'interpose Alékos, de sa voix irrespectueuse. La madone des geôles de Bejaia! (Le Grec à la langue acérée était entré dans la bibliothèque sans que nul ne s'en aperçoive.) La *sajidda* Blanche parle beaucoup, avec justesse et sens de l'ambiance, de tous et de chacun, mais elle ne dit pas un mot d'elle-même ni du miracle...

Il s'interrompit juste un bref instant parce que la femme qu'il venait d'interpeller débarrassait le pupitre, piquée au vif.

— Le fait de savoir écrire ne suffit pas à donner une bonne éducation du cœur ! lança la *sajidda*, furieuse.

Elle s'apprêtait à quitter la salle des livres au pas de charge, en passant devant l'émir, mais celui-ci la retint galamment.

— Cette incise ne constitue certainement pas une offense à votre égard !

— Pas encore ! feula la dame.

— Quand on distribue les coups, fit l'émir en dirigeant le regard de Blanche vers la cage, au coin de la pièce, il faut aussi savoir en prendre !

Il la força à s'installer à côté de lui, et Alékos reprit en s'efforçant d'adoucir sa voix.

— Je viens tout juste de me rappeler le destin de ces filles. Blanche était l'une d'elles, et c'est pour cette raison qu'il ne faut pas le passer sous silence ! (Il adressa un sourire d'excuse à son intention.) Les jeunes filles étaient gardées séparément. Elles commencèrent par subir l'épreuve du doigt de l'eunuque : celles qui n'avaient plus leur virginité et ne pouvaient donc pas entrer au harem voyaient leur valeur tomber bien en dessous de celle des moutons et des chèvres. Que Blanche qui, depuis son enfance, avait été sans interruption un simple morceau de chair destiné à satisfaire les hommes, ait franchi cette épreuve avec succès, fit à tous l'effet d'un miracle. Ses compagnes de souffrance la traitèrent désormais comme une sainte...

— J'espère, Alékos, que vous accorderez au moins à mon esprit quelques savoir-faire que l'on n'acquiert que par la pénétration et non par l'abstinence !

Cette fois, c'est elle qui avait mis les rieurs de son côté. Alékos s'inclina et s'avoua vaincu.

— En réalité, je voulais juste annoncer l'arrivée imminente de votre vénéré docteur, le célèbre Hakim Ali Ben Taufiq, connu de vous sous son ancien nom d'Oliver von Arlon... (Alékos laissa agir l'effet de surprise.)... accompagné de son épouse.

Il s'accorda le plaisir de s'interrompre ici, afin que nul ne puisse se douter de quelle femme il s'agissait. Rik fut le seul à décocher au Grec un regard suspicieux.

L'émir posa une main apaisante sur l'épaule de son ami.

Le soir était bien avancé. Kazar Al-Mansour leur donna congé à tous en leur indiquant que la table était mise – à tous, sauf au *murabbi al-amir*.

— Autant je suis reconnaissant à l'ambassadeur d'avoir apporté une contribution éclairante à la situation qui prévalait il y a aujourd'hui huit ans, autant les intrications d'hier relèvent toutes du passé et n'ont plus aucune signification politique à côté de ce qui se prépare à présent. (L'émir parut soucieux lorsqu'il dévisagea Rik, droit dans les yeux.) Armand de Treizeguet m'a fait savoir, à son départ, que la croisade de l'empereur était désormais affaire conclue. Frédéric devait prêter solennellement serment au pape avant de quitter Rome et de rejoindre la Sicile, après le couronnement. On dit qu'il a certes tenté de faire diversion en envoyant son grand-amiral Enrico Pescatore, comte de Malte, et son chancelier Walter de Pagialra, avec un nombre suffisant de troupes, le long du Nil. Mais cela n'a pas du tout impressionné l'Église, d'autant moins que l'entreprise a échoué dès le delta.

— Le Souverain Pontife veut que Frédéric s'implique personnellement dans cette croisade, ne serait-ce que pour mettre un terme à la rumeur selon laquelle l'empereur compte plus sur les Sarrasins que sur ses propres coreligionnaires.

— Au moins témoigne-t-il du respect pour la culture de l'islam, ajouta Kazar Al-Mansour, songeur.

Ils furent interrompus par le pas traînant de Moslah qui, deux baquets à la main, traversait la *sala al-koutoub* en direction de la cage. C'est à ce moment-là, seulement, qu'ils notèrent que le prisonnier n'avait plus produit le moindre son depuis un certain temps. D'ordinaire, il avait coutume de troubler l'assemblée en manifestant sa mauvaise humeur par des gémissements et des grognements assourdis par le bâillon.

— L'avez-vous laissé mourir de faim ? lança sévèrement l'émir à son majordome, qui renversait des seaux d'eau.

— Non, se vider les tripes ! répondit-il pour se justifier. Sans ça, ce pieux homme étouffe !

L'émir tenta de reprendre le fil de la conversation.

— Mais cette bonne entente entre l'empereur et le sultan, et par conséquent entre Palerme et Mahdia, aura bien une fin : toute croisade commence par détruire la raison.

Il n'alla pas plus loin. Un nuage de puanteur effroyable s'échappa de la cage et emplit toute la pièce.

— Sortons d'ici ! ordonna Kazar à son ami, et en deux ou trois enjambées, il fut à la porte.

— Permettez-moi de prendre le manuscrit sur moi, que je le fasse sortir d'ici, proposa Rik.

Mais l'émir le tira par la manche :

— Vous pourrez le faire ultérieurement, lorsque la salle sera aérée et nettoyée. (Il tira Rik vers la porte et la claqua derrière lui.) Moslah, fit-il en inspirant l'air pur, tente de me tuer avec de la merde !

— Renvoyez donc Saifallah aux cachots ! proposa Rik. Ici, il ne sert à rien, et les exhalaisons de ses matières fécales rongent tout au plus vos précieux volumes !

— Vous avez raison ! confirma l'émir.

Ils sortirent au grand air. La nuit était tombée.

Rik n'était pas pressé de suivre l'émir : les retrouvailles imminentes avec son ancien compagnon d'aventure, Oliver, avec lequel il avait quitté l'Allemagne, jadis, lui étaient désagréables. Rik n'aurait su en donner les motifs ; il n'avait rien à se reprocher. Depuis la mémorable rencontre avec le jeune Hohenstaufen, lors de sa « chevauchée royale », chacun avait suivi son chemin. Ce qui les avait séparés et les réunissait désormais, c'était cet anneau qui avait permis à Elgaine, jadis, d'entrer dans le jeu, mais aussi de s'interposer entre les deux amis. Depuis, ce bijou n'avait cessé de transformer leur destin, jusqu'à ce que le Hafside mette un terme à l'aventure. Ces images étaient constamment revenues à la mémoire de Rik. Comme il en avait honte, il les avait couchées sur le papier à l'aide du paralytique muet, le gros Moustafa, et avait déposé ces notes dans le coffre, comme un voleur, entre les autres parchemins.

Note honteuse du *murabbi al-amir*

Qu'ils soient amis, rivaux ou même adversaires secrets, tous trois se retrouvèrent soudain sur le navire d'Abdal : Oliver y était invité en bonne et due forme, et avait les meilleures perspectives de faire carrière comme *hakim* chrétien en terre musulmane. On ne découvrit Elgaine qu'en haute mer ; c'était une passagère clandestine, mais le Hafside s'en émut si peu que Rik fut certain que le chevalier avait aussi la main dans cette histoire-là. Et Rik avait été le dernier à sauter à bord – pressé, il est vrai, par Armand de Treizeguet. Abdal savait très précisément que l'un des trois, ou bien Rik, ou bien Oliver, ou bien Elgaine, était forcément en possession de l'anneau en question. Ils le nièrent tous, s'accusèrent mutuellement, et même une fouille corporelle ne donna aucun résultat jusqu'à ce que le Hafside les menace de les soumettre à un test de vérité : le docteur Taufiq Almandini leur ferait avaler à tous trois de la *khorua ;* on verrait vite, ainsi, lequel le portait dans ses intestins.

Pour épargner à ses amis la honte d'une telle procédure, Rik fut le premier à proposer d'avaler la glycérine. Il venait tout juste de concevoir le soupçon qu'effectivement, il pourrait en être le porteur malgré lui, compte tenu de l'étrange agression dont il avait été victime, de son endormissement et du goût d'huile qu'il avait ensuite senti dans la bouche. Était-ce ainsi que le chevalier avait tenu parole ? Rik souhaita que la honte l'emporte dans la mort lorsque, pantalons baissés, on le conduisit dans un réduit où il se vida les intestins. Jusqu'au dernier moment, il caressa l'idée de se détacher de ses liens et de se jeter dans la mer, par-dessus bord.

Mais la *khorua* fut la plus rapide. Avec un tintement, l'objet recherché tomba dans le récipient de fer-blanc qu'on lui avait glissé sous les fesses.

— Quelle honte, Rik van de Bovenkamp ! tonna la voix de son ami, que nous nous retrouvions seulement ici ! (Oliver était sorti de l'ombre de la cour intérieure. Il dirigea le regard de son ami surpris sur la silhouette qui se tenait un peu en marge.) Mon épouse, Elgaine, partage cette joie.

Rik aurait pu se douter que ces deux-là avaient fini par se retrouver. Et pourtant cette rencontre le plaça dans le même embarras que la première fois, lorsqu'elle était entrée dans la bibliothèque pour y tenir le rôle de lectrice. Au lieu de les féliciter tous les deux ou de leur demander, ce qui eût été tout naturel, par quel chemin ils s'étaient finalement réunis, il chercha un refuge dans la mission qu'il n'avait pas encore remplie : sortir le manuscrit de la *sala al-koutoub* et le ranger en sécurité, à l'endroit habituel.

L'émir intervint et poussa les invités étonnés, y compris son *murabbi*, vers la salle des repas. Il parvint aussi, en compagnie d'Armin et de Miriam, à sortir un peu Rik de son embarras. Car les deux femmes, notamment la Styrum, avaient au moins connu Oliver au début de la croisade des Allemands, et Elgaine, dès qu'elle les vit, se prit d'affection pour l'une comme pour l'autre. Rik et Oliver venaient juste de commencer à se raconter mutuellement ce qu'ils avaient vécu chacun de son côté après leur arrivée à Tunis, sans trop savoir par quel bout commencer, lorsque la *sajidda* Blanche intervint : elle voulait enfin savoir ce qu'il était advenu de la bague.

L'émir lui répondit aussitôt :

— C'est mon fils Karim qui la porte au cou, au bout d'un lacet de cuir, informa-t-il la curieuse. Lorsque son annulaire sera suffisamment épais, il décidera lui-même s'il veut la porter à la main, en souvenir de tous ceux qu'il traîne dans son sillage.

Ni Oliver ni Rik n'avaient la moindre rancune envers le Hafside qui les avait tous traités comme sa propriété régulièrement acquise et avait tenté d'en tirer le meilleur prix. Il les conduisit tous les trois à Tunis. Oliver eut la chance que le docteur Taufiq Almandini se porte garant de lui, si bien qu'il lui fut accordé de rembourser la somme convenue au cours des années suivantes, à partir de ses revenus de *hakim*. Elgaine s'installa dans le harem du docteur qui, d'emblée, était tombé amoureux d'elle. Mais lorsqu'il s'avéra qu'elle ne pouvait pas avoir d'enfants, il l'offrit, le cœur lourd, à son protégé. Lorsqu'il mourut, peu après, on lut dans son testament que tous deux, Oliver et Elgaine, seraient les bénéficiaires de son héritage considérable.

Mettre le seul Rik sur le marché aux esclaves était trop compliqué pour le Hafside. Il l'abandonna à un prix d'ami au *kabir at-tawashi*, le grand eunuque qui gérait à Tunis les affaires de l'État, car son maître, le gouverneur, avait été convoqué au rapport auprès du *miramolin*, l'*amir al-mu'mi-*

nin, sultan de Marrakech. Un voyage sans retour ou, dans le meilleur des cas, de très longue durée.

Ahmed Nasrallah, le gardien du harem que l'on entretenait pour le sultan dans chacune de ses résidences, trouva cet Allemand blond plaisant et estima qu'il devait commencer par apprendre l'arabe afin de mieux pouvoir s'entretenir avec lui. Il prêta donc Rik à ses frères aînés. Ibrahim, le très vieux mufti, faisait gérer son budget par son frère cadet, Zahi, déjà septuagénaire. Tous deux pouvaient faire bon usage d'un esclave compétent – et Rik ne pouvait trouver de meilleurs maîtres. Mais on ne lui posa pas la question bien longtemps.

Avant que Rik ne puisse raconter par quels biais il était devenu le *murabbi al-amir*, la *sajidda* Blanche reprit son élan :
— Ce qui m'intéresse, *ya sidi* Rik, ce n'est pas l'anneau que mon mari a récupéré par mon intermédiaire et dont nous connaissons tous aujourd'hui la gravure anodine, mais celui que des puissances hostiles ont voulu récupérer avec tant d'acharnement qu'elles ont tenté de s'en emparer par le meurtre et l'assassinat.

Rik se sentit contraint d'apporter son commentaire, même s'il ne pouvait que deviner les mobiles des différentes parties. Car sa situation ne valait pas mieux que celle des autres protagonistes : personne ne connaissait précisément le texte compromettant !

— Il ne devait pas tomber entre les mains des religieux, qui l'auraient utilisé contre l'empereur actuel ! expliqua-t-il. C'est la raison pour laquelle ce dangereux bijou devait disparaître des terres occidentales, et nous y sommes finalement parvenus, nous qui sommes réunis ici.

Il regarda autour de lui, cherchant l'approbation. Mais Elgaine lui répondit sèchement :

— Vous vous trompez du tout au tout, Rik ! Vous ne l'avez pas compris à l'époque, et aujourd'hui encore, la découverte de la simple vérité semble au-dessus de vos forces. Cet anneau, c'est Frédéric qui le porte, depuis sa chevauchée royale jusqu'à ce jour et, si telle est sa volonté, jusqu'à sa mort ! L'empereur connaît la teneur de cette inscription que son *mu'allim* lui a laissée en guise de legs intellectuel. La sourate du Coran, gravée dans l'anneau, est la suivante :

> *Allahu ahad,*   *Allah est unique,*
> *Allahu samad.*   *Allah est sublime.*
> *Lam yalid*   *Il n'a pas engendré*
> *ua lam yulad*   *et n'a pas été engendré,*
> *ua lam yakunu*   *et il n'a*
> *lahukufuan ahad*   *pas de descendants.*

Après cette révélation, Elgaine s'était retirée. Son mari insista pour qu'ils partent immédiatement.

— Aucune autre parole du Coran n'explique aussi clairement et avec aussi peu d'ambiguïté que cette sourate la profonde différence entre la conception islamique et la conception chrétienne de Dieu, dit doucement Ali el-Hakim à l'émir. Vous comprenez à présent pourquoi j'ai abandonné non seulement « Oliver von Arlon », mais aussi tous mes compagnons du temps passé. Je n'ai plus rien de commun avec eux.

Kazar Al-Mansour hocha la tête et l'accompagna vers la sortie.

Le couple ne salua pas les autres membres de l'assistance, mais chargea l'émir de les saluer.

Rik était plus touché que tous les autres. Mais c'est lui-même qu'il rendait responsable de l'attitude d'Oliver. Leurs chemins s'étaient séparés depuis longtemps, ils ne s'étaient pas cherchés, et en réalité, ils ne s'étaient pas retrouvés.

7

Allahu Akbar

Les conversations ne tournèrent pas longtemps autour
de la signification des mots gravés dans l'anneau. On se
consacra aux chemins mystérieux et obscurs par lesquels il
avait transité de main en main. On avait discuté jusqu'au
milieu de la nuit. Certains avaient menti en affirmant s'intéresser au destin des autres; d'autres avaient brossé des
autoportraits vaniteux et émus, tissés de souvenirs doulou-
reux et d'anecdotes malveillantes – la consommation de vin,
à laquelle beaucoup n'étaient pas habitués, n'y était pas
étrangère. Le lendemain, le soleil brûlait déjà haut dans le
ciel lorsque les premiers des chroniqueurs rassemblés à Mahdia se glissèrent de nouveau dans la *sala al-koutoub* afin –
chacun pour soi, tous pour l'émir – de mener à son terme
cet *opus magnum*, que la fin soit bonne ou mauvaise.

Nul ne remarqua que la cage installée dans le coin était
vide. Ils ignoraient depuis bien longtemps la présence de
Luc de Comminges, ce personnage honni, et il ne serait venu
à l'idée de personne de soulever encore le drap pour contem-
pler Saifallah. Au contraire : Timdal, qui allait devoir raconter seul l'histoire du voyage qui le conduisit, en compagnie
de Paul, dans la gueule du loup, insista pour qu'on l'écoute
au plus vite, puisque son récit impliquait des personnes qui
vivaient encore à Mahdia, annonça-t-il en une phrase dont
Armin comprit aussitôt les sous-entendus.

— Le Maure veut provoquer, non pas l'émir, mais Moslah, son majordome, en fonction aujourd'hui comme il l'était
à l'époque.

Le seul à en être effrayé fut Rik, l'éducateur du prince.
Sans faire état du soupçon qui lui était venu, il se faufila jusqu'au lieu où l'on gardait le *vicarius* et regarda derrière le
drap jeté sur la cage. Elle sentait encore très fort, mais elle
était vide. Rik pensa que c'était certainement Kazar Al-Mansour qui avait donné l'ordre d'éloigner ce personnage, parce
qu'il puait, bien sûr, mais sans doute aussi parce que l'on
allait à présent de plus en plus souvent parler de choses qui
concernaient personnellement l'émir. Celui-ci avait aussi,
vraisemblablement, fait mettre à l'abri les feuilles qu'ils
avaient laissées ici la veille et que Rik n'avait pas retrouvées
au matin. Il s'abstint donc de tout commentaire et fit signe
à Daniel de commencer la rédaction. C'est à ce moment-là
qu'on entendit des voix à l'extérieur, devant la porte. Alékos,
tout juste entré dans la bibliothèque, annonça alors sans
émotion :

— Les prisonniers se sont évadés !

Tous avaient oublié depuis longtemps les *oulémas* qui
avaient accompagné leur compagnon Saifallah à Mahdia
et s'étaient retrouvés dans les geôles de l'émir, qui entra alors
dans la salle et fit un signe à Rik.

— La fuite était bien préparée, expliqua-t-il à son ami,
agacé. C'est le cadeau d'adieux de Moslah, qui a disparu,
lui aussi.

Rik se précipita dans l'escalier en colimaçon, jusqu'au
couloir où se trouvait le coffre à ferrures dans lequel il
conservait le manuscrit. La serrure était brisée, il ne restait pas la moindre bribe des rouleaux de parchemins qu'il
n'avait même pas pris la peine de dénombrer ! Consterné,
il redescendit dans la *sala al-koutoub*. L'émir n'avait pas l'air
spécialement étonné du vol, plutôt déçu. Mais l'heure n'était
pas au deuil. La *sajidda* Blanche fit irruption dans la salle,
suivie par Oliver et Elgaine. Elle ne trouvait plus son bibliothécaire, Marius, le moine. Entre-temps, la garde de la tour
de Bab Zawila avait fait annoncer que la petite troupe,
menée par Moslah, avait franchi la Skifa avant le lever du
soleil, sans éveiller le moindre soupçon. Les fugitifs ne se

dirigeaient pas vers l'intérieur des terres, mais redescendaient la côte vers le sud avec leurs montures.

— Envoyez vos chameliers à leurs trousses! proposa Rik, beaucoup plus énervé que l'émir.

— C'est précisément ce à quoi s'attend ce renard teigneux, répondit-il. C'est donc qu'il s'est mis en sécurité depuis longtemps, lui et son butin!

— Mais que va devenir notre chronique? se lamenta Rik. Elle est irremplaçable!

— C'est bien pour cette raison que Moslah va faire en sorte que Saifallah, ce renégat fanatique, ne puisse toucher à ces documents. Il a emmené avec lui six archers à cheval!

— Et que comptez-vous entreprendre avant que ce manuscrit précieux soit totalement hors de notre portée?

— Tel est déjà le cas, répondit sèchement l'émir. Nous devons attendre que le ravisseur donne de ses nouvelles.

Rik ne jugea pas cette solution satisfaisante.

— Et que devons-nous faire, nous qui sommes rassemblés ici…?

— Continuer! ordonna l'émir, comme si rien ne s'était passé. Cela doublerait le triomphe de nos adversaires, si nous suspendions le travail aujourd'hui!

Rik rentra dans la salle des livres et, à la stupéfaction de tous, demanda au Maure de commencer enfin son récit.

> Extrait du manuscrit de Mahdia
> À travers le Bab Zawila
> Récit du Maure

L e voyage de Paul de Morency, qui portait désormais le nom d'Ali Baba et voulait se faire passer pour un riche marchand, fut placé sous une bonne étoile à laquelle Timdal, son fidèle serviteur, refusa de croire dès le début. Tout se présentait certes mieux que tout ce à quoi l'on aurait pu s'attendre: les Sarrasins, qui percèrent immédiatement à jour le déguisement douteux de Paul, se prirent pourtant d'affection pour Ali Baba lorsqu'ils eurent vent de son projet démentiel: libérer cette femme à laquelle il vouait un amour proche de l'idolâtrie. Que quelqu'un

perde la raison au nom de l'amour, qu'il soit même disposé à renoncer à sa jeune vie, suffit à les convaincre. Paul
naviguait ainsi, mieux : planait, volait vers l'objet de ses
désirs, car la corne de l'Ifriqiya et la ville de Mahdia, qu'il
souhaitait atteindre, se trouvaient à un jet de pierre de
Linosa – ce que les deux voyageurs ne tardèrent pas à
constater. Les pirates qui revenaient dans leur port pro-
posèrent même à Ali Baba de lui apporter leur aide afin
d'entrer dans le palais de l'émir. Il devrait attendre l'occasion favorable dans le port, à bord de son navire. Timdal y flaira un piège, notamment lorsqu'il aperçut les tours
fortifiées à l'entrée du bassin portuaire creusé dans la
roche, derrière les hautes murailles. Mais il était impossible de discuter avec Paul, qui jubilait à l'idée qu'il allait
enfin se rapprocher de sa Mélusine.

Le Maure allait avoir raison, même si tout se passa
d'une autre manière – bien pire encore – que tout ce qu'il
avait prévu. Sur le quai l'attendait Moslah, le majordome
de l'émir, entouré de tous les soldats qu'on avait pu rassembler à Mahdia. Kazar Al-Mansour, l'émir, séjournait
justement à Tunis, et c'est le majordome qui exerçait le
pouvoir à Mahdia. Il en profita pour arrêter les pirates revenus dans la ville et les accuser de collaboration avec l'ennemi. « L'ennemi » désigné n'était pas la Sicile normande
des Hohenstaufen, mais l'espion déguisé qui se trouvait à
bord. Les Templiers de Linosa lui avaient fait parvenir un
signal. Sans tergiverser longtemps, Moslah ordonna
qu'on les ligote tous, y compris Ali Baba et son Maure.
Seule l'objection du bibliothécaire d'El-Djem, qui était présent par hasard et lié d'amitié avec le majordome, le moine
converti Marius von Beweyler, lui fit douter à temps de
l'utilité de son acte. Le bienveillant « Père des Livres » lui
rappela que son seigneur, Abdal le Hafside, prendrait peut-
être mal le fait que l'on réduise ainsi le nombre de ses
hommes d'équipage. Moslah finit donc par chasser les
pirates du port et jeta Ali Baba et son serviteur, Timdal,
dans les geôles de l'émir. Mais comme le majordome voulait au moins que son prisonnier lui révèle les motifs de
son irruption à Mahdia, il le menaça de la torture, puis
passa à l'acte. Paul resta muet. Timdal, lui, se montra tel-

lement prévenant et tellement bavard qu'aucun interrogatoire ne put produire le moindre résultat.

Bien sûr, Paul n'apprit pas que Mélusine, pour laquelle
il acceptait de subir tout cela, se trouvait à ce moment-là
dans le harem du palais et attendait un heureux événement. Et c'était aussi bien comme cela. Quelle qu'ait été
sa réaction, Moslah aurait pu penser qu'il était en droit
de défendre par les moyens de son choix l'honneur de son
maître, et de prendre des mesures qui auraient largement
dépassé celles qu'il avait adoptées jusqu'ici. Le nom de
Mélusine ne fut donc prononcé à aucun moment – et la
jeune femme n'entendit pas parler du prisonnier qu'on
avait mis au cachot, plusieurs mètres en dessous de ses
appartements.

Timdal, en revanche, connaissait fort bien la situation
et l'état de Mélusine. Musulman, il se fraya très rapidement
un accès au personnel de garde, et eut bientôt l'oreille du
majordome. Le Maure déploya toute son éloquence pour
convaincre Moslah de repousser au retour de l'émir toute
décision sur le sort de Paul, l'intrus. Avec un grincement
de dents – adouci, toutefois, par une somme rondelette pré-
levée dans la cassette de voyage de Timdal –, le majordome
se plia à cette opinion et rendit au Maure une totale liberté
de mouvement. Timdal se garda bien de révéler à Moslah
que cette dame très vénérée que l'on gardait dans le harem
était sa maîtresse vénérée, Mélusine. Mais il continua à
rendre service à Moslah à chaque fois qu'il le pouvait, et
en veillant toujours à paraître attentif, naïf et inoffensif. Il
laissa même entendre qu'il avait été privé de sa virilité dans
sa prime jeunesse, ce qui lui permit d'avoir accès à la maison des femmes. La joie de Mélusine lorsqu'elle revit son
Maure fut indescriptible. Timdal dut la supplier de ne pas
montrer ses sentiments et de faire comme s'il ne l'avait
jamais vue. Il ne lui parla pas de Paul, qui croupissait au
cachot : Mélusine aurait laissé libre cours à son indignation – et cela aurait pu avoir de funestes conséquences pour
le prisonnier, du moins tant que l'émir était parti. Lui seul
aurait eu suffisamment de grandeur d'âme pour gracier le
prisonnier – Moslah, être servile et vaniteux, ne l'aurait certainement jamais fait ! C'est du moins ainsi que Timdal éva-

luait la situation. Il attendit désormais, le plus souvent à distance, l'accouchement de Mélusine et le retour de Kazar Al-Mansour.

— Je comprends à présent pourquoi Moslah, le *baouab*, s'est éclipsé aussi rapidement, dit l'émir avec un méchant sourire. Il comprenait bien que la chronique était arrivée à un point où le récit placerait sous un mauvais jour sa personne et le rôle qu'il jouait.

Il avait pris Rik de côté et faisait les cent pas avec lui dans le couloir.

— Lui-même n'a rien du rayon de soleil ! approuva Rik, courroucé. Ce triton savait déjà, à l'époque, éviter la lumière du jour...

On annonça alors à l'émir la visite du Hafside. Nul ne l'attendait. Même la *sajidda*, qui passa la tête par la porte, étonnée, en fut surprise. Le maître de maison fit usage de son droit de recevoir son hôte en particulier ; seul Rik fut autorisé à l'accompagner. Le riche négociant, un homme chauve et musclé, ne se distinguait nullement par ses vêtements ni ses bijoux ; mais son allure était celle d'un homme pleinement conscient de son pouvoir et de son indépendance. Kazar Al-Mansour se hâta de répondre à son accolade tandis que Rik affichait un sourire de complice. Abdal n'y alla pas par quatre chemins.

— J'ai aperçu les fugitifs à votre frontière avec l'émirat de Tunis, c'est-à-dire là où débute la zone d'influence de votre proche ami le grand eunuque Ahmed Nasrallah. (Il ne laissa pas à l'émir le temps de réagir à sa pointe d'ironie.) Ni le *kabir at-tawashi*, ni ma modeste personne n'avions la moindre raison de nourrir des soupçons ou, *a fortiori*, d'intervenir, car le navire dans lequel ils venaient de monter était clairement reconnaissable, par sa bannière hissée, comme la galère du grand vizir du Caire. (L'émir sut dissimuler un petit instant d'effroi ; le Hafside ne put donc que jouir de la déception de Kazar Al-Mansour.) Seule ma mauvaise habitude de surveiller les événements un peu plus longtemps que nécessaire, même lorsqu'ils paraissent achevés, m'a permis de prendre conscience, à peine la galère s'était-elle éloignée de la côte, qu'un homme était tombé à la mer. Comme les Égyptiens ne faisaient strictement rien pour le repêcher et hissaient au contraire les grandes voiles, c'est moi qui ai recueilli le malheureux. (Le Hafside se repaissait de la curiosité de ses auditeurs.) Qui décrira mon étonnement, lorsque l'on a apporté devant moi, tremblotante, cette créature qui aurait dû, normalement, se trouver à El-Djem pour arroser les fleurs de mon jardin : votre Marius !

— C'est le moine qui en était responsable ! répliqua Rik, qui se sentait mis en cause. Il avait volé notre manuscrit au profit de ses deux compagnons, des traîtres, Moslah et Saifallah....

— Ah ! fit le Hafside en mugissant de rire, voilà pourquoi la *sajidda* Blanche a transformé le jardinier en bibliothécaire !

— Vous l'avez...

On répondit aussitôt à la timide question de Rik.

— Je vous l'ai apporté pour que vous puissiez l'entendre. Je le ferai fouetter plus tard !

— Je me chargerais bien, intervint Rik, d'interroger ce pauvre bougre sur les motivations de ces voleurs, et surtout de lui demander si notre précieuse chronique a été bien conservée...

— Faites donc, lui répondit Abdal.

L'émir et le Hafside semblaient vouloir discuter en tête-à-tête. Il fit servir du *shai bin nana* frais, et tous s'assirent.

— Le grand vizir ? demanda Kazar Al-Mansour. Pourquoi Messire mon oncle serait-il derrière cette histoire ?

— Je n'ai pas dit cela – et cela ne correspondrait pas à ma vision des choses. On peut plutôt supposer que ce grand seigneur a reçu des informations erronées ou incomplètes. Sans cela, il se serait adressé à vous, dont il n'a, jusqu'ici, guère eu à mettre la loyauté en doute...

— Depuis que nous nous sommes mis à reconstituer le passé, Saifallah a toujours constitué un problème, il considère sans doute tout travail sur d'autres religions que celle dont il est devenu un adepte fanatique comme une trahison envers la foi de l'islam.

— Cette chronique que vous faites rédiger lui répugne autant que son ancien christianisme. Il aimerait effacer toute trace du chemin qu'il a parcouru à l'époque sous le signe de la croix, en éliminer le moindre témoignage.

— Il est facile de détruire un parchemin rédigé ! fit l'émir, soucieux, en plongeant le bout des lèvres dans son thé à la menthe.

— Cela lui serait facile si cela lui tombait entre les mains ! répondit le Hafside, l'air confiant. Le premier interrogatoire rigoureux de Marius a confirmé mon soupçon : c'est votre Moslah qui veut utiliser le manuscrit pour vous faire accuser de menées hostiles à l'État. Vous pouvez donc être confiant : Saifallah ne se retrouvera jamais avec votre document entre les dents, et les parchemins atteindront Le Caire en bon état. S'il a emmené son *ouléma* glapissant, c'est pour que ses aboiements renforcent l'accusation qu'il portera contre vous.

— Et comment réagiriez-vous à ma place, Abdal ?

— Vous n'avez rien à vous reprocher, Kazar Al-Mansour. Toute tentative de vous justifier serait portée à votre débit…

— Si je ne réagis pas, je laisse le champ libre aux calomniateurs…

Le Hafside balança sa tête chauve.

— Veillez à mener rapidement votre chronique à son terme. Vous avez rassemblé suffisamment d'éléments pour rendre compte de la fin de cette entreprise démentielle. Faites-le donc écrire par deux équipes. Marius est encore tout à fait capable de tenir sur ses pieds et d'utiliser ses mains, qu'il alterne avec Daniel

— Et ensuite ?

— Ensuite envoyez le meilleur de vos hommes, celui en qui vous avez le plus confiance, à la cour du sultan.

— Il s'agit sans aucun doute de Rik van de Bovenkamp, le *murabbi*.

— Une bonne, une très bonne idée ! Voici la preuve irréfutable de votre intégrité. Faites-le accompagner par Karim !

— Jamais, à aucun prix ! s'exclama l'émir, qui avait bondi sur ses jambes, horrifié par cette idée. Je préférerais me jeter moi-même aux pieds du sultan et lui offrir ma tête !

Le Hafside le fit rasseoir sur sa *kanaba* de sa main puissante et le regarda droit dans les yeux.

— Je mettrai mon honneur en gage pour que tous deux, le prince et son précepteur, reviennent à Mahdia sains et saufs et couronnés de succès. Car c'est moi-même qui les accompagnerai au Caire !

Il invita Kazar Al-Mansour à ne pas laisser son thé refroidir, et celui-ci se plia aux conseils de l'homme que l'on considérait comme le marchand d'esclaves le plus rusé de la côte. Il avait confiance en lui. Pour le prouver, il le mena dans son bureau privé au-dessus de la *sala al-koutoub*, où chaque mot leur parvenait distinctement par le pavillon installé dans le plancher.

— Une oreille de Dionysos, fit Abdal, admiratif.

C'est la voix de sa *sajidda* Blanche que le Hafside entendait. Elle affirmait d'une voix combative :

— Je suppose que nous avons besoin de la suite de mes notes, qu'elles plaisent à tout le monde ou non !

— Ce que nous avons vécu lors de notre voyage, Daniel, Miriam et moi, répondit Irmgard von Styrum de sa voix dure, échappe à votre connaissance, *sajidda* Blanche, tout comme le destin des autres enfants allemands, jusqu'à ce qu'ils soient arrivés au marché aux esclaves.

— Loin de moi, Armin von Styrum, répondit finement Blanche, l'idée d'amoindrir votre part dans notre destin commun. Mais ne séjournez pas trop longtemps en mer, car l'histoire véritable qui va désormais vers son apogée et sa triste fin se déroule sur le sol caillouteux de Bejaia !

— Ne serait-ce que pour vous rendre hommage, *ya Sajiddati*, je propose que Daniel utilise le titre si bien choisi que vous avez déjà employé !

€xtrait ðu manuscrit ðe ΩaҺðia
£e granð marché aux esclaves ðe Bejaia
Récit ð'Irmgarð von Styrum

L e dernier voilier que Gilbert de Rochefort avait eu le temps d'envoyer à Pise pour effacer dans cette ville toute trace de ses méfaits avait pris à son bord, conformément aux instructions, Randulf et Daniel, et voguait désor-

mais au plus vite avec eux, Irmgard von Styrum et Miriam,
derrière la flotte des marchands d'esclaves qui avaient pris
à leur bord les enfants allemands. Armin ne reprocha ni à
Randulf, ni à Daniel d'avoir laissé faire cela en son absence
et en celle du « Sauveur » – ils auraient sans doute été incapables de l'empêcher, car le reste des Allemands qui s'étaient
traînés jusqu'ici ne se serait laissé arrêter par personne. N'importe quel navire leur aurait convenu. Ces barges dans lesquelles ils étaient montés dans la joie avaient mis le cap vers
le sud et leur objectif final. Ils ne comprirent pas qu'ils étaient
tombés entre les mains de marchands d'esclaves – ils n'auraient même pas pu l'imaginer.

Sur le voilier isolé qui transportait les retardataires et
s'efforçait de rattraper la flottille en passant à l'ouest de la
Corse et de la Sardaigne, on ne se faisait cependant aucune
espèce d'illusions. Miriam avait raconté à ses compagnons
tout ce qu'elle avait déjà appris à Rome, sans avoir encore
pu en tirer profit, ni pour elle-même, ni pour les autres. Bien
entendu, elle aurait aussi pu se confier à Armin et s'insurger contre le destin qui menaçait les enfants au lieu de
constater, muette, que Daniel et Randulf étaient eux aussi
tombés dans le piège. Mais les autres ne tardèrent pas, eux
non plus, à se laisser aller au fatalisme de la jeune femme
juive. Leur volonté de survie ne se ranima qu'une seule fois,
lorsqu'ils rejoignirent enfin la flotte qui les avait précédés,
peu avant d'atteindre la côte berbère. Le capitaine de leur
voilier n'avait aucune envie d'entrer dans le port de Bejaia,
dont la réputation n'était pas fameuse ; il indiqua donc aux
pirates qu'il avait l'intention de se débarrasser en haute mer
de son maigre fret. Le plus gros des navires approcha, lon-
gea le leur et embarqua les quatre passagers. Ils se tenaient
étroitement serrés, ne serait-ce que pour dissimuler le handicap de Randulf : même si leur capitaine ne s'était pas sou-
cié, jusque-là, du destin des détenus – il avait une mission,
et venait de la remplir – les marchands d'esclaves, eux, véri-
fiaient l'état de leur marchandise. Le transbordement se
déroula sans incident, les quatre chefs de la marche, dont
tous regrettaient l'absence depuis longtemps, furent
accueillis avec enthousiasme lorsqu'on les jeta dans la cale,
avec leurs compagnons de souffrance.

Daniel, qui aurait facilement pu assumer la direction des opérations – plus personne ne réclamait Niklas, le « Sauveur » –, laissa Armin prendre les choses en main. Le légat se fit discret, non par angoisse à propos de son destin, mais parce qu'il savait pertinemment qu'il n'avait pas rempli sa mission. Sa vanité déplacée l'avait poussé à se laisser abuser par Monseigneur Gilbert ; ensuite, il n'avait pas trouvé la force d'éviter au moins les pires conséquences de ce qu'il avait provoqué. Il attendait sa juste peine, contrairement aux innocents qui ne se doutaient toujours de rien et se serraient avec lui dans l'espace étroit et obscur, somnolant, rêvant d'être réveillés par l'éclat de la Jérusalem céleste.

Lorsqu'on ouvrit les portes de la cale pour les pousser brutalement sur le pont, ils restèrent le regard rivé au caravansérail, devant la côte rocheuse ; aucune croix chrétienne n'ornait les longues tours pointues et élancées qui surveillaient, tels des gardiens de prison, l'aire gigantesque qui s'étendait derrière le môle portuaire. Devant eux, Bejaia, le pire marché aux esclaves de toute la Méditerranée, s'étirait comme une méduse. Ses ramifications montaient loin dans la montagne, où l'on avait construit les maisons des riches marchands d'esclaves. On avait attendu, pour laisser les prisonniers sortir, les laver et leur donner une allure présentable, d'avoir ce port bien protégé à portée de vue.

Armin, *alias* Irmgard von Styrum, parvint une fois de plus à cacher sa véritable identité, et fut mise avec les hommes. Pour dissimuler l'infirmité de Randulf, elle tint solidement l'estropié par le bras et fit signe à Daniel de venir l'aider. Mais Randulf, qui n'avait pas ses béquilles, se mit à vaciller et, avant que Daniel ne puisse bondir à ses côtés, tomba de tout son long sur le pont. Constatant qu'il ne se relevait pas tout de suite, les Maures intervinrent et jetèrent le corps inanimé à la mer avant d'atteindre le bassin portuaire : ce fardeau n'aurait fait qu'amoindrir la valeur globale du chargement. Le tournoiement des nageoires de requins et la coloration rougeâtre de l'eau ne laissèrent aucun doute sur son destin.

— Un spectacle peu réjouissant, grogna le Hafside, mais *bi ismil sheitan*, qu'est-ce qui vous a incité, *vous,* à vous diriger vers Tunis, le port du gouverneur, plutôt que d'aller vous mettre en sécurité dans votre refuge rocheux de Mahdia ?

Kazar Al-Mansour dévisagea son interlocuteur, embarrassé par cette question inattendue.

— La tempête, répondit-il avec une franchise désarmante. C'est une tempête subite qui m'a forcé à y chercher refuge : j'avais à mon bord cette jeune femme dont je ne voulais, pour rien au monde, mettre la vie en péril ! Mélusine...

Le Hafside interrompit son soupir :

— Moyennant quoi vous avez mis en danger tout le bien que vous veniez d'acquérir...

— Je ne pouvais pas compter sur l'hospitalité du gouverneur, il n'était malheureusement pas présent ! Le grand eunuque Ahmed Nasrallah exerçait de manière très personnelle les pouvoirs qui lui étaient conférés. Mais cela, je l'ai seulement remarqué lorsqu'il est monté à bord de mon navire et a exigé de voir la princesse...

— Ce qui est son privilège de castrat...

— Je lui ai accordé le passage et l'ai laissé, comme il le désirait, seul dans la tente avec Mélusine, après lui avoir indiqué qu'il s'agissait de mon épouse et que le mariage était déjà consommé.

— Moi, j'aurais immédiatement puni cette montagne de chair comme il le fallait !

— Le *kabir at-tawashi* – vous venez d'y faire allusion – n'a pas fait usage du droit qui lui revenait, ne s'est pas du tout montré pressant, mais au contraire très aimable et sensible...

— Sans aucun doute un maître de sa discipline ! se moqua Abdal. Mélusine lui a ouvert son cœur ?

— Franche et hagarde comme elle l'était après tout ce qui lui était arrivée, elle tenta de lui faire comprendre ses sentiments. Elle parla donc à Ahmed Nasrallah de sa patrie occitane et des ravages qu'elle avait subis, du chevalier allemand blond qui l'avait sauvée et qu'elle n'avait jamais revu, de son fidèle ami Paul, dont elle ne savait pas s'il était encore en vie. L'eunuque trouva tout cela effroyablement excitant et piquant. Ainsi lui vint l'idée que pareille rose sauvage

pourrait réjouir de son parfum étranger le sultan, en la lointaine Marrakech – d'autant plus qu'elle était fille de roi. Et
le fidèle Ahmed Nasrallah se mit en tête d'envoyer à son
maître, au Maroc, ce joyau tout juste achevé. Il ne dit rien
de tout cela ; il offrit à Mélusine un précieux collier, prit
galamment congé, me félicita, moi, l'époux qui attendait,
pour cette bonne prise, et me fit savoir en passant qu'il m'attendait pour le dîner au repas du gouverneur...

— Enfin, cela a tout de même dû vous mettre en alerte ?
demanda Abdal, qui suivait ce récit avec attention.

L'émir hocha la tête :

— Je savais bien ce que je devais penser de cette invitation. Je ne quitterais pas cette table en homme libre, sauf
à perdre Mélusine. Je m'en entretins franchement avec elle,
sans lui faire de reproches, et elle m'approuva. Je mis également mon équipage au courant. Mon fidèle capitaine loua
un navire de fret qui venait d'arriver...

— ... et qui était à moi, compléta le Hafside en souriant.
J'ai dû débourser beaucoup pour le libérer.

— Acceptez tous mes remerciements, reprit Kazar Al-
Mansour, ému. À peine avais-je pénétré dans le palais du
gouverneur que ce navire se mit doucement en route et s'arrêta à la hauteur de la chaîne qui barrait le port, entre les
deux tours de garde. On baissa la lourde chaîne, mais au
moment précis où la quille de votre navire devait glisser dessus, votre capitaine fit comme s'il s'y était accroché...

— Ce qu'il avait d'ailleurs bel et bien fait, en toute dis-
crétion et sans se faire remarquer par les gardes qu'il couvrit d'une grêle de malédictions tandis que son navire
n'avançait plus d'un pouce.

Le Hafside était fier de son homme, et l'émir tout autant,
du sien.

— Dans le sillage du navire de fret qui se balançait, mon
voilier approcha, et mon capitaine, plus énervé encore,
alterna entre la feinte curiosité et la volonté d'apporter son
aide. Pour accroître encore la confusion, j'avais permis et
même demandé à Mélusine de quitter sa tente et de se montrer sans voile. Cela fit son effet ! Mon capitaine franchit sans
obstacle la chaîne qui descendait profondément sous l'eau.
Avant que les gardes ne comprennent que cette manœuvre

était une tentative de fuite, il avait déjà gagné la haute mer avec Mélusine et disparu dans la nuit tombante.

— Toute poursuite était impensable, puisque le gros navire de fret bloquait toujours l'entrée du port.

— Pour empêcher que la colère d'Ahmed Nasrallah ne s'épanche sur votre capitaine, je feignis d'être indigné par les libertés qu'avait prises le mien, l'accusai même d'avoir enlevé la belle princesse, je promis une terrible vengeance...

— Mais l'eunuque, cette montagne de chair dépourvue de cou, n'était pas un idiot. Il comprit ce qui se passait. Il fit une croix sur la jeune fille, et c'est vous qu'il prit en otage ?

— Il me pria d'être son hôte jusqu'à ce que le souverain, ou du moins son *ouazir al-khazna*, le très puissant chambellan du sultan, fasse l'honneur d'une visite à sa résidence de Tunis.

Rik entra, sur la pointe des pieds, dans les appartements privés de l'émir.

— Marius a confirmé tout ce que nous supposions. Moslah est en possession de notre chronique, et sur son pont, il ne traite pas Saifallah beaucoup mieux que vous ne l'avez fait. (Rik s'adressa au Hafside.) L'accès au lieu protégé où se trouve le manuscrit lui est rigoureusement interdit. La manière dont on a procédé avec votre Marius lui servira d'exemple !

— Si la bêtise faisait mal, ce type hurlerait toute la journée ! fit le Hafside. À vrai dire, je pourrais lui épargner le fouet, il s'est suffisamment puni lui-même !

Abdal songeait encore à son accès de douceur lorsque l'émir demanda :

— Mais pourquoi, *bi khudrat Allah !* s'est-il au juste embarqué dans cette galère ?

— Moslah a menacé de révéler...

— Quoi donc ?

— ... que le moine ne sait pas vraiment écrire, lâcha Rik. Et encore moins lire !

— Comment cela ! s'exclama l'émir, effaré. Mais au début, c'est bien lui qui...

— Jusqu'à ce que Daniel lui fasse la grâce de le remplacer, expliqua Rik. Car jusque-là, c'est votre fameux Moslah qui, nuit après nuit, avait mis sous une forme lisible,

de mémoire, les griffonnages de Marius – car le *baouab* maîtrise remarquablement toutes les espèces de textes, tandis
que ce Marius de Beweyler n'a pas appris son latin, sans
même parler de l'arabe !

— Moslah, cette canaille, cette anguille gluante, ce serpent ! tonna l'émir. Il a donc tout lu depuis le début...

— Le majordome avait aussi un double de la clef du
coffre où nous pensions avoir mis le manuscrit en sécurité.
S'il a été fracturé, c'est uniquement pour rendre mécon-
naissable la trace visqueuse laissée par ce triton. Moslah
déteste tous les chrétiens, et méprise les musulmans qui ne
sont pas leurs ennemis

L'émir eut du mal à dissimuler sa stupéfaction.

— Le *baouab* tient donc entièrement le moine entre ses
mains ?

— Il l'a fait chanter en le menaçant de révéler à ses
maîtres l'ignorance de Marius, ce qui aurait pu lui faire
perdre le titre de « Père des Livres » auquel il avait commencé à s'attacher...

— J'aurais tout de même dû lui faire asséner une volée
de bois, grogna le Hafside. Arrivé à un tel degré de bêtise,
n'importe quel autre moyen est trop ambitieux !

— Renvoyez-le à son jardin, proposa Rik, conciliant,
même si cela doit blesser la précieuse *sajidda* Blanche, qui
aime à se parer d'un bibliothécaire personnel avec lequel
elle peut mener des discussions érudites sur les œuvres d'art
poétique rassemblées à El-Djem...

— Mon épouse ? (Abdal le Hafside fut pris de fou rire.)
Mais la *sajidda* Blanche ne sait elle-même ni lire, ni écrire,
dans aucune langue. (Son rire manqua l'étouffer.) Je trouve
ça magnifique : cette dame a donc fait confiance, toute une
année durant, à un analphabète avéré qu'elle considérait
comme un *amin al kataba* particulièrement érudit !

Kazar Al-Mansour secoua la tête et répondit à Rik, d'un
ton réprobateur :

— Et vous, vous n'en avez rien su.

Rik hocha les épaules en souriant, comme pour s'excuser :

— Que celui qui n'a jamais péché jette la première
pierre.

L'émir ne se contenta pas de cette réponse.

— En tout cas, ordonna-t-il d'une voix sans appel, c'est désormais Alékos le Grec qui mènera cette chronique à son terme.

— Pour autant, plaisanta Abdal, qu'il n'ait pas, lui aussi, fait rédiger son texte par un génie inconnu, et qu'il ne l'ait pas fait recopier par un djinn appliqué.

— N'importe quel djinn maîtrisant à peu près les arts de la magie me conviendra tout à fait ! lança l'émir en se levant. Même le *cheîtan* me conviendrait ! L'essentiel est que nous menions cet ouvrage à son terme.

Extrait du manuscrit de Mahdia
Le grand marché aux esclaves de Bejaia
Récit d'Alékos

Les navires transportant les Allemands arrivent dans le port au moment précis où les gamins qui ont embarqué à Marseille dans les bateaux des commerçants sans scrupules sortent de leurs cachots pour être vendus au grand jour. La plupart ont dû assister au spectacle atroce qu'a été la mort de Randulf, déchiqueté par les requins après avoir été jeté par-dessus bord. Leur protestation bruyante – car ils ont aussi vu comment on s'est débarrassé, par la même méthode, des malades et des affaiblis juste avant d'atteindre le port – agace le grand chambellan du sultan almohade de Marrakech. Le *ouazir al khazna*, le puissant Hedi Ben Salem, s'est rendu dans le Maghreb en compagnie du premier gardien du harem, l'eunuque Ahmed Nasrallah, afin d'acheter au marché de jeunes chiens chrétiens pour le *Miramolin*, le commandeur des croyants. Constatant que les grondements et les cris de rage ne s'apaisent pas, même lorsque les gardiens frappent les esclaves enchaînés, l'*ouazir*, premier fonctionnaire de la cour du sultan, exige que le chef de ces Francs galeux lui soit amené. Mais l'escorte du « prophète mineur » n'abandonne pas Stéphane : ils l'entourent, le serrent d'aussi près qu'un essaim d'abeilles protégeant sa reine, menaçants, bourdonnant si fort et d'un air si menaçant que Hedi Ben Salem doit se retrancher derrière sa garde personnelle.

Un massacre n'est pas dans l'intérêt du marché. Le grand eunuque de Tunis, cette montagne de chair, se fraie un chemin en avant, laisse l'énervement des enfants rebondir sur sa panse, mais n'hésite pas non plus à écarter les gardiens qui les frappent, avant d'attendre tranquillement, sous le soleil brûlant, qu'un silence de plomb se soit imposé. Alors seulement, il fait un pas de côté, et l'*ouazir al khazna* peut annoncer les représailles qu'il a décidé d'exercer. Un interprète exige de ceux qui ont osé participer à ce début d'insurrection qu'ils abjurent leur foi chrétienne aux yeux de tous et se convertissent, tout aussi bruyamment, à l'islam. La troupe qui entoure Stéphane est isolée des autres prisonniers par un cercle d'hommes armés. Les cimeterres brillent dans les poings de ces soldats musclés qui n'attendent que l'instant où ils pourront les abattre. D'un seul coup, chacun comprend qu'un geste suffira pour que sa tête roule sur le sol, et l'on n'entend plus aucune voix. On jette devant eux, dans la poussière, un grand crucifix, sans doute volé à un pèlerin. Le héraut annonce que chacun d'eux devra cracher dessus, à commencer par le « prophète », Stéphane. Recroquevillés, les enfants regardent anxieusement celui qui les a menés ici. L'alternance entre l'extrême excitation et la peur de la mort est trop brutale pour l'esprit embrumé de Stéphane : c'est son estomac qui se rebelle et déverse son contenu sur la croix du Christ.

Les musulmans poussent des cris de joie. Le fait qu'il continue à se considérer comme le prophète élu lui fait prononcer une phrase qui satisfait totalement ses bourreaux – on lui laisse la vie sauve. Son *vicarius*, Luc de Comminges, a tellement peur qu'il s'en vide la vessie, trempant la croix comme un chien battu, ce que l'on considère également comme un geste suffisant – d'autant plus qu'il accompagne son acte infâme de terribles malédictions en arabe que ses gardiens lui ont apprises. Vient le tour d'Étienne. Il s'agenouille, nettoie avec sa chemise la croix du Sauveur, embrasse son visage et dit à voix haute :

— Voici l'agneau de Dieu qui est mort pour nous sur la croix.

Dans le silence horrifié de ses compagnons éclate le hurlement de rage des musulmans. Ils veulent le découper en morceaux sans attendre. Mais les gardes du haut dignitaire les repoussent. Sur un signe du *ouazir al-khazna*, pétrifié, on emmène Étienne loin de là. La procédure est interrompue, les prisonniers sont renvoyés dans leurs cachots. Le vieux Hedi Ben Salem est songeur : on ne pouvait pas régler ainsi le compte de ces chiens de chrétiens.

— Cela ne change rien à l'inexorable rotation des meules de Bejaia, grogna le Hafside. Que ce soit la mer qui déverse les entrailles des navires ou le Sahara qui décharge le fret de ses caravanes, en haut, des hommes tombent dans l'entonnoir du moulin, et en bas, ils en ressortent esclaves et moulus. (Il lança un regard à l'émir.) Vous ne devriez pas attendre plus longtemps, Kazar Al-Mansour, mais envoyer auprès du grand vizir, au Caire, la délégation dont nous avons parlé, avant que les dés n'y soient jetés à votre détriment.

En dépit du ton choisi par le Hafside, ce n'était pas une question, mais une exhortation.

L'émir avait du mal à prendre une décision qui reviendrait pratiquement à envoyer son fils comme otage en Égypte. Le fait qu'Abdal se soit engagé, sur son honneur, à ramener Karim sain et sauf ne le rassurait pas totalement. Ce fils était tout ce qui lui restait de sa femme bien-aimée. Même la présence de Rik van de Bovenkamp, le précepteur du prince, qui effectuerait ce voyage au côté de son protégé, ne pouvait pas apaiser son inquiétude. Dans des circonstances normales, il n'aurait même pas eu besoin d'une invitation pour se rendre à la cour du sultan avec tout ce qui lui était précieux : il s'y savait estimé et sans ennemis. Mais aujourd'hui, la salle du trône où il avait passé son enfance sur les genoux de son oncle pouvait s'y être transformée en fosse aux serpents, si ce reptile perfide qu'était Moslah et cette vipère malveillante qu'était Saifallah y avaient répandu leur venin. Kazar Al-Mansour voulut repousser sa décision.

— Plus encore qu'en lui envoyant la chair de ma chair comme geste de totale loyauté, fit-il remarquer, messire le grand vizir sera convaincu de nos honnêtes intentions si nous plaçons entre ses mains, de notre propre chef, la fin de notre manuscrit, celle qu'il nous reste encore à écrire...

— Il faut les deux ! ordonna sévèrement le Hafside. Pas de demi-mesure, pas d'hésitation ! Songez à l'avance qu'ont prise vos adversaires. Notre apparition doit avoir la forme d'un coup de tonnerre ! D'un éclair qui foudroiera les indignes, les traîtres et les calomniateurs ! (Le Hafside se laissa enivrer par sa propre image.) Ensuite, même l'air torride, au bord du Nil, sera de nouveau purifié !

L'émir se donna la peine de ne pas paraître trop sceptique.

— Pour cela, il est nécessaire d'aller le plus vite possible au terme de notre chronique.

— Où vous allez enfin faire votre apparition, Kazar Al-Mansour.

Le Hafside ne prenait pas les choses telles qu'elles se présentaient, mais comme il pensait qu'on pourrait les faire plier. Il n'était pas capable de forcer ce père inquiet. Il changea donc habilement, non pas de sujet, mais d'approche.

— Comment avez-vous au juste réussi à sortir librement de Tunis ?

— Par le biais du haut chambellan de la cour, Hedi Ben Salem. (L'émir parut soulagé de voir la pression diminuer.) Le *ouazir al-khazna*, de retour de Bejaia, arriva à Tunis pour y rétablir le droit, car le gouverneur avait été exécuté à Marrakech. Hedi Ben Salem me proposa le poste ; mais cela m'aurait forcé à aller m'installer à Tunis et aurait certainement provoqué des frictions constantes avec Ahmed Nasrallah, qui connaissait bien son devoir. Ce n'était, *ya'allam Allah*, pas un objectif enviable...

— Comment prit-il votre refus ?

— Il dit qu'il ignorait s'il rendait un service au commandeur des croyants en ne profitant pas de l'occasion pour me faire couper la tête. Mais il voulait avoir confiance en moi s'il me laissait à Mahdia : je devais faire allégeance au sultan de Marrakech. Je lui répondis sans crainte qu'ainsi, l'émirat de Mahdia demeurerait propriété féodale du Caire – comme depuis les temps bénis du Mahdi ! – et qu'il n'y aurait rien gagné. Pourtant, j'étais personnellement disposé à jurer au souverain de tous les croyants que je ne lèverais jamais la main contre lui, et surtout pas contre Tunis. Cela convainquit le vieil homme, qui me laissa repartir, au grand dam de l'eunuque !

Extrait du manuscrit de Mahdia
Le grand marché aux esclaves de Bejaia
Récit d'Alékos

Après les incidents désagréables rencontrés avec les personnages de sexe masculin présentés à Marseille, les surveillants décident de réjouir la haute ambassade de Marrakech avec un échantillon de marchandise féminine.

Mais avant même de pouvoir faire sortir ces jeunes filles des salles voûtées où on les a parquées, en sous-sol, le tumulte reprend déjà sur la rampe qui mène aux cachots souterrains. Luc de Comminges, que les gardiens laissent se promener sans chaîne parce qu'il leur sert d'auxiliaire, traduit leurs ordres avec zèle et les enrichit de charretées de grossièretés, déverse sur Stéphane, le « prophète mineur » qu'il vénérait tellement autrefois, un tombereau de moqueries et de sarcasmes lorsque celui-ci et son premier cercle passent devant lui, enchaînés. Écœuré, Stéphane ne lui accorde pas un regard et se contente de murmurer : « Judas ! »

Comme s'il n'attendait que cela, Luc saute à la gorge du jeune homme sans défense et l'étrangle. Les gardiens sont forcés de ramener ce dément en arrière et le jettent au sol. Ceux qui, parmi les enchaînés, sont le plus proches de la scène tentent alors de piétiner Luc. Des gardes armés accourent, ils ne s'interrogent pas longtemps, ils se contentent de fouetter tout le groupe, en compagnie de Luc, pour le faire remonter à la lumière du jour. Là, ils frappent sur les corps rebelles jusqu'à ce que tous mangent la poussière, couchés sur le ventre. Quiconque soulève ne serait-ce que la tête reçoit une nouvelle volée de coups.

Lorsque toute résistance est brisée, le *kabir at-tawashi*, Ahmed Nasrallah, vient s'informer sur l'incident. Pour être sûr de prononcer le bon jugement (après tout, Messire le grand chambellan est toujours dans les lieux), l'eunuque est arrivé avec un antique *mufti* que tous considèrent comme extrêmement sage. S'il ne tenait qu'à Ahmed Nasrallah, il ferait sur-le-champ rouer de coups ou lapider ces agitateurs. Mais cela ne servirait à rien. Et puis les marchands qui affluaient grogneraient et se plaindraient au *ouazir*. Il permet donc à Luc de Comminges d'exposer sa plainte. Il accuse Stéphane d'avoir affirmé que Mohammed *aleihi salam* s'est nourri de viande de porc et a commis des actes sacrilèges avec des animaux. Il demande qu'il soit torturé à mort.

Mais le calomniateur ne va pas plus loin : le pied d'un gardien sur sa nuque lui replonge la bouche dans la poussière. Le vieux *mufti* a été tellement bouleversé par ce qu'il a entendu que le *kabir at-tawashi* doit le secouer doucement pour l'inciter à prononcer son verdict. On ne pose même pas la question à Stéphane, par crainte qu'il ne confirme ou même ne répète ces pensées effroyables.

— Celui qui est censé avoir prononcé pareils blasphèmes est un allié du diable, dit prudemment le *mufti*. Mais tout autant celui qui résume ce genre de monstruosités. Il existe un seul lieu sur terre où les pauvres âmes aspirent à l'enfer comme si c'était le paradis des jolies *houris*. (La salive du vieil homme coule sur sa barbe lorsqu'il se met à rêver de ce jardin d'Eden.) Pour ma part, j'enverrais accusateur et accusé dans les marais salants. Allah y maintiendra longtemps le coupable en vie, et libérera rapidement le complice de ses souffrances !

L'idée de les envoyer à la corvée de sel plaît au *kabir at-tawashi*. Nul n'en est encore revenu vivant. On enchaîne Luc et Stéphane l'un à l'autre, et on les emmène.

C'est enfin le tour des femmes ! Le public, badauds et véritables acheteurs mêlés, se tient assis et debout en petits groupes sur les tribunes de pierre qui remontent au temps de la légion romaine. En de nombreux points de l'ancienne arène, on a installé des entrepôts et des comptoirs de vente. Ils servent à présent de cachots aux prisonniers que l'on vient d'amener. Au milieu du cercle qui se rattache immédiatement aux installations portuaires se trouve l'estrade de bois sur laquelle on peut voir la marchandise avant qu'elle ne soit vendue au plus offrant.

De tous les marchands intéressés – et il en vient de loin –, c'est Abdal que l'on remarque le plus, ne serait-ce que parce qu'une ceinture de gardiens, tout autour de lui, crée une distance que seuls ses plus proches amis et collaborateurs osent franchir. Le Hafside ne se rend pas souvent sur le marché de Bejaia : il a l'habitude de subvenir à ses besoins sur le marché de Tunis, dont il est le maître incontesté. Là, sur la côte berbère, il n'envoie que la marchandise de deuxième catégorie. Il a aussi refusé de collaborer avec des intermédiaires douteux comme Guillem le Porc et Hugo de Fer. Il entretient sa propre flotte, qu'il n'utilise pour la piraterie que dans des cas bien précis. S'il est aujourd'hui sur le marché, c'est parce qu'il a reçu la visite d'un ami juif, un partenaire venu d'Alexandrie. Abraham Melchsedek, un homme déjà âgé, lui a envoyé son fils Ezer pour que le Hafside initie le jeune homme aux affaires. Il l'a donc emmené à Bejaia. Mais Ezer, une tête brûlée, a voulu prouver à son hôte qu'il était tout à fait en mesure de se diriger sans conseils et sans aide pour une vente aux enchères de ce type. Il a donc pris position de l'autre côté. Abdal, assis sur les marches supérieures avec le vieux _mufti_, garde cependant l'Alexandrin sous surveillance.

Les jeunes femmes sont amenées vers l'estrade. Alignées par rangées de deux, elles sont déjà exposées et attendent qu'on arrache les haillons avec lesquels elles couvrent difficilement leur nudité. On vante bruyamment leurs charmes, et on les souligne d'une main sans douceur. Le peuple jubile, les premières offres fusent. Le Hafside se tient en retrait, jusqu'au moment où Blanche apparaît devant la scène. Elle préfère ôter elle-même tous ses voiles avant que les mains du surveillant ne puissent se poser sur elle. Et elle est déjà nue lorsqu'elle monte sur le podium. Ce qui serait pour d'autres un instant de terrible humiliation devient pour elle un triomphe naturel : sa chevelure blonde souligne ses courbes opulentes, sa chair blanche invite sans la moindre honte les spectateurs à des rêves audacieux. Les offres pleuvent comme grêle ; cette fois, tous les marchands font des offres, le _kabir at-tawashi_ pour son supérieur, le grand chambellan du sultan – mais l'eunuque a beau monter ses prix, Abdal le Hafside surenchérit à chaque fois.

Pour Ahmed Nasrallah, cela devient une affaire de prestige personnel : la plupart des acheteurs sont depuis longtemps sortis des enchères, comme le jeune Ezer Melchsedek, qui a tenu longtemps bien qu'il n'ait pas été très éloigné du géant de Tunis et qu'il ait senti derrière son dos, comme des flèches, le mécontentement des accompagnateurs de Hedi Ben Salem. Même le grossier Hadj Zahi Ibrahim a surenchéri de manière totalement irréfléchie jusqu'à ce que son frère aîné, le gris *mufti*, l'arrête d'un sifflement. Le grand eunuque et le Hafside sont donc seuls à présent, et la somme proposée dépasse tout ce que l'on a jamais offert ici, de mémoire humaine, pour une seule femme – un prix qu'Abdal double encore. Un silence effaré se fait dans l'arène. Le *ouazir al-khazna* aimerait considérer cette attitude comme un affront à son maître suprême, le sultan de Marrakech. Mais il sourit et ordonne à son représentant :

— Rejoignez Messire Abdal et encaissez cette somme immense au nom du sultan : cette femme lui appartient !

Mais Ahmed Nasrallah hésite.

— Le prix est totalement disproportionné ! explique le *ouazir*, magnanime. Avec cet argent, j'achète les dix plus belles *houris* du paradis, et j'y ajoute cent danseuses !

Hedi Ben Salem est bon perdant. Il envoie ses serviteurs vers le podium, les bras chargés d'un gigantesque coussin damassé et brodé d'or. On y installe la splendide Blanche, que l'on porte ainsi à Abdal. L'excitation s'est apaisée, la vente aux enchères reprend son cours. Contrairement à ce que font d'habitude les marchands, qui enveloppent de draps la marchandise qu'ils viennent d'acquérir et la font ainsi échapper aux regards de la foule, le Hafside laisse Blanche telle qu'elle est : que les gens s'en évanouissent ! Il contemple d'en haut, satisfait, le beau corps de Blanche et se réjouit de voir le vieillard à ses côtés en saliver d'envie.

L'une des suivantes dans la file d'attente est Miriam – une femme bien chétive à côté de Blanche, ce que tous peuvent voir lorsqu'on lui ôte ses vêtements : un joli visage aux grands yeux, un peu triste, mais pratiquement pas de seins et encore moins de fesses. Abdal note avec amusement qu'elle a tout de même enflammé le robuste Zahi. Comme pris d'ivresse, il surenchérit sur l'unique concurrent, Ezer

Melchsedek, de l'autre côté de la piste – un homme que le Hafside ne quitte pas des yeux. Il lui laisserait volontiers cette jeune femme, d'autant plus qu'il a entendu l'un des surveillants qui parcouraient les rangées la désigner comme juive. Mais Zahi, devenu totalement fou, double le prix une fois de plus et Ezer Melchsedek, vaincu, baisse le pouce pour annoncer sa défaite. Zahi se précipite alors sur son frère aîné, le vieux *mufti*.

— Donnez-moi l'argent ! l'implore-t-il. Ou mon cœur va se consumer !

Le vieillard ne lui accorde pas le moindre regard, il se tourne aussitôt vers le Hafside :

— Quand on a votre âge, on s'achète une jeune femme quand on a trop d'argent. Quand on n'a plus rien ni dans la bourse, ni dans les bourses, mieux vaut prendre un serviteur que de faire des dettes.

Abdal a compris.

— Je paie le prix, fait sèchement le Hafside. Mais je veux les pièces d'argent dont le poids tire presque jusqu'au sol les poches de Zahi... (Zahi observa fixement celui qu'il croyait être son bienfaiteur et fouilla dans la poche de son pantalon.)... car je vais moi-même lui acheter le serviteur qui lui conviendra, à un prix que celui-ci pourra encore rembourser de son vivant.

Hadj Zahi en resta bouche bée, non pas de déception, mais à cause du coup dans le dos que lui asséna son frère aîné.

— Remercie, petit frère !

Entre-temps, on leur avait livré Miriam, et Blanche lui avait généreusement laissé une place sur son coussin de Damas. Zahi n'eut même pas envie de les regarder.

Les dernières femmes avaient été présentées sur l'estrade, et l'on reprit la vente des hommes, entre autres celle des Allemands. Le Hafside ne s'y intéressait pas particulièrement, il quitta son siège surélevé, à l'arrière, parce qu'il voulait enfin voir Blanche de près et pensait en profiter pour jeter un coup d'œil sur la juive avant d'en faire cadeau à son invité, Ezer Melchsedek. Il choisit dans sa caisse deux précieuses tenues pour les jeunes femmes et envoya son serviteur en avant pour les habiller correctement. Mais Blanche ne vit même pas son nouveau propriétaire, car Miriam, couchée à côté d'elle, venait de découvrir, sous ses traits d'Armin, Irmgard von Styrum parmi les Allemands. Irmgard paraissait un peu perdue dans cet amas de gamins et d'hommes hébétés. Miriam, en chuchotant, révéla à Blanche l'identité réelle du chevalier. La jeune femme comprit aussitôt, tira naïvement le Hafside par la manche et le tira vers elle.

— Achetez-la, je vous en prie! lui chuchota-t-elle, confiante, avant de se corriger en désignant la maigre jeune femme en habits d'homme : achetez celui-là, ici !

Cette demande réussit même à troubler le Hafside :

— Craignez-vous donc que je ne vous suffise pas ?

— Armin est une femme! expliqua-t-elle.

C'est ainsi que le Hafside acheta Irmgard von Styrum à bas prix et l'offrit aussitôt à Hadj Zahi, qui partit immédiatement avec elle, tout heureux. D'excitation, il oublia même de remercier Abdal et de prendre congé de son frère aîné. Abdal fut touché par le bon cœur de sa Blanche, et lorsqu'il eut constaté avec satisfaction qu'elle était une vraie blonde, il la fit habiller.

Miriam, elle aussi, résista à son regard de connaisseur. Il s'apprêtait à envoyer la jeune juive, avec tous ses compliments, à Ezer Melchsedek lorsqu'un mouvement agita la foule sur la rampe qui menait vers le sous-sol.

Toute l'attention se dirige alors vers la croix de bois grossièrement assemblée que traînent les portefaix du marché. Elle est suivie par un personnage mené au bout d'une longue corde : Étienne, courbé, totalement nu à l'exception d'un pagne noué autour des hanches, avance d'un pas lourd. Des stries sur sa poitrine et sur son dos montrent qu'on l'a fouetté jusqu'au sang. On le tire contre la croix, on lui attache les pieds au bois. Puis, à l'aide de marteaux de menuisier, on enfonce un gros clou dans chacun de ses poignets, et un seul à la racine de ses deux chevilles. Son cri est étouffé par un morceau de tissu qu'on lui presse sur la bouche et le nez. Puis on dresse la croix à l'aide de perches et de cordes, et l'on tasse la terre à sa base, dans le trou préparé à l'avance.

Le cri de joie de la foule diminue et se transforme en une rumeur tendue. Les badauds excités ne remarquent Miriam et Blanche qu'au moment où les deux femmes ont quitté leur coussin depuis longtemps et descendent, d'un pas mesuré, les dernières marches des rangées. Elles sont accueillies par des moqueries et des sifflets. Mais le grand chambellan lève la main, impérieux, et nul n'ose leur barrer le chemin. Elles poursuivent leur marche, imperturbables, jusqu'à ce qu'elles arrivent au pied de la croix, où elles s'agenouillent en silence. Étienne qui, fou de douleur, secouait jusqu'ici la tête de part et d'autre, se tranquillise. Les deux femmes prient à voix basse, tandis que le chambellan, impressionné ou agacé, annonce d'une voix forte :

— *Allahu akbar ! La illaha illahala !* Allah est grand ! Il n'y a pas de Dieu hormis Allah.

La tête d'Étienne s'incline sur le côté et tombe mollement sur son épaule. Alors s'installe ce silence que seul peut imposer le respect face à la mort.

Alékos, l'auteur de ce récit, brisa le silence qui s'était aussi abattu sur l'assistance, dans la bibliothèque :

— Je veux remercier Miriam pour avoir lu ce texte, en précisant qu'une fois présentée à Ezer Melchsedek...

Alékos avait perdu le fil de ses pensées. Miriam, qui avait posé le bras autour des épaules de la *sajidda*, se chargea de compléter sa phrase :

— ... ce fut un coup de foudre, dit fièrement la jeune femme, et notre amour n'a jusqu'à ce jour rien perdu de sa force !

Le Grec s'était repris. Il savait que tous tenaient à ce que l'on arrive à présent au terme de cette histoire.

— La prestation de Blanche avait imposé le respect au puissant Hafside, et lui avait assuré une position dominante dans le harem. Avant même de quitter Bejaia, elle put expliquer à son nouveau maître que le voleur mort sur la croix avait été l'unique et fidèle compagnon de sa jeunesse, et qu'elle le garderait éternellement comme tel dans sa mémoire.

Il s'inclina devant Blanche et devant Abdal, qui venait d'apparaître derrière sa *sajidda*. C'est Miriam qui reprit la parole :

— Preuve de la magnanimité de notre ami Abdal : lorsqu'il sut que Daniel, qu'on était justement en train de mettre en vente, était le frère d'Étienne, il se proposa aussitôt de le racheter !

— Mais cela n'eut pas lieu ! intervint Alékos. Ezer Melchsedek demanda au Hafside de lui prouver sa reconnaissance en s'en chargeant lui-même. Mais dans sa hâte, c'est moi qu'il racheta – il est vrai que je me trouvais dans la file à côté de Daniel. Et il fallut que le Hafside fasse preuve d'autorité pour qu'il ne connaisse pas le destin d'un galérien et puisse assumer les fonctions de *moussa'ad*.

— C'est-à-dire d'un esclave de la plume ! lança Daniel depuis son pupitre, d'un esclave qui s'écorche les doigts...

Sous les rires de toute l'assistance, qui dissipèrent l'immense pression de la salle, on entendit tonner la voix de basse du Hafside.

— Cela va prendre fin. (Il s'adressa à Rik et à l'émir :) Le résultat pourra...

Il s'interrompit : d'un hochement énergique de la tête, Kazar Al-Mansour venait de lui intimer l'ordre de ne pas en dire plus devant tous les autres.

Dès le lendemain, le navire-amiral du Hafside prit la mer. Chargés de bagages et de cadeaux luxueux, le jeune Karim et son *murabbi* Rik van de Bovenkamp montèrent à bord. Le père, inquiet, accompagna son fils jusqu'au quai du port et lui répéta à plusieurs reprises qu'il devait saluer son grand-oncle, et par quels mots il devait lui exprimer son allégeance. Timdal, qui avait mis à disposition ses services de valet, ne put réprimer un sourire, ce qui apaisa les craintes de Karim. Miriam avait elle aussi choisi d'emprunter ce bateau pour retourner chez elle. Le Hafside, capitaine conscient de ses responsabilités, fit le tour du bateau et vérifia lui-même que les gréements, les cordages et les voiles étaient impeccables.

C'est l'instant que choisit Timdal pour se présenter devant l'émir avec une courbette :

— Je sais, Monseigneur, fit-il d'une voix solennelle, ce qui vous manque encore pour la bonne conclusion de cette chronique, et ce que signifient ces événements pour votre vie. Je me suis permis de les consigner à votre intention.

Il remit à Kazar Al-Mansour un dossier de cuir.

Le Hafside, qui les avait rejoints, fronça les sourcils :

— Je croyais que vous ne saviez pas écrire ?

Le Maure sourit :

— Messire Abdal, il ne faut pas se compliquer inutilement l'existence !

Et d'un bond habile sur le pont, il se mit en sécurité. Les deux hommes se mirent à rire.

L'émir serra une dernière fois son fils dans les bras, puis – très longuement – Rik. Il ne dit rien : la seule pression de ses bras suffisait pour faire comprendre qu'il implorait Rik de prendre garde à Karim. Abdal le comprit bien.

— Accordez-vous donc si peu de poids à ma parole, Kazar Al-Mansour, fit le Hafside, que vous ne vous y fiez pas ?

L'émir relâcha le Hafside, honteux, et embrassa Abdal sur les deux joues. Puis il fit signe de larguer les amarres. Peu de temps après, le grand navire franchit l'étroite entrée du port de Mahdia. Dehors, devant le rocher, la flotte du Hafside attendait déjà. Elle escorterait le navire bien au-delà de la Grande Syrte, jusqu'à ce qu'il entre dans les eaux du sultan d'Égypte, dont le Hafside avait déjà hissé le pavillon. Kazar Al-Mansour se tenait en compagnie de tous ceux qui avaient pris place sur les mâchicoulis pour prendre congé, et suivit le navire des yeux jusqu'à ce qu'il ait disparu vers l'est, en direction de Linosa. Alors seulement, il observa le dossier en cuir du brave Maure et lut, songeur, le titre soigneusement calligraphié et enluminé.

Extrait du manuscrit de Mahdia
Un hiver en Ifriqiya
Récit du Maure

Depuis que les enfants étaient partis pour la France et pour l'Allemagne, le deuxième été était passé sur le pays. Au-dessus du rocher de Mahdia soufflaient les premières tempêtes de l'automne. Le ventre bombé de Mélusine indiquait qu'il ne faudrait plus que quelques semaines avant l'accouchement – et il n'y avait aucune trace du père de cet enfant qu'elle attendait dans l'angoisse. On disait qu'il séjournait à Tunis, mais pas en homme libre, en tout cas pas avec la liberté de revenir dans son émirat, à la corne d'Ifriqiya.

Timdal parvenait de plus en plus souvent à se glisser secrètement auprès de Mélusine. Il connaissait si bien son chemin, désormais, dans le palais du prince où se trouvait le harem qu'il n'avait aucun mal à contourner les gardiens. Au fur et à mesure de sa grossesse, Mélusine parlait de moins en moins de Paul au Maure – elle le croyait mort –, et moins encore de Rik, son blond chevalier disparu. Son seul désir allait à Kazar, cet homme venu de l'étranger, qui l'avait faite femme et dont le fils – car c'en serait un, elle en était persuadée – grandissait à présent dans son ventre. Elle avait demandé au Maure de se rendre à Tunis et de se débrouiller pour entrer en relation avec Kazar Al-Mansour: elle voulait enfin savoir comment se portait son époux. Mais il était plus facile d'entrer à Mahdia que d'en sortir sans autorisation. Bab Zawila, l'unique portail franchissable, était surveillé jour et nuit, et tenter de s'enfuir par le port n'avait aucun sens. Moslah, le gardien des lieux, avait des espions partout, et lui n'avait pas un seul allié. Timdal assumait tout. En haut dans le harem, il souffrait avec Mélusine. En bas, dans les cachots, il souffrait en même temps que Paul, qui y était toujours enfermé mais qu'il ne parvenait pas à y retrouver.

À Tunis, le siège du gouverneur d'Ifriqiya, Ahmed Nasrallah, le *kabir at-tawashi*, actuel détenteur du pouvoir gouvernemental, estima que le temps était venu de s'enquérir des progrès de l'esclave : quelques mois s'étaient écoulés depuis qu'il avait placé l'Allemand sous la tutelle du *mufti* Ibrahim et de son frère Zahi. Il voulait se persuader lui-même des connaissances linguistiques qu'avait acquises Rik van de Bovenkamp. S'il était capable de discuter en arabe avec le chevalier blond, l'eunuque proposait de donner à l'esclave une position élevée à la cour, mais aussi et surtout dans sa propre existence. Car le chevalier lui avait bien plu ; Ahmed Nasrallah éprouvait une grande envie de le serrer dans ses bras. Le puissant *kabir at-tawashi* se rendit donc à Gammarat, près des ruines de l'ancienne Carthage, où le *mufti* avait sa résidence de campagne et passait généralement l'été.

Les frères ne traitaient pas du tout Rik comme un esclave : ils le formaient comme un élève du Coran, mais ne considéraient pas que la question de son passage à l'islam soit une priorité. À la grande joie d'Ahmed Nasrallah, Rik le salua dans un arabe parfait. Amoureux comme une donzelle, l'eunuque guida le guerrier blond dans la paisible roseraie pour s'entretenir avec lui – et notamment pour écouter son histoire. Comme un père bien attentionné, il posa sa patte charnue autour des puissantes épaules de l'Allemand, et l'attira sous une tonnelle. Là, à l'ombre des palmiers et dans le parfum des buissons de jasmin, Rik fit suffisamment confiance au puissant colosse pour lui raconter volontairement sa première rencontre avec Mélusine : l'instant où il l'avait sauvée des flammes de son château, pour la perdre ensuite dans les troubles de la guerre. Il l'avait cherchée partout dans le monde, car il était tombé amoureux d'elle, et il pensait qu'elle aussi le gardait dans son cœur. C'est pour elle qu'il s'était rallié à la croisade, parce qu'il avait entendu dire qu'elle avait embarqué dans un navire afin d'atteindre la Sainte Jérusalem. Il avait la ferme intention de parcourir toutes les mers du monde pour revoir enfin Mélusine.

Le grand eunuque comprit d'un seul coup : il s'agissait forcément de cette jeune femme que Kazar Al-Mansour avait achetée et dont il était tombé amoureux au point de mettre sa propre liberté dans la balance afin de lui permettre de se réfugier à Mahdia. C'est lui, vraisemblablement, qui avait engrossé la princesse, et s'il se sacrifiait, c'était pour l'enfant à naître. Ahmed Nasrallah ne l'avait pas gardée en mémoire comme une beauté renversante, plutôt comme une femme aux mœurs désagréablement libres et dotée d'une forte conscience de soi. Mais il se souvenait encore de son prénom, « Mélusine ».

L'état de passion absurde où se trouvait l'Allemand l'atteignit comme un seau d'eau froide en plein visage. Une haine subite s'empara de lui, envers cette femme, envers l'émir, mais aussi, désormais, envers ce crétin blond. L'eunuque n'en laissa rien paraître ; il accompagna gentiment Rik chez lui et expliqua aux *ibrahim* que les progrès de leur élève étaient certes louables, mais encore loin de suffire aux missions qu'il comptait lui confier.

Le *kabir at-tawashi* rentra à Tunis. Les velléités de vengeance immédiate se mirent en ordre dans son esprit pour former un plan bien réfléchi. Après tout, ici, il tenait l'émir en son pouvoir, et toute personne qui séjournait sur le rocher ou y était envoyée pouvait devenir le jouet de son esprit inventif...

Au harem de Mahdia, pendant ce temps-là, Mélusine et le Maure Timdal se demandaient fébrilement quel motif pourrait bien inciter le majordome à partir à la recherche de Kazar Al-Mansour à Tunis. Ils étaient tous deux persuadés que l'émir n'y avait pas séjourné de son propre chef, mais y avait certainement été contraint par cet Ahmed Nasrallah. Il n'était cependant pas conseillé de faire connaître leur plan au majordome, qui faisait d'une certaine manière cause commune avec l'eunuque.

Au bout du compte, ils avaient imaginé une histoire à faire dresser les cheveux sur la tête : l'émir était censé être revenu à Mahdia et s'être faufilé, la nuit et masqué, par une porte secrète, dans la chambre de Mélusine, avant de révéler son identité. Pour justifier sa longue absence, mais aussi la longue période qu'il avait passée sans lui donner de nouvelle, Kazar avait prétendu que des ennemis en voulaient à sa vie et à ses biens. Mais il avait tout de même, affirmat-il, voulu vérifier que son épouse bien-aimée se portait bien et que sa grossesse se déroulait normalement. Il avait également tenu à s'assurer de la bonne gestion du majordome, dont l'émir attendait qu'il préserve l'honneur de sa maison. Comme Timdal, fort de son expérience, considérait que Moslah, ce corrompu, puisait en permanence dans les caisses de l'émir, les deux inventeurs de cette fable espéraient que cela consisterait une menace suffisante pour que le majordome veuille savoir de quoi il retournait. Timdal s'apprêtait à révéler toute cette histoire à Moslah, sous le sceau du secret.

Mais Moslah aurait mis sa tête à couper que l'émir se trouvait en résidence surveillée à Tunis, et que le gros eunuque ne lui donnerait certainement pas l'occasion de se rendre à Mahdia pour entrer et sortir du palais en pleine nuit, par des portes secrètes. Il éclata de rire au nez du Maure et le renvoya auprès de la chrétienne, dans le harem. Il le pria de dire à la jeune femme qu'elle ne se fasse pas de souci, que l'émir l'aimait et rentrerait à temps.

À Tunis, le *kabir at-tawashi* Ahmed Nasrallah n'était pas resté inactif. Il était bien conscient du fait qu'il ne pourrait pas toucher à un cheveu de cet émir qu'il devait supporter comme « invité » en grinçant des dents. Trop de gens savaient que Kazar Al-Mansour était sous sa garde, et il se méfiait surtout du Hafside, qu'il soupçonnait d'avoir prêté la main à l'enlèvement de sa femme, cette Mélusine. Ce qui signifiait qu'il protégeait aussi l'émir, et l'eunuque, *ya'allam Alah !* ne voulait surtout pas d'ennuis avec le Hafside ! Mais s'il voulait tout de même donner un coup mortel à celui qu'il haïssait, il devait s'abattre sur son nid sans protection et lui casser ses œufs ! S'il ne se trompait pas, le harem était vide lorsque la chrétienne enceinte y était entrée. Kazar Al-Mansour n'avait donc pas engendré d'autres descendants avant cette date. Le fils qu'elle lui offrirait serait donc son premier et unique héritier – s'il voyait le jour !

Il acheta, avec bien des précautions, un esclave chrétien, un bonhomme chétif, mais qui avait au moins appris à écrire. C'est à lui qu'il dicta une fausse lettre adressée par le chevalier allemand enamouré à la dame de son cœur. Il fit en sorte que Mélusine y apparaisse comme l'élément moteur, comme une femme infidèle et perfide : « Tes appels au secours se sont enfoncés dans ma poitrine comme autant de flèches, ma chérie... j'accours donc pour te sortir des griffes de ce monstre.» Mais cela ne suffisait pas encore à Ahmed Nasrallah : s'il voulait se débarrasser de Rik, il devait faire en sorte de détruire l'image que l'émir se faisait de son épouse. «Je sais comme toi que l'enfant que tu portes en ton sein est né de ma semence et de mon amour.» Cela devrait suffire à provoquer son arrêt de mort.

— Et ajoutez en dessous, demanda-t-il au novice, qui écrivait avec application : «À toi éternellement, le chevalier de ton cœur, Rik van de Bovenkamp.»

Il posa tendrement sa grosse patte sur l'épaule du jeune moine et suivit, satisfait, la course de la plume.

— C'est très bien ainsi, fit-il.

Ses mains se posèrent comme un étau autour du cou du novice. Le scribe n'eut même pas le temps de sentir la poussée et le léger craquement des vertèbres.

L'eunuque cousit personnellement le morceau de papier dans la doublure de son précieux manteau de bro-cart, puis fit entrer sa galère dans le vieux port de Carthage et se rendit en personne à Gammart, dans la maison de cam-pagne des frères Ibrahim. Il les trouva sur le départ : Zahi, le cadet, désirait se rendre au grand marché aux esclaves de Bejaia afin «d'acquérir quelque chose de tendre et de chaud pour les nuits froides du grand âge», comme l'expli-qua, moqueur, son frère aîné, le sage *mufti*, qui ajouta :

— Et pour que notre écolier érudit connaisse aussi les avantages de ce genre de marchés, nous emmènerons Rik avec nous.

Ahmed Nasrallah réagit rapidement :

— Cette fois, Rik devra renoncer à l'expérience, car j'ai pour lui une mission extrêmement honorable et confiden-tielle !

Il ramena l'Allemand étonné sur la petite place ombreuse et silencieuse et lui annonça, à part :

— J'ai appris, lui révéla-t-il avec une mine de complo-teur et de familier, où l'on tient votre Mélusine captive.

Puis il révéla son projet. Le navire qui le conduirait à Mahdia était déjà prêt. Il lui avait apporté des vêtements pour qu'il puisse au moins prendre l'air respectable. Et il lui confia quelques lignes adressées au *baouab* Moslah, «un

ami auquel vous pouvez faire une confiance absolue ! » Et
avant que Rik n'ait eu le temps de réfléchir, il se retrouva
à bord de la galère qui mit le cap sur Mahdia.

Sur le rocher qui émergeait au large des côtes, les tempêtes d'hiver avaient commencé et glaçaient les habitants
de la corne d'Ifriqiya. Entre-temps, Timdal avait suffisamment consolidé sa position au palais pour avoir libre accès
à l'unique occupante du harem. Moslah, lui, cherchait à
obtenir les conseils du Maure : il ignorait toujours totalement s'il ferait ou non plaisir à l'émir en exécutant Paul, le
prisonnier qu'il gardait et torturait depuis plusieurs
semaines.

À Mahdia, tout changea subitement lorsque la galère
du grand eunuque arriva de Tunis et jeta plus ou moins hors
de son bord Rik van de Bovenkamp, malgré son habit prin-
cier, sous les murs de la mosquée, là où l'on tirait les barques
de pêcheurs sur la plage. Le Maure et Rik se reconnurent
aussitôt, mais firent d'abord semblant de ne s'être jamais
vus. Le majordome ne savait pas non plus comment il devait
se comporter vis-à-vis de cet hôte. Il resta donc aimable jusqu'à ce que Rik lui remette, plein d'espoir, les lignes rédigées par Ahmed Nasrallah. Le *baouab* les lut, son sourire
se crispa, il fit signe aux gardiens qui s'abattirent sur Rik
et lui arrachèrent son manteau. Moslah découpa de sa main
la doublure du coûteux *ma'ataf dibaj* et en sortit la lettre
prétendument écrite par l'Allemand. Timdal dut la lire à voix
haute. Rik commença par rougir, puis blêmit et se mit finalement en colère.

— C'est un faux répugnant, abominable ! cria-t-il.

Mais rien n'y fit : on l'emmena.

— C'est aussi mon opinion, osa dire Timdal à Moslah.

— Je suppose que ce jeune homme, que vous connaissez certainement aussi bien, Timdal, que celui que je garde
dans mes geôles, a été guidé ici par un amour aveugle pour
la femme de l'émir. Son interrogatoire nous apportera une
réponse à cette question, expliqua le majordome en soupirant. Mais ce que vous appelez un faux est en vérité une
calomnie !

— Un piège ? demanda le Maure tandis qu'ils rentraient
au palais.

— Un piège ?! le singea Moslah. Un piège à loup paraît bien peu de choses à côté de celui-là ! Un nid de mygales surplombant une fosse aux lions, le tout sous une épée de Damas accrochée à un cordon beaucoup trop mince…

— Et à qui est destiné cet arsenal terrifiant ?

— Celui qui a posé le piège veut me faire croire que la femme dans le harem est une putain, une honte pour l'émir, et mérite donc mille fois la mort !

— C'est un mensonge éhonté ! répliqua le Maure, furieux. Mélusine ne s'est donnée à aucun homme avant que le noble Kazar Al-Mansour ne la prenne pour épouse ! Malgré son passé animé et inhabituel, malgré toutes ses aventures et tous ses malheurs, personne ne l'a touchée ! J'en mettrais ma main au feu.

— Ce n'est pas de cela qu'il s'agit, *bismil Allah* ! le contredit Moslah d'une voix tremblante. On attend de moi que je convoque un tribunal qui plongera l'émir dans les affres du désespoir et me coûtera la tête !

— Ignorez la lettre, brûlez cette ignominie, proposa Timdal.

Mais le *baouab* secoua la tête :

— Il reste toujours des preuves vivantes de ces accusations non démontrées. Si je les ignore, je me fais complice de cette atteinte indubitable à l'honneur de l'émir. On me pendra au Bab Zawila jusqu'à ce que les corneilles me fassent sortir les yeux de leurs orbites.

— Jetez Rik van de Bovenkamp aux cachots avec Paul de Morency. Qu'ils y attendent l'instant où l'émir décidera de leur destin. Ou bien chassez-les tous les deux ! Laissez-les s'enfuir discrètement !

— Dans ce cas, je peux aussi me précipiter tout de suite depuis les murs ! répondit le majordome. Si l'idée vous venait d'informer la femme du harem de cette histoire pour qu'elle fasse pression sur moi, vous seriez le premier à pouvoir tester la hauteur du Bab Zawila en chute libre.

Timdal hocha énergiquement la tête pour montrer à quel point cette idée l'impressionnait.

— Ce serait la même chose si vous tentiez une fois de plus d'entrer en contact avec les prisonniers.

Timdal eut un moment d'abattement. Le deuxième avertissement ne lui laissait pas beaucoup de possibilités d'action.

Les cachots se trouvaient dans les casemates du palais du Prince, un puissant ouvrage fortifié qui dépassait en coin entre le mur extérieur de la mosquée et la suite des fortifications, lesquelles entouraient tout le rocher. Rik et Paul étaient les deux seuls prisonniers dans les caves de Qasr al-Amir, dont les meurtrières donnaient sur le port de pêche. Ils étaient tous deux enchaînés par un pied à un pilier, et les chaînes avaient été mesurées de telle sorte que les deux captifs ne puissent pas se toucher. Ils s'étaient rapidement mis à discuter, mais il avait fallu qu'ils explorent longuement leur passé pour qu'ils en viennent à parler de la ville de Bordàs et de la forêt de Farlot. Même s'ils étaient à l'époque dans des camps opposés et s'il n'y avait donc aucune raison de chercher des points communs, ils finirent tout de même par poser la question : « Avez-vous connu Mélusine de Cailhac ? »

Un peu plus tard, Moslah se faufila dans le cachot obscur. Il se tint à bonne distance de ses deux prisonniers, qui approchèrent en hésitant.

— La jeune femme qui vous vaut de croupir ici va accoucher prochainement, leur révéla-t-il. Mère du fils de Kazar Al-Mansour, cette femme acquerra le droit de vie ou de mort sur vous, qui avez tout gâché par la honte que vous avez déposée sur elle. Il est toujours en mon pouvoir de la livrer à une mort infamante, mais cela contredit mon sens de la justice : elle n'est pour rien dans le fait que vous ayez levé sur l'épouse de l'émir vos yeux impudiques, vous avez commis ce crime tout seuls !

Moslah bouillait de rage, mais sa voix restait froide comme la peau d'un lézard :

— L'un de vous deux sera remis au bourreau, il ne faut pas que deux personnes soient punies pour le même délit. Je vous laisse déterminer qui le paiera de sa vie. Je vous propose une solution : celui qui, de vous deux, aura le plus aimé cette femme, aura la vie sauve. Ou bien le contraire : c'est lui qui en paiera le prix !

Il avait reculé en prononçant ces dernières phrases, et lança un signe aux gardiens pour qu'ils entrent. Il fit rallonger les chaînes de telle sorte que Rik et Paul puissent se battre sans difficulté. Mais ils avancèrent l'un vers l'autre et se donnèrent l'accolade sans un mot. Moslah éprouva une certaine déception en quittant le cachot. Le temps jouerait certainement en sa faveur! La lame du bourreau, il en était sûr, ne créait pas d'amitiés durables. Il se trompait.

C'est en prison que Rik apprit pour la première fois ce que Paul et « sa » Mélusine avaient subi lors de leurs aventures communes entre Saint-Denis et Marseille. C'est là qu'il entendit parler de la tragédie des enfants et de la conclusion catastrophique sur l'île de Linosa. Face à cet incendie, l'histoire de son amour pour Mélusine fit à Rik l'effet de la petite flamme d'une bougie qu'il avait réussi à préserver depuis leur première et unique rencontre, celle du donjon en feu. Il concéda à son compagnon de geôle qu'il éprouvait un « plus grand » amour que le sien, et donc un droit plus important à la survie. Mais Paul savait combien Mélusine avait aimé, et aimait sans doute encore son chevalier blond. C'est donc à Rik que revenait la récompense, et à lui la mort.

Pendant ce temps-là, le majordome, désemparé, faisait venir Timdal auprès de lui: il voulait être sûr de prendre la bonne décision, et le Maure avait l'oreille de cette femme qui pouvait, du jour au lendemain, devenir la mère du prince, et donc sa future souveraine. Timdal, loin de lui répondre, lui posa à son tour une question:

— Pourquoi l'eunuque empêche-t-il le retour de l'émir?

— Pour le piétiner comme du cuir trop dur tandis que je remue la marmite ici, répondit l'autre. Car le *kabir attawashi* veut devenir émir de Mahdia. Une sorte de retraite confortable.

Il vit le sourire incrédule du Maure. Puis, se disant qu'une fois lancé, il n'avait plus qu'à aller jusqu'au bout, il épancha son cœur, comme il aurait déversé une cuve puante d'ordures, de trahison et de désarroi.

— Mieux vaut devenir ici le maître solitaire de la corne d'Ifriqiya qu'être à Tunis le deuxième homme de l'État! C'est la raison pour laquelle Ahmed Nasrallah rencontre en ce moment même le *ouazir al khazna* à Bejaia. Tant qu'il est en voyage, précisa Moslah en regardant le Maure avec mépris, l'émir est hors d'état d'agir, au moins autant que vos amis dans les cachots, sous le *qasr al-amir*.

Le majordome n'indiqua pas à Timdal qu'il avait fait demander à ses deux prisonniers de communiquer leur décision. Mais il lui annonça qu'il avait envoyé ses hommes au village pour conduire la meilleure sage-femme dans la forteresse, afin qu'elle et ses auxiliaires préparent tout, au harem, en vue de la naissance imminente. Il demanda aussi à ses gardes de chercher une jeune femme qui aurait accouché récemment et pourrait faire office de nourrice. C'est ainsi que l'aimable Ma'Moa, une jeune femme noire originaire du Soudan, fit son entrée dans le palais. Elle avait des seins rebondis qui offraient plus de lait qu'il n'en fallait à sa toute jeune fille, Aicha.

Timdal, que la nonchalance du majordome inquiétait depuis longtemps, apprit avec joie la nouvelle de cette activité soudaine. Moslah s'adressa de nouveau à son unique auditeur.

— Si je ne fais rien aujourd'hui à propos des prisonniers, lui confia le Maure, je serai pris entre l'émir et l'eunuque, et ce sera moi la victime.

— Vous ne faites peut-être que vous l'imaginer, objecta le Maure. En réalité, excepté les premiers intéressés, ceux qui se trouvent actuellement en dessous de nous, sur la terre, tout le monde se moque bien de savoir ce que vous faites à Mahdia.

Moslah rit amèrement.

— Vous oubliez Tunis et ses prisonniers. (Il tira Timdal vers lui.) Le message secret que Rik a rapporté sans s'en douter était parfaitement clair. Si je me refuse... (il négligea l'essentiel, l'objet de la mission)... on me coupera la tête à la demande de l'émir !

— Pourquoi l'émir, pourquoi à vous ?

Le Maure ne comprenait plus le monde de Mahdia.

— Ce sera le prix de la libération de l'émir.

— Dans ce cas envoyez-moi annoncer à Tunis que vous avez obéi à cet ordre...

Le chuchotement de conjuré de Moslah se transforma en croassement et un accès de toux menaça de l'étouffer.

— Si vous n'avez pas une tête coupée dans la corbeille, il est inutile d'entreprendre ce voyage !

Un ou deux éclats de rire stridents mirent un terme à la crise. Moslah dodelinait de la tête. Timdal réfléchit aussi vite que possible. Le *baouab* se trouvait manifestement en pleine démence, entre le délire de persécution et la suractivité d'un nid de frelons affolés. Même s'il ne fallait pas prendre chacun de ses mots au pied de la lettre, ses actes, en revanche, pouvaient être dangereux. Timdal envisagea de l'endormir ou de l'empoisonner. Mais il n'eut pas le temps de mettre son projet à exécution : sous le sourire crispé du majordome, deux géants entrèrent dans la pièce et emmenèrent Timdal dans une salle du donjon qui servait en temps normal de salle de garde, équipée d'un sobre lit de camp. On l'y enferma pour le reste de la nuit.

Le matin laissait filtrer une lueur grise à travers les hautes meurtrières du cachot lorsqu'on réveilla les deux prisonniers. On leur passa des menottes accrochées à une longue chaîne, mais on les débarrassa des fers qu'ils portaient aux pieds. Puis les gardiens les firent sortir par une cave voûtée à piliers ; ils traversèrent avec eux les sombres casemates et arrivèrent à une rampe. Au-dessus de la cime du mur, Rik et Paul revirent pour la première fois le ciel bleu laiteux du nouveau jour. Et ils commencèrent lentement à monter, sans qu'il soit besoin de les tirer ou de les pousser.

Le Maure, lui aussi, avait été brutalement tiré du mauvais sommeil où il avait sombré malgré tous ses efforts pour rester éveillé. Les deux gardiens prirent Timdal entre eux et descendirent avec lui l'escalier en colimaçon. Par les petites fenêtres, le Maure encore ensommeillé put tout de même jeter un coup d'œil sur la cour intérieure du palais du prince. Des femmes énervées portaient au harem des récipients d'eau fumante et des draps. Sans doute les douleurs avaient-elles commencé. Timdal aurait aimé se tenir à présent auprès de sa maîtresse, l'assister en cette heure difficile, ne fût-ce qu'en lui tenant la main !

Mais ses gardiens ne le laissèrent pas s'attarder et le poussèrent, par un portillon, dans le jardin du harem, où il n'était encore jamais entré. Les fruits brillaient dans le feuillage, de hauts magnolias ombrageaient le sol et le Maure découvrit même une volière pleine d'oiseaux gazouillants tandis que ses gardiens passaient devant des fontaines jaillissantes et de petits ruisseaux qui semblaient murmurer. Ils s'approchèrent ainsi du mur extérieur de la Grande Mosquée. Là où l'aqueduc qui approvisionnait en eau les deux palais et le jardin débouchait dans la tour aux citernes, une porte cachée s'ouvrit à eux et ils entrèrent dans la vaste cour intérieure de la *masjid al-mahdi*. Dans la mosquée, trois hommes âgés faisaient leur prière matinale, le *salat-al-fajr*. D'un geste, les gardiens de Timdal lui intimèrent l'ordre de faire de même. Puis les hommes à barbe blanche montèrent d'un pas digne l'escalier menant aux créneaux, sur le chemin de ronde qui reliait la mosquée et le mur d'enceinte, puis se prolongeait jusqu'à la cime du Bab Zawila. Timdal, en revanche, fut conduit à l'extérieur, en direction du long couloir de sortie qui, avec ses sept herses, constituait la seule voie par laquelle on pouvait entrer dans Mahdia ou quitter la forteresse.

Malgré l'heure matinale – le soleil ne s'était pas encore levé –, les gens attendaient en silence le long de la route donnant sur le Bab Zawila. Mais leur regard ne se portait pas sur le Maure : Timdal avait reçu un accompagnateur inquiétant. Derrière lui, deux autres hommes portaient une corbeille grossièrement tressée, ventrue, le cou mince comme celui d'une amphore. Le Maure sentit ses jambes se dérober sous lui : la corbeille pouvait certainement contenir plus d'une tête. Allait-il lui aussi perdre la sienne ? La longue marche à travers le couloir voûté lui parut interminable, et la lumière claire au bout du chemin ne lui laissait guère d'espoir. Les gigantesques gardiens le tinrent plus fermement par les aisselles lorsque le Maure anxieux se retourna pour voir la corbeille qui le suivait.

— Vous allez à présent vous installer près de ce « récipient du sens suprême », lui expliqua l'un des gardiens, et lever le regard vers la couronne du Bab Zawila.

Ils portèrent le pauvre Maure tremblotant sur le parvis, devant le portail. On déposa à côté de lui la sombre corbeille, couvercle ouvert, comme par précaution.

— Vous prendrez par les cheveux la tête qui tombera à vos pieds, et vous la jetterez dans le panier!

— On referme le couvercle, et c'est terminé! ajouta l'autre en souriant. Vous n'avez à vous occuper de rien d'autre.

Timdal voulut s'insurger, ou au moins poser des questions, mais son regard tomba sur la cime du mur, au-dessus de l'arc. Il crut avoir vu un bras luisant, ou au moins la lame d'un gigantesque cimeterre; car à ce moment précis, les premiers rayons du soleil déchirèrent le voile de brume rougeâtre au-dessus de l'horizon, et la mer sembla prendre feu.

Rik et Paul, eux aussi, regardaient le disque incandescent qui s'élevait à l'orient et déposait un tapis de flammes sur les vagues, jusqu'à leurs pieds. En dessous du mur sur lequel ils marchaient, le ressac battait contre la roche.

— Si vous voulez gaspiller votre jeune vie, fit Rik pour rompre le silence, alors j'insiste pour être le premier à m'agenouiller devant le bourreau...

Paul, dont la longue détention et les tortures avaient entamé la résistance, eut un sourire fatigué. Il était blême et avançait difficilement.

— Vous voulez me berner, mon cher Rik, fit-il en titubant. Car il n'y aura pas de deuxième plaisanterie! Ce sont les sages qui jugeront, dit-il avec force, et c'est à moi qu'ils remettront la palme!

— Ne sous-estimez pas la force d'un grand amour! s'exclama Rik en pressant le pas. On ne peut pas me refuser cette victoire!

Au pied du mur, l'eau était claire comme du cristal. Paul s'efforçait de rester au côté de son rival. Mais ses genoux se dérobaient, il tomba par terre.

— Un seul d'entre nous peut mourir! fit-il d'une voix oppressée. Et chacun de nous ne mourra qu'une seule fois!

Paul rassembla toutes ses forces et se remit d'un bond sur ses jambes, se précipita vers l'avant, vers les gardiens

effrayés. Mais peu avant de les rejoindre, il décrivit un cro-
chet, sauta sur le haut du mur et se précipita tête la première dans le vide. Son gardien fut incapable de retenir la
chaîne à laquelle Paul était accroché et la laissa filer plutôt que d'être emporté dans le vide. Le gardien qui dirigeait
Rik crut que les deux prisonniers s'étaient mis d'accord pour
se suicider ensemble et tenta d'éloigner Rik du rebord, mais
malgré ses poignets ensanglantés, le jeune Allemand parvint à tirer le garde vers lui. Ils regardèrent tous deux dans
le vide. Paul avait dû mourir sur le coup : son corps dérivait sur le dos dans l'eau claire, la chaîne le retenait comme
une ancre, son expression était celle d'un gamin indocile
qui a enfin imposé sa volonté.

Les gardiens traînèrent Rik jusqu'à la tour de garde suivante et l'y enchaînèrent. Ils se demandaient encore ce qu'ils
pouvaient faire désormais lorsque leurs regards tombèrent
sur le grand navire qui s'efforçait de franchir l'entrée du port,
entre les deux grandes tours. Ils remarquèrent le désordre
qui se propageait, puis on entendit, au loin, des appels et
des cris : Kazar Al-Mansour était revenu !

Ils laissèrent Rik là où il était, et coururent sur le mur
dans deux directions différentes, certains vers le Bab Zawila,
pour annoncer « l'accident » à Moslah, la majorité vers le
port, afin d'y saluer leur émir. Le majordome, en haut de
la tour, garda son sang-froid – il l'avait déjà prouvé au
moment où des appels au secours de plus en plus pressants
lui étaient parvenus du harem : la jeune mère, disait-on, baignait dans son sang et Hakim, que l'on avait fait venir en
toute hâte, était incapable d'arrêter l'hémorragie. Lorsque
arriva la nouvelle de la chute mortelle de Paul et celle de
l'arrivée de l'émir, Moslah commença par donner d'un geste
à ses fidèles l'ordre de fourrer le Maure dans la corbeille,
puis de l'emmener. Il paya ensuite en toute hâte le bourreau
qui s'était déplacé en pure perte et les trois vieux hommes
dont le majordome n'avait plus besoin du jugement. Sur le
chemin du palais, il fit détacher Rik et l'emmena avec lui.

L'émir n'avait pas perdu une seconde : il avait plongé
depuis le bord, avait atteint le quai à la nage et s'était immédiatement précipité dans le harem. Le navire qui l'avait
amené de Tunis se trouvait encore devant l'entrée et s'ap-

prêtait à prendre le chemin du retour lorsqu'on apporta à bord une grande corbeille qu'il fallait remettre au *kabir at-tawashi* Ahmed Nasrallah. Puis il remit les voiles.

Pendant cette lecture, Kazar Al-Mansour était monté sur les créneaux du mur, afin d'y suivre des yeux, aussi longtemps que possible, le départ du navire qui emmenait son fils unique. Mais ensuite, il avait voulu jeter un rapide coup d'œil sur le récit du Maure, et lorsqu'il l'eut parcouru jusqu'à son terme, le voilier avait disparu depuis très longtemps derrière l'horizon. Un sentiment paralysant de vide et d'absurdité s'empara de lui. Il avait accompli la bonne démarche, après tout il s'agissait aussi d'assurer l'avenir de Karim et l'héritage qui lui revenait. Si lui, Kazar Al-Mansour, tombait en disgrâce dans sa fonction de gouverneur de Mahdia, les perspectives qu'avait son fils de lui succéder retomberaient à zéro. L'émir faisait les cent pas sur le chemin de ronde. Il était tout de même raisonnable qu'Abdal, au Caire, découvre les manigances de Moslah et empêche Saifallah de nuire. Alors toutes les calomnies qu'il avait certainement déjà lancées sur lui ne seraient plus que de l'air pestilentiel, comme un pet à la face du grand vizir.

Et puis il n'y avait pas de meilleure preuve de son innocence que l'envoi de Karim. Outre le Hafside, Rik s'était porté garant de l'enfant. Il voulait et devait être sûr qu'il veillerait sur lui comme sur la prunelle de ses yeux. L'Allemagne jouissait de sa totale confiance depuis le premier instant, lorsqu'ils s'étaient retrouvés face à face au chevet de Mélusine mourante, c'est-à-dire depuis le premier cri du nouveau-né et le dernier sourire de sa femme bien-aimée. C'est Rik qui avait fermé les yeux étoilés de la jeune femme tandis que lui, Kazar, déposait la petite créature contre la poitrine de la nourrice noire. Il avait envoyé les médecins au diable et hurlé à la face de Moslah. Mais sa folle douleur l'avait seulement submergé au moment où Mélusine avait été lavée par les femmes avant d'être enveloppée dans un linceul, rigide et livide. Il avait vu le drap imbibé de sang.

Pourquoi, à l'époque, n'avait-il pas étranglé Moslah de ses mains ? Quels pouvoirs s'était arrogés le majordome ? Kazar Al-Mansour se faisait d'amers reproches de ne pas avoir demandé des comptes à ce furet, qui avait fait subir au petit Timdal le sort dont il venait tout juste d'entendre parler. Rik avait raison, l'Allemand l'avait suffisamment mis en garde. Moslah avait toujours été son ennemi ; mais sa pire faute avait été la mort de Mélusine. Si ce crapaud boursouflé et sans cœur avait prévenu les médecins à temps, au lieu de s'occuper de l'exécution, en aurait peut-être pu…

L'émir, fatigué, dirigea ses pas vers l'entrée supérieure de la mosquée. Le gardien, devant l'entrée étroite de la porte, était déjà en train de l'ouvrir lorsque Kazar se rappela qu'il avait encore en mains la serviette de cuir du Maure, et il fit demi-tour sans beaucoup d'entrain. Il n'était pas digne de prier Allah, il avait failli à sa mission. L'émir remonta dans son bureau, au-dessus de la salle des livres. Il s'apprêtait à ranger la serviette de cuir dans le bahut lorsque son regard tomba sur une lettre posée sur sa table, entre les parchemins. Elle lui était adressée, et l'écriture malhabile était celle de Rik.

La lettre des adieux
Texte de Rik van de Bovenkamp

Bismillah ar-ra hman ar-rahim
Cher ami, ma décision est prise, je ne reviendrai pas à Mahdia après ce voyage que vous m'avez envoyé faire. La chronique que vous-même et nous tous devions rédiger a trouvé sa conclusion en atteignant son objectif en Orient : non point la Sainte Jérusalem à laquelle nous espérions parvenir en Terra Sancta, mais le marché aux esclaves profane de Bejaia, sur la côte d'Ifriqiya. Pour la plupart, c'était la porte de l'enfer, celle qu'ils devaient franchir pour disparaître ensuite dans la foule des disparus anonymes. Nous avons seulement entendu parler des rares personnes qui eurent, comme moi, le bonheur de trouver des seigneurs compréhensifs qui leur accordèrent une nouvelle vie dans la dignité. Sous cet angle, ma démarche pourra vous paraître ingrate. Mais notre relation privilégiée s'est depuis longtemps transformée en une ami-

tié qui n'est pas soumise aux catégories des cadeaux offerts et reçus.

Je sais aussi, cependant, ce qui s'est toujours trouvé entre nous, sans que nous en parlions : Mélusine. Je veux vous faire un aveu qu'il ne m'est pas facile de faire. Même la somme de toutes les pensées amoureuses, nostalgiques, vaniteuses et surtout légères que j'ai pu consacrer à Mélusine pendant le long laps de temps qui a séparé notre première rencontre fugitive et ce dernier jour de malheur n'égale en rien l'amour bref mais si passionné que vous avez vécu. Je suis incapable d'aimer véritablement, et je dois vivre avec cela ! C'est aussi la raison pour laquelle j'ai été un bon gardien pour votre fils et le serai toujours. Je tente de donner à Karim ce qui manquait à Mélusine et ce que je n'ai pu lui donner.

Je remercie Allah qu'il l'ait laissée connaître votre amour, car Mélusine l'a mérité comme le paradis où le Tout-Puissant l'a admise. Alhamdulillah ! *Je peux vous faire, pour mon départ, un cadeau qui vous libérera de tous les doutes : dès l'instant où vous avez rencontré Mélusine, elle n'a plus aimé que vous, elle n'a plus jamais rien vécu d'aussi fort, ni avant, ni surtout après. Et c'est la raison pour laquelle vous devez être certain de cet amour, jusqu'à la fin de vos jours ! J'irai terminer les miens à l'écart de ce monde dès que j'aurai rempli ma mission et que je serai certain que Karim n'aura plus besoin de moi. C'est à vous que je reste fidèle. Votre fils est l'espoir sur lequel vous devez bâtir. Mélusine continue à vivre en lui. Cela doit vous donner le courage et la force de supporter la séparation.*

Je remercie Allah pour la confiance que vous avez placée en moi et je vous serre dans mes bras, en signe d'amitié éternelle. Allah ma'ak !

Rik van de Bovenkamp

8

La porte du paradis

Le puissant voilier du Hafside labourait les vagues de la Grande Syrte; à Benghazi, il fit encore une fois le plein d'eau fraîche avant de mettre le cap sur le delta du Nil, le long de la côte libyenne. L'ambiance, à bord, était gaie et détendue; en tout cas, Abdal, le chef incontesté de cette expédition, rayonnait d'une telle confiance que la tension engendrée par l'incertitude complète qui pesait sur son issue ne prit jamais le dessus. C'est Rik qui était le plus affligé par le doute, mais lui aussi se força à ne pas le montrer, ne fût-ce que pour ne pas peser sur le moral de Karim: le petit garçon appréciait ce voyage dans la plus totale insouciance. Miriam se montra extrêmement secourable, à sa manière gentille, presque maternelle, tout comme le Maure insolent, qui ne se laissait intimider par rien ni par personne. Ils s'occupaient de Karim lorsque Rik cherchait la proximité d'Abdal, lequel pilotait le navire à chaque fois que la chose était possible. Mais conscient de l'engagement qu'il avait souscrit, l'éducateur du prince gardait toujours un œil sur son protégé. Il remarqua bientôt que le petit garçon mangeait beaucoup trop peu lors des repas communs et rangeait les restes de sa portion dans un petit mouchoir. Au repas suivant, Karim sortit de table avant même que le Hafside n'ait décrété la fin du repas. Dès qu'il eut vu Karim disparaître dans la trappe qui menait à l'escalier, Rik se leva et le suivit à pas feutrés. Karim descendit encore, jusqu'à ce qu'il atteigne la dernière cale, celle où se trouvaient les cages d'esclaves. Tout au bout – pour ce que l'on en distinguait à la lumière crépusculaire –, cachée sous la paille, il distingua une créature semblable à une bête sauvage. Lorsque Karim eut ouvert la porte donnant sur le réduit et étalé son petit ballot devant cet être étrange, Rik entra en se raclant la gorge pour ne pas l'effrayer. L'animal était en réalité la petite Aicha, dont les yeux clairs lui souriaient timidement. Rik se donna du mal pour paraître doux comme du miel :

— Pourquoi la caches-tu ? demanda-t-il trop aimablement à Karim.

— Je ne voulais pas que quelqu'un pense... bredouilla l'enfant, que je l'ai fait pour moi !

— Alors quelle est l'explication ?

— Je ne peux pas le dire pour l'instant, répondit-il en lançant un regard oblique sur les cheveux crépus d'Aicha, pleins de fétus de paille.

Rik fronça les sourcils.

— En tout cas, rendez-vous immédiatement sur le pont ! ordonna-t-il. Nous verrons ensuite ce que nous allons faire.

Il attendit que les deux enfants se soient levés et aient grimpé les escaliers. Puis il remit la jeune fille à Miriam. Timdal rayonnait de plaisir.

Karim, qui sentait le regard désapprobateur du Hafside se poser sur lui, tira Rik de côté.

— Il faut me croire, chuchota Karim avec force, si je l'ai fait monter à bord, c'est uniquement parce que je voulais faire plaisir à Timdal. Tu te rappelles le «jeu de la vérité» ? Le Maure avait souhaité l'avoir pour femme !

— Aicha est encore beaucoup trop jeune pour cela ! laissa échapper Rik, plus moqueur qu'indigné ; mais Karim avait lui aussi une solution toute faite pour résoudre ce problème.

— Timdal n'aura qu'à avoir un peu de patience...

Rik secoua la tête.

— Beaucoup de patience ! Mais c'est Abdal qui devra en décider. Nous nous trouvons à bord de son navire, il est donc maître de la vie et de la mort des esclaves.

— J'interviendrai pour l'un comme pour l'autre, déclara fièrement Karim. Il ne me refusera pas cette demande !

— Estime-toi heureux s'il ne la place pas dans son harem, comme il en a le droit ! Moi, si j'étais toi, je ne l'énerverais pas encore plus en ajoutant une demande malvenue à un acte commis de ton propre chef ! Une fois que nous serons en Égypte, ajouta Rik, apaisant, Miriam pourra peut-être prendre l'enfant sous sa garde. Jusque-là, fais en sorte que Timdal s'en tienne à ma proposition !

Le petit garçon hocha la tête avec reconnaissance et fila vers le Maure qui, tout en restant à distance, dévorait Aicha des yeux. Rik, lui, rejoignit Abdal au gouvernail.

— Ces enfants ! grommela-t-il. Lorsque nous atteindrons Alexandrie, où je dispose d'une maison qui mérite ce nom, ils ne viendront plus nous courir entre les pattes.

Rik était heureux que le Hafside n'accorde pas plus d'importance que cela à l'incident.

Le port de la sagesse

Le voilier contourna la langue de terre où se trouvait la ville de Ptolémée, qui avançait loin dans la mer. Les blocs de granit accumulés dans l'eau témoignaient encore de l'existence du Phare, cette ancienne « merveille du monde », et se laissa glisser, voile baissée, dans le port oriental qui s'ouvrait à eux.

— C'est là, en haut, dans les collines, fit Abdal en attirant le regard de ses invités sur un palais qui brillait sur le vert sombre des cèdres et des cyprès, que ma résidence alexandrine attend les marins épuisés !

À peine le navire fut-il amarré que tous eurent la surprise de voir Ezer Melchsedek qui attendait son épouse, Miriam.

— Je suis arrivé ici dans l'escorte du grand vizir, expliqua-t-il au Hafside, qui s'en réjouit grandement. Le vieux monsieur a voulu fuir la fournaise du Caire pour se reposer ici, à la brise rafraîchissante de la mer !

Le vieil homme aux vêtements ostentatoires ne se soucia qu'un bref instant de son épouse ; il avait fait préparer pour elle et ses amis des litières dans lesquelles Miriam monta avec les enfants.

— Pour échapper aux exigences et à la susceptibilité du grand vizir, expliqua Ezer Melchsedek au Hafside, tout en séjournant à proximité, j'ai, comme si souvent, fait usage de votre hospitalité.

Abdal s'inclina avec un sourire accueillant et mit un terme au discours bien tourné de celui qui, depuis de longues années, était son associé :

— ... D'autant plus que mon modeste foyer se trouve à proximité immédiate de la résidence du souverain.

— À moins que ce ne soit l'inverse ! lança gaiement le familier du grand vizir à Rik, qu'il s'était fait présenter par Abdal.

Timdal avait déjà suivi les litières. Les messieurs se mirent eux aussi en route vers les collines.

— Je vais prévenir le grand vizir de votre arrivée, leur annonça Ezer, car je suppose que l'émir de Mahdia a envoyé son fils en raison de cette Chronique aussi explosive qu'intéressante, et que nous ont apportée deux individus très douteux.

— Où se trouve ce majordome fielleux ? voulut aussitôt savoir Rik. L'avez-vous donc laissé filer ?

— Dix pas devant, quatre sur le côté ! répondit Ezer en riant. C'est à peu près la taille de la casemate grillagée dans la caserne des bahrides qui surveillent le port occidental. Il s'y trouve aux arrêts, en même temps que cet *ouléma* puant qui se fait appeler Saifallah !

— Une nouvelle apaisante ! grommela le Hafside. On peut toujours vous faire confiance, Ezer !

Celui-ci le remercia en s'inclinant légèrement.

— Ils restent tous les deux à notre disposition jusqu'à ce que le grand vizir décide de mettre un terme à la lecture et – ce qui peut durer encore plus longtemps – ait délibéré sur leur cas.

— Je suppose qu'il aura besoin de vos conseils sur ce point !

Rik se sentit profondément soulagé.

Dès le lendemain soir, ils reçurent une invitation au palais du grand vizir. Miriam soigna la tenue de Karim, malgré les protestations du jeune garçon, qui n'en voyait pas l'utilité. Timdal, lui aussi, fut autorisé à les accompagner.

C'est un jeune homme, Fakhr ed-Din, qui les reçut. Il excusa son oncle, alité, qui ne pouvait les accueillir en personne. Il commença par tendre la main à Karim, en lui expliquant :

— Je suis un cousin de ton père, cet homme compétent et courageux.

Il conquit aussitôt le cœur de Karim.

Mais un autre invité important était présent ce soir-là : le chevalier Armand de Treizeguet, ambassadeur spécial de l'empereur Frédéric, qui avait entre-temps été intronisé. Sa présence inquiéta Rik van de Bovenkamp. Le chevalier n'était certes jusqu'ici intervenu dans son existence que pour le meilleur, mais s'il était là, c'est qu'il devait y avoir de sérieux problèmes avec la cour du Caire. Avec lui, et même s'il plaisantait familièrement avec Fakhr ed-Din, c'est le risque d'une croisade qui planait dans la salle.

Rik remit solennellement au nom de son seigneur, l'émir Kazar Al-Mansour, la partie manquante de la Chronique, pour que le grand vizir – «*Allah yati as-saha oua 'oumr taouil*» – puisse se faire une idée de la croisade des enfants, de leur aveuglement et de leur déraison, de leur souffrance et de leur triste destin.

Fakhr ed-Din sourit, tendit, sans faire vraiment attention, la grosse serviette à un *moussa'ad*, mais rectifia aussitôt ce geste discourtois.

— Malgré sa maladie, mon oncle lit vos aventures avec un grand plaisir, expliqua-t-il à Rik, parce qu'elles montrent à quel point il est facile d'attirer les chrétiens vers la mort ou de les rendre heureux comme de petits enfants.

Rik se sentit tenu de répliquer, même si le regard du Hafside l'implorait de prendre la chose avec flegme.

— Tout dépend de leur chef, fit-il. Affronter une armée dirigée par l'empereur Frédéric n'aura rien d'une partie de plaisir pour ses ennemis, mais les poussera à leur perte.

C'est l'ambassadeur qui se crut alors tenu d'intervenir.

— Ce qui ne correspond nullement au vœu de l'empereur, qui a vis-à-vis de l'islam une position plus qu'ouverte, et qui est l'ami de tous les musulmans !

Fakhr ed-Din montra ses dents étincelantes dans une sorte de rictus, mais retrouva rapidement son sourire séduisant.

— La seule question qui se pose est de savoir comment on peut éviter cette croisade absurde, et d'autre part faire porter des fruits à l'amitié entre nos peuples, bref : comment on peut rendre l'empereur heureux.

Dans la pause tendue qui s'ensuivit, Karim lâcha d'une voix rauque et aiguë :

— Offrez-lui donc Jérusalem !

Le silence qui s'installa alors était fait d'étonnement incrédule et désemparé. Mais Fakhr ed-Din posa son bras sur les épaules du petit garçon, ce qui l'incita à continuer à parler :

— Tous les enfants chrétiens, ma chère mère, mon bon Rik, n'avaient qu'un seul objectif en tête : la sainte Jérusalem !

— Et d'où tiens-tu cela ?

— Mais enfin, il suffit de lire cette chronique !

Comme il ne pouvait pas espérer le soutien de Rik, Karim se retourna vers Timdal et Miriam. Le Maure lui sourit certes et Miriam hocha vivement la tête, mais ni l'un ni l'autre ne s'exprimèrent. Après tout, le Maure n'était pas chrétien, et Miriam était juive. C'est finalement le chevalier qui reprit la parole.

— C'est peut-être vrai ! fit-il, songeur. À bien y regarder, ce n'est peut-être pas une mauvaise idée !

Fakhr ed-Din secoua la tête, étonné.

— Parfois, ce sont les enfants qui nous enseignent la manière d'aborder les questions difficiles. Je conseillerai au grand vizir de relire la Chronique sous cet aspect !

Après ce tournant inattendu, on se mit à table. Rik se demandait justement comment il pourrait demander à Karim ce qui avait bien pu lui donner l'idée de prononcer une phrase pareille, lorsque deux hauts dignitaires s'approchèrent de lui :

— Messire le vizir tout-puissant, Al-Ouazir al-qadir, désire voir le petit garçon !

Karim bondit aussitôt sur ses jambes, sans montrer la moindre crainte, mais suivit les deux courtisans, rouge de fierté. Lorsqu'il revint, l'enfant portait une chaîne lourde et précieuse au cou, et rayonnait : il avait, dit-il, pu lire au grand vizir un passage de la Chronique qui traitait justement de cet anneau qui se trouvait en sa possession, à lui, Karim, mais il ne l'avait pas révélé au grand vizir !

La soirée fut gaie et détendue. La petite société ne revint que tard dans la nuit dans la villa du Hafside, guidée par des porteurs de flambeaux.

Dès le lendemain, le neveu, représentant du grand vizir Fakhr ed-Din, et le chevalier Armand de Treizeguet, ambassadeur de l'empereur, rendirent une visite au puissant Hafside. On se retrouva dans le pavillon du parc, situé à l'écart, au-dessus de la ville et du port. Étaient aussi présents Ezer Melchsedek, représentant d'Abdal au royaume des Ayyubides et confident du grand vizir, mais aussi, à la demande expresse du chevalier, Rik van de Bovenkamp. Les femmes et les enfants étaient tenus à l'écart du lieu bien gardé de la réunion.

— Le véritable *motor spiritus* d'une nouvelle croisade n'est pas mon empereur, commença le chevalier, mais le pape. Honorius III, qui a à présent un grand nombre d'années, veut couronner son pontificat avec cette glorieuse entreprise afin d'entrer dans l'histoire comme le souverain pontife qui aura définitivement redonné ses lieux saints à la chrétienté.

— Il ne saurait en être question, répondit Fakhr ed-Din, notre grand sultan Saladin n'a pas reconquis Jérusalem pour faire renaître une nouvelle Rome au cœur du monde islamique...

— Ce serait une plaie ouverte à tout jamais dans la chair des enfants d'Abraham, ajouta Ezer Melchsedek, songeur. Libre accès, oui. Détention, jamais !

C'est à cet instant précis que les gardiens amenèrent Timdal. Le Maure en vint immédiatement au fait :

— Saifallah s'est évadé !

Il raconta que dans le port occidental comme dans le bassin oriental, les soldats du régiment des bahrides contrôlaient tous les navires sortants et élevaient des barrages sur tous les chemins de campagne.

— Mais la honte que pareille négligence vous infligera touchera vos officiers plus durement encore que la peine qu'ils peuvent redouter !

— Vous pourriez bien avoir raison sur ce point, approuva Fakhr ed-Din. Je n'aimerais pas être dans leur peau lorsque la colère du grand vizir s'abattra sur eux.

Il s'inclina brièvement devant l'assemblée et quitta rapidement le parc pour informer le vieil homme de cet incident. Ezer Melchsedek tenta d'en réduire l'importance :

— Il ne reste au fugitif que la voie maritime ; par la terre, il se retrouvera, d'un côté, dans le désert, et de l'autre il errera dans les canaux du delta. Ils ne tarderont pas à le reprendre !

Il se fit resservir du thé.

— Ce n'est pas mon opinion, répliqua le Hafside. Tel que je connais Moslah, c'est lui qui aura habilement préparé cette fuite qu'il était trop lâche pour la prendre lui-même. Si vous voulez mon avis, cet *ouléma* teigneux vogue depuis longtemps en haute mer.

— Peut-être sur l'un de vos navires, Abdal ! plaisanta le chevalier.

Mais Rik l'interrompit, l'air grave.

— Pour moi, cette fuite, et surtout son moment, a un rapport avec notre arrivée ici et l'aimable accueil que nous a réservé le grand vizir.

— Ces canailles voient leur plan partir en morceaux ! approuva Armand de Treizeguet. La « Chronique de Mahdia », tout le monde le voit bien à présent, n'est pas une arme perfide contre l'émir et tous ceux qui ont participé à cette chronique, mais servira de fil rouge à notre future action.

Les hommes tiraient sur l'embouchure de leur narguilé.

— Peut-être un homme comme l'empereur tient-il plus à mener une action symbolique, qui le présenterait comme le fils obéissant de l'Église, qu'à conquérir une ville stratégique ? demanda Ezer.

Mais le chevalier le contredit aussitôt :

— Dénier à un souverain comme Frédéric l'instinct du pouvoir politique et l'intérêt pour les conquêtes territoriales serait une coupable méconnaissance de son caractère…

— On ne peut tenir Jérusalem, fit le Hafside, que si l'on a aussi en main les châteaux de l'arrière-pays…

— Mais ce n'est ni le cas, ni une hypothèse envisageable ! lança d'une voix tonitruante Fakhr ed-Din qui venait de les rejoindre, l'air sombre. Le grand vizir a décidé de revenir au Caire pour délibérer avec El-Kamil, notre sultan. Il se réjouirait, ajouta-t-il à l'attention du chevalier, que Messire l'ambassadeur se joigne à lui.

Fakhr ed-Din ne reprit pas sa place : il préféra boire son thé debout.

— Et que va devenir Moslah ? demanda Rik.

— Nous l'emporterons dans une cage, comme un reptile malveillant ! Juste après la fuite de son complice, les bahrides l'ont emmené dans un réduit inviolable et grillagé, où ils l'ont roué de coups...

— Ce qui m'intéresse plus, c'est ce que deviennent mes invités, objecta le Hafside. J'ai conduit ici le fils de l'émir et surtout Messire Rik pour qu'à sa demande, ils puissent lui apporter un commentaire de la Chronique...

Abdal se donnait du mal pour garder son calme, mais Fakhr ed-Din le rabroua avec un sourire.

— Vous aurez l'amabilité d'attendre ici jusqu'à ce que Le Caire soit parvenu à prendre une décision. Cela vaut en particulier pour mon neveu Karim, car il va encore nous falloir parler de Mahdia.

L'assemblée se dispersa. Le chevalier et Fakhr ed-Din revinrent à la résidence du grand vizir, où l'on se préparait pour le voyage. Elzer Melchsedek et son épouse Miriam choisirent eux aussi – en accord avec Abdal – de partir immédiatement pour Le Caire, où ils possédaient une résidence près de Gizeh, juste en face des pyramides. Mieux valait qu'Ezer, qui avait l'oreille du grand vizir, soit sur place si l'on voulait éviter que ne soient prises des décisions déplaisantes.

— Ne nous faisons pas d'illusions, marmonna le Hafside. Tant que le vizir et le sultan n'ont pas trouvé de solution, nous sommes pratiquement en résidence surveillée !

— L'hospitalité de vos quatre murs me rend ce destin bien supportable, plaisanta Rik.

Mais cela ne consola pas du tout le Hafside.

— Je déteste que l'on tente de m'accrocher à une chaîne ! Mais nous n'avons pas le choix...

Karim ne voulait pas être séparé de Miriam, qui était devenue comme une seconde mère au fil du voyage – une mère qui, en outre, opposait une résistance à ses caprices, ce qui n'était pas pour lui déplaire.

— Karim, il vaut mieux que la cour du sultan m'accueille de nouveau comme l'épouse d'Ezer Melchsedek, plutôt que d'arriver en même temps que vous et que la chronique...

— Tu ne veux pas être mise dans le même sac que nous ! lança le petit garçon indigné, les larmes aux yeux.

— Certainement pas ! répondit Miriam, imperturbable. Mais si je fais autrement, je ne pourrai pas te sortir de la marmite.

L'image parut limpide à Karim, qui était bien conscient de sa position d'otage – et qui en était fier.

— Un otage n'a de valeur que vivant, répliqua-t-il. Et pas bouilli !

— Ça ne serait pas dans les habitudes alimentaires du sultan ! le consola Abdal avec un sourire.

Timdal remplaça Miriam au pied levé, à la grande joie de la petite Aicha. Rik, lui, attendait avec impatience. Abdal, furieux, vaquait à ses affaires dans le port en contrôlant ses navires à l'arrivée et au départ. Il avait finalement pu vérifier que Saifallah avait effectivement pu quitter Alexandrie incognito sur l'un de ses navires de fret. L'attente mit les nerfs à rude épreuve pendant plusieurs semaines, jusqu'à ce que le commandant des bahrides se présente enfin dans la villa pour les prévenir que l'illustre grand vizir exigeait de voir au Caire Abdal et la totalité de ses invités. Avec des sentiments mêlés, mais non sans soulagement, ils montèrent dans la barge que le gouvernement avait mise à leur disposition pour voguer sur le Nil.

La clef de Jérusalem

Seuls Abdal et le chevalier allemand furent explicitement admis à la réception au palais du sultan. Le chevalier Armand de Treizeguet avait déjà entamé son voyage de retour vers Palerme. Karim, Aicha et Timdal restèrent donc dans la résidence de Melchsedek, sous la garde de Miriam.

La réception eut lieu dans l'antichambre de la salle d'audience ; c'est Fakhr ed-Din qui les reçut ; Ezer Melchsedek se trouvait deux pas derrière eux. Le neveu annonça à la délégation de Mahdia que son oncle – et lui aussi – avaient lu la Chronique. Que si elle ne confirmait pas *expressis verbis et de facto* la thèse admise, elle permettait en revanche de penser qu'il y avait quelque chose de vrai dans la folle envie de s'emparer de cette ville. Il parlait encore lorsqu'on porta dans la salle la litière d'apparat du grand vizir. Le vieil homme malade n'apparut pas à leurs regards : un baldaquin de fine mousseline recouvrait la couche comme une tente.

— Bref, conclut Fakhr ed-Din, nous voyons une possibilité d'accord : l'empereur renonce à sa croisade, et le sultan cède Jérusalem !

— Et cela dans une procédure qu'il faudra rigoureusement négocier ! fit la voix sonore, derrière le voile. Nous vous enverrons, Fakhr ed-Din, comme ambassadeur à la cour de Sicile !

Le légat s'inclina respectueusement en direction du baldaquin, d'où s'éleva de nouveau la voix légèrement éraillée :

— Venons-en à Mahdia !

Fakhr reprit docilement :

— ... où nous ne sommes pas particulièrement satisfaits de l'action, ou plutôt de la dérive de notre cher neveu et cousin Kazar Al-Mansour...

— Il ne sait pas s'imposer ! aboya le vieil homme. Il laisse l'eunuque de Tunis le mener par le bout du nez...

— Depuis qu'à Marrakech, on a remis le pouvoir à ce *miramolin* (À la cour du Caire, personne n'aurait eu l'idée d'employer le titre de « sultan »), on recommence à s'intéresser à la corne d'Ifriqiya, et la pression sur Tunis...

— Cet âne bâté ne s'est pas remarié, grogna le grand-vizir. Kazar n'a pas d'épouse et n'engendre pas d'autre descendance !

— Mais celle qu'il a déjà mise au monde est particulièrement réussie ! le contredit Fakhr ed-Din. Karim vous a tout de même convaincu du fait que...

Un serviteur l'interrompit en chuchotant :

— Une nouvelle importante pour vous !

— On ne murmure pas en présence du grand vizir ! le rabroua Messire Abdal. Je n'ai pas de secrets à cacher !

Le serviteur se mit alors à parler d'une voix haute et saccadée :

— L'émir de Mahdia! Assassiné! D'Alexandrie! Un message! Il vous envoie ceci par avance!

Et il déposa une petite corbeille dans la main d'Abdal. Celui-ci souleva le couvercle, grimaça, en sortit une lettre tachée qu'il parcourut. Une immense tension s'empara de l'assistance au moment où Abdal lut le texte à voix basse.

— C'est hélas la vérité, confirma finalement le Hafside avant de laisser retomber le parchemin.

— Non! gémit Rik.

Le chevalier allemand eut l'impression qu'un gouffre s'ouvrait sous les pieds, il tituba et c'est le malingre Ezer qui dut le soutenir. Le grand vizir chuchota quelque chose à Fakhr ed-Din, qui annonça d'une voix presque atone :

— Je dois vous demander de nous laisser seuls avec Abdal al-Hafside!

Ezer fit précautionneusement sortir l'Allemand pétrifié de la salle d'audience, où un murmure énervé remplaça le silence consterné.

Le soir, dans la résidence de Gizeh. Derrière les sombres palmiers sommeille le Nil, la pyramide de Kheops se découpe, puissante et irréelle, sur le ciel noir de la nuit. Derrière la porte verrouillée, on entend les sanglots de Karim. Rik sort de la chambre et regarde Timdal qui attend devant la porte, en larmes. Aicha lui tient la main.

— Votre épouse Miriam, dit-il à Ezer, est la seule qu'il laisse approcher...

Ezer hoche la tête et conduit le chevalier effondré sur la terrasse, devant la maison. Ils regardent fixement et en silence les palmiers dont les feuillages chuchotent au vent.

On entendit des voix sur le chemin d'accès plongé dans l'obscurité. Abdal arriva avec Daniel.

— C'est lui qui apportait la corbeille où se trouvait la lettre de ma *sajidda* Blanche, expliqua le Hafside en poussant le *moussa'ad* devant lui. Mais ils ne l'ont pas laissé passer.

Daniel s'inclina devant Rik, qui lui tendit la main.

— Comment cela a-t-il pu se produire ?

Avant que le *secretarius* n'ait pu se lancer dans une explication, le Hafside lui dit :

— Que le Maure renvoie la petite et lise le contenu de cette lettre.

— Mieux vaut que je m'en charge, fit Daniel. C'est moi qui l'ai rédigée...

D'un mouvement brusque, Abdal lui tendit le parchemin froissé. Ezer fit apporter une chandelle.

Mon très cher époux et maître,

Je vous écris en toute hâte. Je me trouvais à El-Djem lorsque j'ai appris cet acte sanglant. Comme il le fait régulièrement, l'émir descendait dans la tour pour aller prier à la mosquée. Il se trouvait encore seul dans l'escalier lorsque les assassins se sont abattus sur lui et lui ont transpercé le cœur d'innombrables coups de poignard. Ils ont certainement été envoyés par les oulémas fanatiques de Kairouan, car c'est là que sont repartis ces meurtriers une fois leur travail accompli. J'ai appelé tous vos fils, rassemblé tous les bédouins que j'ai pu trouver sur vos terres, j'ai envoyé des messagers à cheval sur les points de la côte où je savais que des pirates de votre connaissance avaient jeté l'ancre, et j'ai donné l'ordre d'entrer à Mahdia par la côte et surtout d'occuper le port tandis que nous galopions par la route...

Les gardes de la porte, au Bab Zawila, avaient fait tomber toutes les herses et disposé des hommes sur les grands murs, ils étaient effarés et mortifiés. Mais ils nous ont laissés entrer. Je me suis précipitée au palais avec une poignée de fidèles. Tous les domestiques pleuraient. La bibliothèque était vide, mais Marius, que j'avais emmené en même temps que Daniel, entendit des bruits au-dessus de nos têtes et de l'ascenseur. J'ai envoyé les Bédouins, leurs poignards à double tranchant entre les dents, je les ai suivis et j'ai surpris Saifallah qui fouillait le coffre de la Chronique et s'était déjà emparé de quelques parchemins récents.

Je sais que vous aimez à éviter les charges inutiles et que vous vous attachez toujours à l'essentiel. Je ne vous envoie donc aujourd'hui que la tête du criminel, qui a aussi avoué, narquois, qu'Ahmed Nasrallah, le kabir at-tawashi de Tunis, était en marche pour prendre Mahdia au nom du sultan de Marrakech. Je me crois capable de tenir la forteresse jusqu'à ce que vous arriviez. Hâtez-vous donc, vous me manquez.

Blanche

— Quelle femme habile que ma *sajidda*! fit le Hafside avec reconnaissance. Avant d'ajouter: Le grand vizir m'a officiellement chargé du gouvernement de Mahdia.

Il embrassa sur les deux joues son ami Ezer et serra longuement dans ses bras Rik van de Bovenkamp.

— Ma maison est toujours la vôtre!

Le neveu du grand vizir apparut à la tête d'une troupe de chameliers. Il remit au Hafside le document attestant de sa nomination et insista pour obtenir un départ immédiat.

— Nous avons mis à votre disposition le plus rapide de nos navires, la trirème se trouve déjà à Gizeh pour vous conduire à Alexandrie. Votre navire vous y attend!

Abdal remercia Fakhr ed-Din pour sa circonspection, puis appela Daniel, qui se trouvait encore auprès de Timdal.

— Viens, à présent, nous devons nous dépêcher.

Karim apparut au seuil de la porte, les yeux rougis par les larmes, au moment précis où le Hafside et Daniel montaient sur les chevaux que l'on avait mis à leur disposition. Ils lui firent signe, mais le petit garçon ne répondit pas à leur salutation.

— Je ne veux pas rentrer à Mahdia, annonça-t-il d'une voix ferme à Fakhr ed-Din. Que voulez-vous que j'aille faire sur ce rocher à vautours où ma mère d'abord, puis mon père à présent, se sont vidés de leur sang. Je hais la corne d'Ifriqiya!

Fakhr ed-Din le laissa épancher sa douleur et sa rage, il retint aussi tous ceux qui voulaient prendre Karim dans leurs bras, notamment Rik et Miriam, avant de dire tranquillement:

— Tu peux rester ici auprès de Miriam et d'Ezer, qui veulent te garder comme un fils.

Le petit garçon essuya ses larmes et hocha la tête. Fakhr ed-Din lui laissa le temps.

— Si tu le souhaites, je deviendrai ton parrain. Mais Rik, lui aussi, sera toujours là pour toi.

Karim ne réfléchit pas longtemps avant de répondre:

— Timdal et Aicha doivent aussi rester avec moi !

Tard dans la nuit, la Ma'Moa et Moustafa arrivèrent dans une litière. Au même moment, Ezer revint du débarcadère, au bord du Nil, où le Hafside l'avait accompagné. Il annonçait aussi que la corbeille portant la tête du *baouab* avait été envoyée dans la cellule, avec une fine cordelette nouée :

— C'est avec cela que Moslah s'est pendu aux barreaux !

L'arrivée de la litière et le déchargement de Moustafa, le paralytique, se déroulèrent en silence : Karim était enfin tombé dans un profond sommeil. La Ma'Moa transmit à Rik une lettre cachetée qui lui était destinée. Elle l'avait trouvée sur le bureau de l'émir, parmi les papiers chiffonnés.

Rik remercia la fidèle nourrice, qui insista pour qu'on la conduise à la chambre d'Aicha, afin qu'elle puisse enfin serrer sa petite fille dans ses bras. Rik se retira sur la terrasse solitaire où les lampes à huile continuaient à brûler, et rompit le sceau qui refermait la lettre.

Le cœur de l'émir
La dernière lettre de Kazar Al-Mansour

Bismillah ar-rahman ar-rahim.

Rik, mon cher ami, la solitude règne sur le rocher de Mahdia. Le champ de tombes s'étend à mes pieds, silencieux, immobile. On n'entend que le rire des mouettes qui tournent au-dessus du port et attendent en vain les déchets de poissons que les pêcheurs leur lançaient jadis à leur arrivée. Qui d'autre m'accompagne encore ? Une ou deux dizaines de gardiens et autant de serviteurs qui surveillent un harem déserté, des portes derrière lesquelles on ne trouve plus personne, des escaliers dont nul ne foule plus les marches. Une cuisine du palais qui ne sait plus pour qui elle doit travailler, un hammam qu'il n'est plus utile de chauffer. Au début, pourtant, je m'y rendais encore pour me distraire et rêver.

Pendant un moment, j'ai joué avec l'idée de charger Moustafa, notre infirme, celui qui rédigeait autrefois des serments d'amour, d'écrire cette lettre à ma place. Mais j'ai fini par écarter cette solution. N'est-il pas lui aussi victime de cette idée folle : disséquer après coup notre destin comme un chirurgien et tenter d'affirmer, en observant les entrailles de notre âme, que nous aurions pu définir notre destin nous-mêmes et autrement ? Allah nous a punis.

Seule la Styrum est, peut-être, revenue auprès de son Hadj Zahi Ibrahim, à Tunis, telle que nous l'avions connue à son arrivée. Mais Armin ne souffrait-elle pas déjà, auparavant, du fardeau de son corps ambigu ?

Par Alékos, l'aubergiste écrivain, j'ai entendu dire que Hakim-Oliver envisageait d'entrer au service du Hafside, désireux d'avoir constamment un médecin auprès de lui pour ses vieux jours. Il est aussi possible que son épouse Elgaine n'ait plus envie, après avoir revécu le souvenir de l'époque où elle évoluait à la cour, de rester auprès d'un seul homme si celui-ci passait sa vie à soigner des nomades parcourant le désert.

Daniel et Marius ont été rappelés à El-Djem, où le moine, tout en coupant des roses, doit prier pour que l'on ait oublié la peine de bastonnade qui devait lui être infligée. Il l'a pourtant bien méritée.

La sajidda *Blanche, en revanche, doit, dit-on, dicter à Daniel ses mémoires de « houri de Saint-Denis » pour faire plaisir au Hafside, car Abdal aime ce type d'histoires par-dessus tout. C'est peut-être le mystère de ce mariage extraordinaire ! Avec le départ de Timdal, qu'un destin meilleur attend certainement à l'étranger, et les adieux inéluctables de Miriam, dont l'époux doit posséder une dose de patience étonnante pour avoir renoncé si longtemps à elle, notre Chronique a trouvé sa conclusion définitive. La contribution que nous a apportée le Maure, toujours aimable et serviable, a été extraordinairement précieuse, et je devrais peut-être lui faire un cadeau à l'occasion de notre séparation – pourquoi pas lui donner la petite Aicha comme épouse ?*

Je te dois de tout aussi grands remerciements, Rik, toi qui t'es tenu à mes côtés aux heures les plus difficiles de ma vie, tout naturellement, comme au moment où nous avons pris la décision de retracer toutes les étapes du chemin qui mena Mélusine jusqu'à moi. Cela devait être un charmant livre d'images pour un gamin éveillé qui a dû grandir sans sa mère, qui ne l'a même pas connue. Mais l'album est devenu un livre sans merci, qui a révélé le plus profond de nous-même.

Tu te reproches, Rik, de ne pas avoir rempli ta mission ? Une seule personne, ici, n'a pas été à la hauteur de sa tâche, et c'est moi – à commencer par mon impardonnable retard, qui a entraîné la mort pourtant évitable de Mélusine. Au lieu de puiser dans mon désespoir colère et vengeance, j'ai courbé la tête devant l'eunuque que j'aurais dû abattre de mes mains! Avoir toléré Moslah a été le pas suivant dans la vase de la honte. Je l'ai pris pour le correspondant du Ouazir al-Khazna. Comme tous les mouchards, il jouait un double jeu, et j'ai cru pouvoir vivre avec cela! Tu m'as mis en garde plusieurs fois, j'ai continué à avaler des couleuvres au lieu de m'en servir pour étrangler cette canaille!

Et pour finir, je n'ai pas rempli ma mission à l'égard de mon propre fils: au lieu de lui dessiner une image claire de l'amour de ses parents l'un pour l'autre et envers lui, leur unique enfant, j'ai tenu à ce que l'on aille au bout de cette chronique parce que je doutais de Mélusine et de son amour, fou que je suis!

Aujourd'hui, je maudis la Chronique; elle a détruit mes illusions, elle a élevé la femme que j'aimais bien au-dessus de moi, indigne que je suis, et elle m'a aussi volé mon fils! Ce n'est pas un reproche que je t'adresse, Rik. Je ne peux plus te regarder dans les yeux. Ne serait-ce que pour cette raison, tu ne dois pas revenir à Mahdia. Même Paul, qui est mort, triomphe sur moi! Puisque ce n'est pas toi, c'est lui que Karim devrait avoir comme père, et non un damné comme moi! Exauce ma dernière demande, Rik: que Karim soit éduqué en un autre lieu que dans la sinistre solitude de la corne d'Ifriqiya, où tout lui rappellera le triste destin de sa mère et le confrontera avec un père qui, au plus tard après sa première rencontre avec cette femme, est passé dans le camp des perdants. Ne lui donne jamais la Chronique à lire: Karim doit grandir sans soucis ni discorde, parmi les enfants de son âge, dans la ferme certitude que ses parents l'aimaient plus que tout sur cette terre – sa belle et audacieuse mère, Mélusine, lorsqu'elle le mit au monde, et son père Kazar Al-Mansour, émir de Mahdia, jusqu'au dernier battement qu'Allah accordera à son cœur.

Je me fie à toi,

Ya sadiqi, *pour toujours ton ami,*

Kazar Al-Mansour,
Donné à Mahdia en l'an 1222 de votre seigneur
Et en l'an 619 de l'Hégire.

Épilogue

Bismillah ar-rahman ar-rahim
L'an 626 de l'Hégire, 1229 selon le décompte de l'Occident.
Remercions le très estimé émir Karim Ibn Kazar Al-Mansour pour la lettre adressée du fond du cœur à son vieux murabbi cheikh, dont il peut toujours être certain de l'amour indéfectible.

J'ai été particulièrement heureux que le grand vizir Fakhr ed-Din, dans sa perspicacité, vous ait choisi parmi les nobles seigneurs et dignitaires de l'escorte d'honneur qui ont, au nom du sultan El Kamil, souhaité la bienvenue à l'empereur Frédéric devant les portes de Jérusalem et lui ont remis les clefs de la ville. Le grand maître de mon ordre, celui des Chevaliers teutoniques, l'irréprochable Hermann von Salza, m'avait refusé le plaisir de vous revoir à cette occasion !
J'ai été envoyé à Acre par le commandeur de mon ordre, von Starkenberg, afin de veiller à la protection de l'empereur, dont la venue était, il est vrai, un objet de virulentes protestations, y compris parmi les chrétiens locaux. Nos religieux et les barons du pays, notamment, s'en sont pris à Frédéric avec virulence, les uns parce qu'il avait entrepris ce voyage malgré l'excommunication qui le frappait, les autres parce qu'ils craignaient de le voir rester et rogner leurs droits. Je ne

*pus donc pas participer au couronnement que vous m'avez
si admirablement décrit. Dommage : je suis vraisemblablement
l'un des rares chevaliers de mon ordre à maîtriser, pour les
avoir pratiquées longtemps, la langue arabe et les mœurs du
pays. Et j'ai l'avantage de connaître personnellement l'actuel
grand vizir. De la même manière, notre « Chronique » a peut-
être contribué de manière essentielle, à l'époque, à ce que Frédéric puisse entrer dans la Ville Sainte de Jérusalem sans
épanchement de sang.*

*L'empereur en récolte les fruits, et c'est bien comme ça.
Grâce à son mariage avec Iolanda, et surtout grâce au fils
qu'elle lui a donné, Konrad, il peut désormais porter aussi le
titre de « roi de Jérusalem ». Mais beaucoup lui contestent
même cela et lui reconnaissent tout au plus un titre de régent.
Beaucoup jalousent le succès de Frédéric, ils vont même jusqu'à l'amoindrir au motif absurde qu'il ne l'a pas conquis par
l'honneur de l'épée ! Mais le sultan El Kamil doit lui aussi supporter les railleries : on dit qu'à aucun prix il n'aurait dû céder
à ces chiens de chrétiens les lieux saints ! Ainsi, loin de s'attirer des remerciements, tous deux ne reçoivent que calomnies et mauvaise humeur.*

*Si je ne me trompe pas sur la situation, cet accord de paix
ne sera pas de longue durée. Si l'un de ces deux souverains
tolérants et pacifiques venait à mourir, ses successeurs – ou
d'autres – veilleraient à ce que le combat continue. Il ne s'agit
pas non plus de Jérusalem, telle que nous nous la sommes
imaginée jadis, exaltés que nous étions. La marine chrétienne
et notamment les républiques de Venise et de Gênes profitent
de leurs monopoles dans les villes côtières depuis si longtemps
déjà qu'elles se sont habituées aux revenus qui coulent sans
interruption et les considèrent comme un droit d'origine
divine. Pour l'islam, ces envahisseurs qui comptent sur la pré-
dominance de leurs missionnaires sont une plaie insupportable – qu'il subira jusqu'au jour où il unira ses forces et les
jettera à la mer ! J'espère ne pas avoir à vivre cela !*

*J'ai appris par vous, avec une immense satisfaction, que
le Hafside ne s'est pas contenté de faire le tri parmi les oulémas fanatiques de Kairouan – moi aussi, ne serait-ce qu'en
mémoire de votre père, je les aurais fait sortir de leur trou et
passés au fil de l'épée ! –, mais avait aussi chassé de Tunis le*

grand eunuque et y avait installé l'un de ses innombrables fils pour y servir de gouverneur. Le fait qu'il se considère désormais comme un patriarche et porte le nom de « Abou Haf » laisse penser que s'est établie sur la corne d'Ifriqiya une nouvelle dynastie, celle des « Hafside ». Mais tel que je connais le vieil homme, il ne secouera pas seulement la souveraineté du lointain de Marrakech – fortement affaiblie depuis sa défaite de Las Navas de Tolosa –, mais ne se laissera plus non plus soumettre au Caire. Alors, Mahdia ne sera plus assise entre deux chaises : elle sera suffisamment éloignée des deux trônes pour pouvoir conquérir et conserver son indépendance, d'une main ferme et l'esprit clair.

Récemment, notre vieil ami le chevalier Armand de Treizeguet est venu me rendre visite. Après toutes ces années de laborieuses négociations entre la cour du sultan et Palerme, il vient d'annoncer à Frédéric qu'il quittait son service. Il souffrait plus qu'aucun autre de cette succession interminable d'empêchements souhaités par le sultan, d'action requise par le pape et d'ajournements constants – la tactique choisie l'empereur, un processus exténuant qui a duré plus de sept ans. La croisade, qui n'en était pas une, a tellement harassé le chevalier qu'il a aussi refusé l'offre de notre grand maître Hermann von Salza, qui lui proposait une paisible commanderie dans les collines de l'Anti-Liban. En revanche, son amour de jeunesse Marie de Rochefort lui a légué toute sa fortune lorsqu'elle est morte dans ses bras, sans laisser d'enfants.

J'ai aussi appris par Armand la fin peu glorieuse des deux canailles de Marseille. Après l'échec de la dernière révolte contre Frédéric, en Sicile, Hugo de Fer et Guillem le Porc ont cherché refuge sur l'île de Linosa. Les Templiers locaux n'ont pas trouvé la moindre raison d'affronter la flotte de Sicile pour défendre deux marchands d'esclaves. Leurs sergents les ont soigneusement accrochés au bastingage et ont laissé le navire sortir en mer dès que le vent s'est levé, toute voile dehors et sans personne au gouvernail. Ou bien les requins ont réglé leur sort aux deux hommes suspendus, ou bien ils se sont fracassés quelque part, contre les rochers de la côte. En tout cas, on n'a jamais plus entendu parler d'eux. Allahu hu al-Adil ! Dieu est juste au bout du compte !

Pour finir, je vais profiter de cette occasion d'y accéder librement – qui sait combien de temps cela durera ainsi – pour faire un pèlerinage à Jérusalem. Moins pour me sentir ainsi dans la peau d'un «chevalier du Saint-Sépulcre» que pour accomplir le rêve au nom duquel des enfants immatures, mais animés par la foi, ont quitté la France et l'Allemagne, jadis, pour franchir une mer qui ne voulut pas s'ouvrir devant eux. Ce fut aussi le cas de ta mère Mélusine de Cailhac et du chevalier allemand Rik van de Bovenkamp. Je prierai au Saint-Sépulcre pour vous, Karim, et pour vos chers parents!

Inna Allaha
'andahu 'almusaati
ua yunsilu al ghaitha
Ua ya'alamu
Ma fi al ahrami
Ua ma tadri nasfu
Madha taksibu ghaddan
Ua ma tadri nafsu
Bi aye 'ardin tamout.
Inna Allah 'alimun
Khabirun

Dieu s'est réservé
la connaissance de l'heure.
Il fait tomber la pluie.
Il sait ce qui est caché
dans le sein de la mère,
et l'homme ignore
ce qui lui arrivera demain,
dans quelle terre il mourra.
Mais rien n'échappe à la
pénétration de Dieu.
Sourate XXXI, 34.[1]

---

1. Traduction de M. Savary, Garnier, 1955. (*N.d.T.*)

Sources et remerciements

Les sources d'époque étant très minces et très lacunaires, il faut remercier Karlheinz Deschner de les avoir rassemblées dans sa *Kriminalgeschichte des Christentums* (Hambourg, 2002, vol. VII, pp. 111 sq.). Steven Runciman avait déjà décrit clairement les faits dans *A History of the Crusades* (Cambridge 1950-1954). Tous deux se réfèrent essentiellement aux chroniques médiévales *Gesta Treverorum* et *Annales Spirenses* des évêchés de Trèves et de Speyer.

Ces événements n'ont pas eu, que je sache, de conséquences dans le monde islamique. J'ai pu fonder ma reconstitution sur deux livres en deux volumes, *Histoire des Berbères et des dynasties musulmanes de l'Afrique septentrionale* d'Ibn Khaldoun (Paris, 1847) et *La Berberie occidentale sous les Hafsides – des origines à la fin du xvᵉ siècle* de Robert Brunschwig (Institut d'études orientales d'Alger, 1982), ainsi que sur les études de Ferdinand Wüstenfeld, *Geschichte der Fatimidenchalifen* (Göttingen, 1881), Charles André Julien, *Histoire de l'Afrique du Nord* (Paris, 1952), et sur les ouvrages de référence *The Islamic Dynasties* de Clifford E. Bosworth (Edinburgh, 1967) et *Les Grandes Dates de l'Islam* par Robert Mantran (Paris, 1990).

Dans mes recherches sur place, à Mahdia, j'ai eu la chance d'être soutenu par le Dr Ridha Boussoffara, directeur du musée de Mahdia, l'architecte Khaled Koulak, Tunis, et mon ami Daniel

Speck, bon connaisseur de l'islam. Se sont également révélées utiles les études d'Alexandre Lézine et du Pr Mohamed Habib Hamza, toutes deux consacrées à l'histoire de « Mahdiya », et le traité *Une résidence Hafside : l'Abdalliya à La Marsa (Tunisie)* de Jacques Revault (université de Tunis, 1971).

J'adresse également mes remerciements à mon agent Michael Goerden, devenu un féru d'histoire, à mon directeur littéraire Thomas Rathnow et à Annalisa Viviani (AutorenEdition), qui me supervise avec rigueur.

Je n'oublie jamais la gratitude que je dois à mes actives collaboratrices, notamment Sylvia Schnetzer, suivie par Anke Dowideit et Astrid Bindel.

Peter Berling
Rome, janvier 2003.

Table

Ho

Ber

Ville de Montréal Ho **Feuillet de circulation**

À rendre le

Z 2 1 JUIL '05		
24 AOU ✿ '05		

06.03.375-8 (01-03) ✪

— DEC. 2004